LA VIDA ESPAÑOLA
EN LA EDAD DE ORO

EL MUNDO Y LOS HOMBRES

BIBLIOTECA ESPAÑOLA DE CULTURA GENERAL

Dirigida por M. FERRER DE FRANGANILLO

2

LA VIDA ESPAÑOLA
EN LA EDAD DE ORO

SEGÚN SUS FUENTES LITERARIAS

POR

ANGEL VALBUENA PRAT

CATEDRÁTICO DE LITERATURA

BARCELONA

EDITORIAL ALBERTO MARTÍN

CONSEJO DE CIENTO, 140

Talleres Gráficos AGUSTIN NÚÑEZ - París, 208 - Tel. 70600 - Barcelona

INTRODUCCIÓN

El presente libro tiende a dar una impresión de lo que fué la vida de los españoles durante los siglos XVI y XVII, o sea en el tiempo de la dinastía de los Austrias, en el momento culminante de nuestra historia. El medio consiste en el empleo de textos literarios, que confirman nuestros puntos de vista. Vida no es sólo pintoresquismo costumbrista, y por eso esta obra recoge, además de los motivos detallistas de la anécdota, las corrientes de las ideas fundamentales. Evocadas ideas, consignados hechos, en las obras de nuestros grandes escritores, el autor intenta dar una visión de la evolución de los grandes motivos de nuestra cultura y costumbres a través de los dos siglos en que culmina nuestra grandeza y se inicia nuestro descenso en el panorama universal. Las citas y referencias literarias se han hecho a base de la magnitud representativa de los autores, y a la vez de la plasticidad, exactitud y belleza del propio relato o alusión. A través de los diversos capítulos se verá cómo alternan las ideas con los detalles, y a su vez la diversidad de motivos conforme pasa el primer siglo y se inicia el segundo. Por eso empleamos el término Edad de Oro, y no Siglo de Oro, ya que se trata de dos siglos, que en parte se complementan y en parte difieren. El lector debe recordar las fechas del reinado de cada uno de los Austrias, para ir formándose la idea de la correspondencia de cada subperíodo a un determinado momento dinástico. La época de Carlos V, o de lo heroico y caballeresco, está perfectamente delimitada, así como el predominio religioso y de letras o estudios en el siguiente reinado o de Felipe II.

Con Carlos V vivimos una España hacia fuera: guerras, humanismo, concepto pleno de la unidad de Europa, que ha hecho llamar al César un reciente historiador «emperador de Occidente». Con Felipe II, en cambio, asistimos a una España reconcentrada, ascética, de luchas universitarias, en vez del predominio guerrero del momento anterior, cuyo mejor monumento plástico representativo es la escueta arquitectónica del Escorial, y cuya mejor equivalencia musical se halla en el patetismo sacro de Victoria. Desde Felipe III, la decadencia externa se acrecienta, pero en cambio aumenta el lujo cortesano, la riqueza apoteósica de la España Imperial, típica, sobre todo en el nuevo, aunque fracasado, intento de política amplia del Condeduque en el reinado de Felipe IV. Tras él, con Carlos II, llegamos a un apagamiento esfumante de los motivos decorativos de nuestra grandeza, a la vez que a la fina insinuación de los aspectos costumbristas y artísticos de toda la España, y Europa del XVIII. La relación respecto a Francia es doble. Comienza el influjo de costumbres y trajes según el patrón de la corte de Luis XIV, pero a su vez nuestro arte (con el teatro de Moreto o de Cubillo, por ejemplo, o con los jardines del Buen Retiro), anuncia el modo francés de la elegancia de Versalles y el teatro exquisito de Marivaux.

En nuestros primeros capítulos se podrá formar un concepto de la España del Emperador mediante las citas literarias que permiten perfilar las figuras más significativas del guerrero y del cortesano, del mundo heroico y del cultural renacentista. En el II, la vida universitaria nos llevará, sobre todo, a la época de Felipe II, y las luchas y bandos de la Universidad de Salamanca, principalmente. El III, con la significación que para la vida y actitudes de los españoles ofrece el fenómeno de la máxima boga de los libros de caballerías, complementará el mundo heroico del capítulo primero, y nos llevará al desplazamiento de estas obras ante la fama creciente de las de devoción, y a los ataques a aquellos libros por los ascetas y predicadores, típicos de los años de Felipe II. En el capítulo IV predomina este segundo reinado, al ofrecer un cuadro de la vida religiosa del siglo XVI. Los textos literarios nos hacen vivir este momento con la jugosa prosa y frases de Santa Teresa, en su parte culminante, y con las observaciones del místico tardío, Fray Juan de los Ángeles, en que ya se perfilan censuras contra la falsa devoción, contra los escrúpulos nimios, que anuncian ya el distinto plano religioso que predominará en el siglo XVII, a diferencia del momento inmediatamente anterior, la España de los grandes Santos, que va desde San Ignacio hasta San Juan de la Cruz. Frente a estos capítulos (I, II y IV) referentes a ideas y actitudes fundamentales, con su reflejo en las costumbres, aparecen otros, deliberadamente situados entre ellos, que complementan, como el III, con los libros de caballerías, o con diversos aspectos concretos de las costumbres menudas en el V, estas corrientes paralelas de conceptos y hechos. A su vez, la misma geografía histórica, sirve de precedente esencial a hechos que tendrán una importante expresión literaria, como ocurre con el lujo, boato y vida irregular de Sevilla (capítulo VI), importante para dar la sensación del costumbrismo en una gran ciudad española del siglo XVI, y a su vez como precedente inmediato del mundo picaresco, sobre el que versa el capítulo que le sigue. Tras el tema concreto, que creo de interés y novedad, de la vida del niño, en nuestra Edad Áurea, según textos literarios, y los motivos costumbristas de Cervantes, los tres últimos capítulos (X, XI y XII) se refieren plenamente al siglo XVII, apareciendo el diverso aspecto de su vida de aldea, del Madrid cortesano, de los trajes, usos, comidas y representaciones escénicas del final de la gran edad.

A diferencia de otras épocas, en que España es reflejo de varias corrientes europeas — gótico y románico en el Medievo; corte francesa y estilo rococó del XVIII — la Edad de Oro marca la pauta universal, y de nuestros héroes y santos, de nuestros trajes y muebles, y de nuestro teatro y nuestra pintura se forma un ciclo cultural que se imita y se matiza más allá de los Pirineos, y más allá de los mares, en el Nuevo Mundo, en la expansión colonial de la gran España. Es el momento español de toda la historia universal, la etapa eu-

9

ropea del barroco de signo español de que habla Spengler, en que nuestro pueblo — al decir de Pfandl — «es guía, símbolo y ejemplar de Europa, sin igual en cohesión interior, en riqueza de formas y en grandeza abarcadora de ideas». El marqués de Lozoya, en un reciente ensayo sobre «Capitalidad y provincianismo en el arte hispánico» (1), emplea el término «acento» para referirse a la arquitectura del Escorial: «aquella melancólica elegancia, aquella exclusión completa de todo lo superfluo, que nos habla de una generación que sabe apreciar exactamente el valor de las cosas humanas, y enamorada de ideales eternos, da a cada uno de sus pensamientos un sentido trascendental». En ello ve el acento español, y señala cómo en la época en que se inicia la decadencia, con Felipe III y Felipe IV, la interpretación española del barroco se impone, «como se imponían la moda cortesana de nuestros Austrias, nuestra magnífica literatura, la música de Tomás Luis de Victoria por una gran parte de Europa: Francia, Alemania, los Países Bajos». A su vez España «era capital y metrópoli artística de su inmenso imperio ultramarino».

Nuestro libro ofrece un aspecto distinto al de las obras que pueden coincidir con algunos de sus aspectos, como el de Ludwig Pfandl, traducido con el título de «Cultura y costumbres del pueblo español de los siglos XVI y XVII: Introducción al estudio del Siglo de Oro», o el de Herrero García, «Ideas de los españoles en el siglo XVII». Ambos, excelentes en su orden, corresponden a otra concepción. El de Pfandl es esencialmente histórico, empleando como fuentes otros motivos diversos de los literarios, aunque alguna vez recurre a éstos. El de Herrero se basa en lo literario, pero con carácter erudito, aplicado a puntos muy concretos: las ideas nuestras sobre los propios españoles y sus regiones, y sobre los representantes de las demás tierras, razas y creencias. Si quiere el lector hallar un complemento a nuestro libro, debe leer éstos. El nuestro, es, como indicábamos, la visión de los diversos y ricos aspectos de toda nuestra Edad de Oro, a base

(1) «Revista de ideas estéticas», I, 1942.

de los monumentos literarios más salientes o significativos. Lo histórico brota, pues, exclusivamente del sector literario, y en él se basa la interpretación de nuestra vida y costumbres, y a la vez, las citas no se detienen en un solo punto sino que sirven para intentar dar una visión amplia, desde el orden de las ideas hasta el de las cosas nimias de la vida cotidiana.

La bibliografía va agrupada por capítulos, para las ampliaciones que, sobre cada materia, quiera hacer el lector. Las ilustraciones, que aún dado lo conocido de este período, tratan de ofrecer el máximo interés — desde la rica y abundante pintura, a los grabados, portadas e ilustraciones de nuestros libros de la época —, y en muchos casos, son en cierto modo nuevas (ya en lo total o en el destacamento de un detalle parcial), completan plásticamente la impresión que trata de dar la presente obra, dentro de sus modestas posibilidades ante un objeto de tal magnitud.

CAPÍTULO I

EL GUERRERO Y EL CORTESANO

La vida española en el siglo XVI ofrece una modalidad especial en sus dos partes o períodos, correspondientes a los dos grandes monarcas: Carlos V y Felipe II. Tras las regencias de Fernando el Católico y de Cisneros (1506-1517), el reinado de Carlos V ocupa desde el año 1517 al ·56, en que el emperador se retiró al monasterio de Yuste; y el de Felipe II, desde esta fecha al 1598, cerrando, por tanto, la centuria primera de nuestra rica y abundante Edad de Oro literaria.

Época la del emperador de guerras y triunfos — prisión de Francisco I en Pavia, conquistas de Méjico y Perú, expansión máxima de lo español ante el mundo viejo y el nuevo — es a la vez la del apogeo de la cultura renacentista, por el contacto especial con la gran Italia del Renacimiento: métrica italiana en Boscán y Garcilaso, estilo greco-romano en arquitectura (palacio de Carlos V en Granada), Ticiano pintor del césar y de la emperatriz.

Por lo tanto, en la vida, se da el tipo del guerrero y el del cortesano, como exponentes de lo más característico de tal época, pudiendo entrelazarse y unirse ambas en una sola figura, en que junto al brillo de la coraza, y el blandir de la lanza, aparezca la pluma del escritor o la actitud de su conversación sazonada de neoplatonismo a lo Ficino o de ideas políticas del príncipe de Maquiavelo. El guerrero-cortesano, aparece, como en el verso de Garcilaso, que encarnó como nadie tal síntesis,

«tomando ora la espada, ora la pluma.»

Fray Antonio de Guevara, predicador de la corte de Carlos V, enemigo de la causa de los Comuneros, inquisidor en Toledo y Valencia, y obispo de Guadix y Mondoñedo, acompañó al emperador en las empresas de Túnez e Italia. Nos dejó elementos literarios muy ricos en anécdotas y visiones de la vida de su época, especialmente en sus *Epístolas familiares*. Sabido es que la política de Carlos V, como se desprende de la opinión de sus historiadores coetáneos y posteriores, fué esencialmente personal. Oía la opinión de sus consejeros, en los problemas graves e importantes, pero quien resolvía era él. Guevara en una carta al marqués de Pescara — en 1524 —, recoge esta posición: «Las cosas de la guerra bien es que se platiquen con muchos, mas la resolución dellas hase de tomar con pocos.» La dignidad de carácter del emperador, la nobleza de su actitud con los enemigos, es claro ejemplo para sus magnates y soldados. El mismo Guevara sigue aconsejando a Pescara: «De tal manera os hayáis en esa guerra de Provenza, que parezca y sea a todos notorio que lo hacéis más por obedecer a vuestro amo César, que no por vengaros del rey de Francia.» Simbólicamente, se ofrecían presentes y regalos estos amigos de la acción guerrera y de la acción entre religiosa y cortesana. Pescara envió una «péñola de oro» al prelado, y éste, en contestación, le ofreció un ejemplar de su «Marco-Aurelio». Guevara escribió otra notable carta al gran personaje de acción, a la encarnación más alta y noble del guerrero en el final del XV y primer tercio del XVI: Don Gonzalo Fernández de Córdoba, *el gran capitán,* fechada en 1512. «Dos veces — le dice —, señor, habéis pasado en Italia, y dos veces habéis ganado el reino de Nápoles; en las cuales dos jornadas vencisteis la batalla del Garellano y la batalla de la Chirinola, y matastes la mejor gente de la casa de Francia, y lo que más de todo es, que hicisteis ser la gente española de todo el mundo temida, y alcanzastes para vos renombre de inmortal memoria.» Para lo sucesivo Guevara le aconseja cordura y no temeridad. El tono heroico de la vida española del tiempo vibra en nuestros grandes escritores, hombres de acción y poetas y humanistas a la vez. El diplomático y viajero, renacentista y cesáreo, don Diego Hurtado de Mendoza, escribía estos entusiastas tercetos, en una epístola a don Luis de Ávila y Zúñiga, el cronista del emperador:

> «Tú sirve al gran señor que has escogido,
> acompaña en presencia sus victorias
> y el nombre por las gentes extendido.
>
> Mira cómo nos muestra las memorias
> de los grandes que al mundo sojuzgaron
> heredando sus nombres y sus glorias.
>
> Él pasará por donde no pasaron
> las banderas y griegos escuadrones,
> y volverá por donde no tornaron.»

El—Hurtado—sigue especialmente la vida de cortesano:

> «Enrizo mi caballo y vó a palacio,
> gorra calada y capa de rodeo,
> gualdrapa estrecha sobre rocín lacio.»

Y nos describe la llegada de un embajador de linaje excelso, que aparece «el rostro colorado del camino», que cuenta su viaje y aventuras, en la mesa bien servida, como en un cuadro decorativo del Veronés, en que se sirve vino añejo, procedente de una «cuba de cien años». Pero el discreto cortesano no soltará prenda sobre sus secretos de estado. Contará sus hazañas, las *contables,* pero

> «no le podrán sacar con dos mil mañas
> lo que el hombre querría que hablase.»

La acción y el espíritu guerrero de tal manera se imponían a todos, incluso a la gente de Iglesia, que es curiosísimo este pasaje de Guevara, en la «Letra para el obispo de Zamora, don Antonio de Acuña, en la cual es gravemente reprehendido por ser capitán de los que en tiempo de las Comunidades alborotaron el reino». Parece una estampa de «clérigo trabucaire», como las que en el siglo XIX se hacían literariamente sobre temas de las guerras carlistas : «En el combate que dieron los caballeros en Tordesillas contra los vuestros, vi con mis ojos propios a un vuestro clérigo derrocar a once hombres con una escopeta detrás de una almena ; y el donaire era que, al tiempo que asestaba para tirarles, los santiguaba con la escopeta, y los mataba con la pelota» (es decir con la bala que disparaba su propia escopeta). Y al propio obispo de Zamora le dice : «Muchas veces os vi en la mano una partesana, y nunca os vi sobre el hombro una estola.» Y en otra carta, al mismo, le dice que al ir a formar las paces con los de las junta de Villabrájima, «vi a vuestra Señoría, armado como reloj, rodeado de soldados, cargado de tantos tiros...»

La etapa inmediatamente anterior ofrece un contacto evidente con el momento heroico de la España del Emperador. La situación mediterránea de nuestra patria en tiempo del Rey Católico, que continúa las empresas imperiales sobre Italia de Alfonso V de Aragón, dan a las luchas de Ceriñola y Garellano, con el gran Capitán, un relieve universal antes no alcanzado. Estas figuras penetran en el tipo de héroe triunfante en la acción y de espíritus llenos de la cultura amplia del humanismo renacentista. En ellos el guerrero y el cortesano se dan juntos. Como Nebrija abre nuestro humanismo imperial, en que la lengua sigue al Imperio, y la *Celestina* nuestra gran literatura de repercusiones e influjos vastísimos, dentro de las características, del realismo, vitalidad, humanidad y contrastes más propios de nuestra raza, el Rey Católico y el Gran Capitán en lo político y heroico, y Cisneros en la disciplina organizada del estado dejan abierto, profundo, universal y glorioso, el siglo o período de Oro de nuestra cultura, y nuestra historia exterior.

La figura, pues, del *Gran Capitán,* queda vinculada al momento más alto de nuestra vida heroica en el albor de la Edad de Oro. El paso del vencedor por las ciudades de España es todo un desfile de ambientes regionales en honor del caudillo invencible, asombro y gloria de su época. En la *Breve*

El césar Carlos V y la emperatriz Isabel (*Ticiano*)

M.° del Prado

Carlos V en oración, según interpretación tardía de *Zurbarán*

M.º Prov. de Sevilla

parte de las hazañas del excelente nombrado Gran Capitán,
por un notable escritor y guerrero, Hernán Pérez del Pulgar (1527), nos asomamos a esta cabalgata victoriosa, en
función de las tierras más diversas de España. Al volver
de sus victorias de Italia, en Valencia, «a dó por la mar
vino», le salieron a recibir los nobles, con «mulas y caballos bien aderezados», y los clérigos y magnates «muy ricos y ataviados». «Aquel día fueron vistas todas las señoras,
damas y doncellas de la ciudad y tierra: estando las calles,
plazas y ventanas tan llenas de todo género de hombres y mujeres» como en muchos tiempos no se viera «tanta gente junta
en fiesta». El palacio donde se le recibe y hospeda, en la magnífica y muelle ciudad levantina, ofrece cinco habitaciones
espaciosas — en las casas del conde Oliva — con «camas de
seda y brocado, y las salas de rica tapicería entoldadas, con
mucha abundancia de olores, frutas y conservas». El *Gran
Capitán,* cuya magnánima liberalidad dió origen a la leyenda
famosa de las *cuentas,* mandó dar a los suyos que se *aderezaron* para ir a la Corte, «cinco mil varas de seda, ansí a sus caballeros y gente como a otros que con él desembarcaron».
En Burgos tuvo el recibimiento nobleza oficial — de prelados, concejos y comendadores de las órdenes de caballería —,
coronado por el rey, que le dijo: «Gran Capitán, la ventaja
que a los nuestros lleváis en la guerra, en la paz vos han tomado hoy», aludiendo a la riqueza y grandiosidad de su acogida cortesana. En Santiago de Compostela fué, tras los honores brillantes de su entrada, acogido por el arzobispo don
Alonso de Fonseca, el cual, habiendo sufrido el Gran Capitán
una dolencia, le atendió y le repuso, convaleciente, con toda
la abundancia de la comida gallega: «todo linaje de pescados
de mar y río, carnes, aves, vinos, conservas, frutas». Pulgar,
añade, en torno a la aludida prodigalidad del gran héroe,
explotada por muchos: «Tengo sabido de persona bien digna
de fe, que muchas personas extranjeras que allí en Santiago
se hallaron, con tomar nombre de ser del Gran Capitán, a las
vueltas tomaban de aquellos montones muy otorgadas raciones». El Gran Capitán, decía al arzobispo: «Aquí, señor,

17

me parece que no menos vuestra casa sana el cuerpo, que vuestra iglesia el alma». En la semblanza de la figura del gran guerrero, dice el propio Pulgar : «Fué su aspecto señorial, tenía pronto parecer en las loables cosas y grandes fechas. Su ánimo era invencible ; tenía claro y manso ingenio. A pie y a caballo mostraba la autoridad de su estado. En las cuestiones era terrible y de voz furiosa y recia fuerza. En la paz, doméstico y benigno. El andar tenía templado y modesto ; su habla fué clara y sosegada ; la calva no le quitaba continuo quitar el bonete a los que le hablaban. No le vencía el sueño ni el hambre en la guerra, y en ella se ponía a las hazañas y trabajos que la necesidad requería.» «Era sabio en toda arte de batalla y amigo del consejo de ella.» «Vestíase limpio y rico ; su cámara fué demasiadamente abundante de atavíos ; su mesa fué muy cumplida y continua, y su casa la primera que mudó los acostamientos de maravedís en ducados.» Se ocupó siempre del bienestar temporal y espiritual de sus servidores. Procuraba — dicen sus cronistas — que sus pajes se ocupasen las horas libres en aprender gramática con un bachiller, en vez de engolfarse en los juegos de bola y pelota. Iba a misa casi todos los días y decía, en la guerra : «Recemos, para que bien peleemos.» Anécdotas notables se contaron de él. En la «Historia anónima» (manuscrita hasta que Rodríguez Villa la publicó en la «Nueva Biblioteca de Autores Españoles», en 1908), escrita hacia mediados del siglo XVI, se dice que «estando junto a la Chirinola, en comenzando la batalla se prendió la pólvora y se quemó, y llegando un caballero español al Gran Capitán, diciendo : —¡ Oh, señor, y como somos perdidos, porque se ha prendido la pólvora ; respondió el Gran Capitán : —No me podiades traer nueva con que más me holgase, porque veis ponerse el sol, y son lumbreras de nuestra victoria.» Cuando cayó del caballo, junto a la ribera del Garellano, algunos lo consideraron de mal agüero, pero él comentó : «Pues la tierra nos alcanza, nuestra quiere ser» (como en otro tiempo César). Lope de Vega sacó al Gran Capitán varias veces a la escena, aunque más en lo anecdótico que en lo esencial de su per-

sonalidad preclara. En *Las cuentas del Gran Capitán,* junto
a la discutida leyenda, aunque con un fondo de verdad, juntó
motivos de su vida íntima, para presentarle luchando contra los ataques de la envidia en ambientes cortesanos. García
de Paredes le dice al protagonista de esta comedia:

> «La envidia
> es la sombra de la fama.
> Bien se me alcanza, señor,
> que si la grandeza es tanta,
> os dará más enemigos
> que habéis muerto en mil batallas.»

Intuyó Lope el contraste entre el mundo de intrigas de
los cortesanos de guantes de ámbar y rizos y calzas refinadas «que apenas cuando los hablan — sabe un hombre si son
ellos —, o si habla con sus hermanas», como dice donosamente Paredes, y la noble dignidad y valentía del héroe
acostumbrado a obrar a las claras, ante la luz y la fortuna
del sol y las estrellas. También aparece el gran guerrero en
El blasón de los Chaves de Villalba y en *La contienda de
Diego García de Paredes y el capitán Juan de Urbina* del
mismo Lope. El famoso García de Paredes, el *Sansón de
Extremadura,* como se le llamó, encarna, en el pueblo, en
Lope, y en sus seguidores, el sentido hercúleo, individua-
lista, noble y primario, del guerrero en *bruto*. Él mismo
nos narró con ingenuo encanto muchos de sus hechos descomunales, que la leyenda aumentó y anoveló. Revela su carácter la anécdota consignada en la «Historia» antes citada
del Gran Capitán: «En el desafío que pasó de los once españoles con los once franceses, habiéndosele quebrantado a
Diego García de Paredes la espada, se ayudó de una gran
piedra y otras algunas de que se valió en aquel desafío. Referido después al Gran Capitán esto, dijo: «Hizo muy va-
lerosamente Diego García, porque se acordó de sus naturales armas». Así contaba sus proezas el propio Paredes: «En
el año de mil y quinientos y siete hube una diferencia con
Ruy Sánchez de Vargas, sobre un caballo de Coraxo, nuestro
sobrino, que yo le tomé para venir en Italia. Vino tras mí

el Ruy Sánchez con tres de caballo, y dímonos tantas de cuchilladas, hasta que cayó Ruy Sánchez, e luego sus escuderos me acometieron de tal manera, que me vi en grande aprieto, pero al fin los descalabré a todos, y fuí mi camino.»

En *La contienda de Diego García de Paredes* hizo Lope de él un poderoso retrato psicológico. Paredes se define ante una dama de Italia:

> «Soy Paredes, y soy luego...
> basta decir español.
> Que aunque por acá pensáis
> que somos muy fanfarrones,
> en mis humildes razones
> pensaréis que os engañáis.
> Nací en Trujillo, un lugar
> de Extremadura, y extremo
> de los extremos que temo
> que os pueden desagradar.
> Mis padres obedecí
> lo poco que los traté...
> Seguí las armas, que amor
> no me debe pensamiento;
> y así tan libre y exento
> vivo, siguiendo mi humor.

Y de esta original manera se ofrece como galán:

> «Si me ausento, no escribáis,
> porque no lo he de leer...
> Desmayaros por flaqueza,
> o llorar si se hunde todo,
> no lo hagáis por ningún modo,
> que os quebraré la cabeza.
> Melindre es grande trabajo
> para mí, y aun para vos;
> que os echaré, ¡vive Dios!,
> por una escalera abajo...
> No miréis más que al retablo
> de la iglesia: estad en vos,
> porque delante de Dios
> no me ha de mirar el diablo.»

«Es Paredes un león», comenta esta misma dama, y su «hielo y valentía» en contestarla es para ella «bizarría». Urbina es también otro valeroso español, al que la dama dice para encarecer su valor : «Eres mil Españas», y él contesta :

«que soy español, y tengo
mil honras, y en cada una
mil Españas.»

Cada carácter de éstos que para una mente extranjera es un «español desatinado», encarna en Lope, como un siglo antes en la realidad, el tipo marcial, indisciplinado, grande, justo e incomparable del guerrero de los albores del XVI. Don Diego López de Haro, caballero, y, al parecer, el mismo poeta que figura en el *Cancionero general,* y llamado por Hernández de Oviedo en las *Batallas y Quincuajenas* «persona de grandes partes e méritos, e uno de los señalados caballeros e sabios e del palacio que hubo en España», dirigió varias cartas a Carlos V en las que hay datos notables para destacar. En la *Carta muy notable que... escribió al Emperador antes que de Flandes pasase en España, en que se contienen muy buenos avisos y consejos,* notamos la alegría del viejo señor y poeta al ver que el César aprende el español : «que por hacer bien y merced a estos sus reinos aprende Vuestra Alteza la lengua castellana, que no será poco para bien oír y bien mandar». Aconseja diversas virtudes y condiciones, en curioso memorial, del que destaco sólo lo que puede ser interesante, para la vida y ejemplo ideal del príncipe de la España de su tiempo. Para la alegría y salud del príncipe, aconseja Haro «la caza y el monte». «El juego, excelentísimo rey, algunos lo tienen por buen pasatiempo, porque dicen que la burla es salsa del trabajo ; mas los juegos que los mueve la codicia y abajan la persona en ninguna manera los oso loar a vuestra alteza, porque a ninguno los vi alabar». Cree que si el rey juega, debe ser «con intención de perder, por ser cosa fea la voluntad de ganar». «Al corazón real la tristeza del que pierde no le debe de alegrar, porque los buenos monarcas deben moverse por la *compasión.* Se recomienda la verdad, por encima de todo, porque «jueces y abogados quieren que haya pleitos y no verdad». Le aconseja que haga desaparecer la «ley de rieptos y desafíos». Es curioso un detalle en relación con la plástica : *«las imágenes antiguas aunque estén descoloridas tienen gran autoridad»*. Aconseja franqueza y generosidad, que los reyes «han de ser como los limosneros, que dan a los malos para acertar en los buenos». La justicia ha de ser igual para todos : «el juez que robó, reciba la pena que al robador él mismo le dió». No se debe dejar llevar de la lisonja, que «ha poco que vino con los aires de Italia». «Buscad la paz — le dice — porque vuestro señorío como es ancho en tierras, sea largo en duración, que los cuerdos reyes en esto se trabajaron».

«La literatura del reinado de Carlos V — dice Menéndez Pelayo en sus *Orígenes de la novela,* III —, es decir, de casi toda la primera mitad del siglo XVI, se desarrolló con pocas trabas, lo cual explica su libertad y audacia, su desordenada y juvenil lozanía, que tanto contrasta con el tono grave, reflexivo y maduro que todas las cosas fueron tomando en tiempo de Felipe II.» Lo muelle y sensual de la vida en las ciudades levantinas influía en algunos de estos aspectos. Este sentido de alegría del vivir, hasta lo epicúreo y sensualista «tenía su principal asiento — afirma Menéndez Pelayo — en las ciudades marítimas y populosas, enriquecidas por la navegación y el tráfico, especialmente en las del Mediterráneo, abiertas de antiguo a la influencia italiana, que juntamente con los primores de sus artes les comunicaba aquel género de viciosa elegancia que pudo ser fatal e inevitable cortejo de la opulencia y el lujo». La literatura de la época se hace eco de la hermosura de sus mujeres, la comodidad de la vida, lo juguetón, divertido y espectacular de sus fiestas ; su frívolo ambiente, como en *El cortesano* de Luis de Milán.

Saa de Miranda alababa

«os jardins de Valença de Aragâo
en que o amor vive e reina».

y Alonso de Proaza (en 1505) llamaba a Valencia «jardín de placeres», «rico templo donde amor siempre hace su morada». La novela *La Serafina,* anónima, pero obra de un valenciano, deja, entre sus picantes relatos, curiosos datos costumbristas, como estos sobre el arte de la cocina en la época de Carlos V : «¿ Pues los presentes que envía por año, quién los podría contar ? Las cargas de ansarones enteros, de pollos, de anadones, de lechones, de capones, de palominos, de gallinas, las cestas de huevos frescos, la docena de las perdices, el par de los carneros, la media docena de los cabritos, la ternera entera, las ubres de puerca en adobo, las piernas de venado en cecina, los jamones de dos y tres años, las cargas de vino tinto, blanco, aloque, clareas, *vin grec,* otras que ella (Artemia) hace hacer adobados en casa con mil aromatizados olores. Pues las frutas que les envía, a cada uno en su estado, ya es cosa de locura : codoñate, calabazate, citronate, costras de poncil, nueces mascadas, limones en conserva, pastas de confecciones de cien mil maneras, priscos, peras, membrillos de diversas maneras confeccionados y cocidos en el azúcar, y a las vueltas muchas frutas de sartén de mil cuentos de maneras, trayendo las mujeres de en cabo de la ciudad diestras en aquellos menesteres.»

En la *Tragicomedia de Lisandro y Roselia,* de Sancho de Muñón, natural de Salamanca, impresa en 1542, pero compuesta sin duda algo antes, para encomiar las valentías de un personaje se dice : «¡ Por Dios, que tus hechos en armas se van pareciendo a las hazañas del valiente Diego García de Paredes, el de nuestro tiempo», expresión típica que vincula a su generación aquella fama adquirida especialmente en tiempos del rey Católico, aunque continuada en espléndida vejez del héroe, en los años del Emperador. Ahí mismo se nos ofrece lo que era el conocimiento de armas de un cortesano de su generación. Se habla de un maestro de esgrima de la ciudad de Milán, que enseñaba a los españoles, «jugar de todas armas : de espada sola, de espada y capa, de espada y broquel, de dos espadas, de espada y rodela, de daga y broquel grande, de daga sola con guante aferrador, de puñal contra puñal, de montante, de espada de mano y media, de lanzón, de pica, de partesana, de bastón, de floreo, y de otros muchos ejercicios de armas». Detalles de las obras de la época, dan idea del rico vestuario de las damas de su generación. En la obra ahora citada se habla de lo «rico y vistoso» de tales trajes y adornos: «grojales aljofarados», «cofias estampadas», «los deshilados y cosas hechas de red de oro y seda». También nos da noticia la misma producción dialogada, de los instrumentos músicos que se empleaban en las fiestas de las casas de los grandes señores y solemnes públicas fiestas: «sacabuches, chirimías, atambores, trompetas, rabeles, flautas, dulcemeles, guitarras, vihuelas, arpas, laúdes, clarines, dulzainas, añafiles, órganos, monocordios, clavicímbalos, clavicordios y salterios», «en suave, apacible y sonora armonía». Igualmente leemos cómo los galanes servían a las damas de sus pensamientos con festejos de «juegos de cañas, y justas, y pomposos atavíos» en sus personas, y «diversas libreas» en los sirvientes, sembrando en ellas las letras de la dama, bordando con su nombre y chapando las ropas todas, y «aun en los paramentos de los caballos y en la cimera del yelmo» se leía el mismo mote. En una escena de ataque y desafío, un espadachín aguza con una piedra la punta de la espada, para «escarballe las entrañas» al enemigo, y pide prestado un pañizuelo para limpiarse la mano derecha después que «fasta la empuñadura le metiera la espada y me bañara la mano en sangre». Sus poesías y juramentos, típicos y populares en la época son: «¡Por el sepulcro de Sanct Vicente de Ávila!», «¡Juro a los Corporales de Daroca!», «¡Por la cruz de Calatrava!». Es curioso, como dato costumbrista, el de las señales de las tabernas y hosterías: «La taberna por el pendón se conoce, y sin pendón nadie acude allá a comprar vino. El caminante extranjero no acierta el mesón sino por la tablilla o la señal colgada.» Sobre el aderezo y afeites de las damas, la Celestina de *Lisandro y Roselia,* nos indica sus perfumes y afeites, las «aguas de rostro» que hacía y otras aguas que sacaba para oler, «los zumos con que adelgazaba los cueros, los untos y mantecas que tenía y los aparejos para baños

Fachada y patio del palacio de Carlos V en la Alhambra de Granada

Tapiz de la Conquista de Túnez por Carlos V

y lejías, los aceites que sacaba para el rostro». A su vez no faltan los típicos sortilegios celestinescos. En el barrilejo de barro guarda sus bebedizos, y los polvoriza con un poco de solimán molido, y emplea, para sus seudooraciones de brujería, nueve candelillas de cera, que se encienden pasadas las doce de la noche. Como consecuencia de sus «artes», Celestina tiene un cofre lleno de dineros y joyas. Ahí vemos cómo al cortesano galán a los doce años ya le enseñaban a

Grabado de una Celestina de 1525

correr caballos y «otros muchos ejercicios, así de letras como de armas».

¿Cómo era la vida de un guerrero y cortesano de la primera mitad del siglo XVI? La biografía del poeta Garcilaso puede ser una lección ejemplar. Nacido en Toledo el 1501, según infiere Keniston, hijo del comendador mayor de León, que fué embajador ante el papa Borja, fué criado, a la muerte de éste, por la madre doña Sancha de Guzmán. Estudió Garcilaso humanidades, y de estudiante promovió alborotos en la ciudad del Tajo, siendo condenado a un breve destierro, y salvado por la influencia de su tutor. En 1520 el poeta estaba al servicio del Emperador, en un

25

cargo de la guardia real, y al ser leal a Carlos, y luchar a su favor siendo herido en Olías, en la guerra de las Comunidades, fué creciendo en la confianza, y en las aventuras de guerra. Fué con los caballeros de San Juan a la defensa de Rodas contra los turcos (1522), y luchó en Navarra, al siguiente año, contra los franceses. Carlos V le premió con el hábito de Santiago. Reside, a la vez, en la corte — en sus diversos puntos : Valladolid, Burgos, su ciudad natal —, amigo e influído por Boscán, poeta y traductor del *Cortegiano* del Castiglione, que le inició, por la métrica italiana, y el arte de adaptarla, a la versificación española. La amistad de Garcilaso y Boscán es típica en el Renacimiento español. Boscán, maestro del *gay saber* y de cortesanía, era ayo del futuro duque de Alba, don Fernando Álvarez de Toledo. Un matrimonio prematuro de Garcilaso con doña Elena de Zúñiga — probablemente por influjo de doña Leonor de Austria, de cuyo séquito era dama — dejó insatisfecha la sentimentalidad del vate-cortesano. Nunca, que se sepa, recordó en sus versos a la esposa, y en cambio, otros amores poblaron de ninfas simbólicas el tramado primoroso de sus églogas. Doña Isabel Freyre, especialmente, casada con otro y muerta de parto, fué objeto de versos llenos de enternecida pasión, «culto encendido y secreto» — como dice Navarro Tomás —. En su estancia en Nápoles, se relaciona con los principales ingenios, y siente un nuevo amor a una dama, cuyo nombre aun nos es desconocido. Garcilaso acompañó al emperador en la expedición a Túnez, siendo herido. Su sino le llevaba a una muerte heroica. En 1536, acompañando el poeta a las tropas del emperador, a su paso por Provenza, intervino en el asalto al castillo de Muy, en donde los soldados agredieron a los de Carlos. En el asalto, Garcilaso, sin casco ni coraza, fué alcanzado por una enorme piedra, que le derribó y le hizo morir, a los pocos días, en Niza. Fué el poeta el prototipo del cortesano de su tiempo. Herrera le describe como de cuerpo proporcionado «más grande que mediano», «respondiendo los lineamientos y compostura a la grandeza». Tamayo de Vargas le retrata grave de rostro, proporcionado de cuerpo, «la frente dilatada con majestad, los ojos vivísimos con sosiego», de talle de hombre principal y esforzado: conjunto armónico de «una hermosura verdaderamente viril». Una poetisa de Nápoles — ¿quién sabe si la dama misteriosa cantada en sus versos? —, Laura Terracina, decía que su mejor epitafio sería la estrofa de Ariosto, que comienza:

«Un giovenetto che col dolce canto...»

Garcilaso vivió, según su propio verso,

«entre las armas del sangriento Marte»,

heroico soldado del César hasta la muerte, pero también en la vida de amores del cortesano,

«en la concha de Venus amarrado.»

Manejaba la espada con destreza y señorío, y sabía tañer dulcemente la vihuela, cantar graciosamente, conforme al arquetipo del hombre mundano y elegante de su tiempo: para que «sirváis y deis placer a las damas, las cuales de tiernas y blandas fácilmente se deleitan y se enternecen con la música», como aconsejaba Castiglione. Es curiosa, para el médico anecdótico en que se desenvolvió el poeta, este pequeño episodio que nos cuenta Luis Zapata en su *Miscelánea*: «Garcilaso, como era un caballero muy cortesano, y el doctor Villalobos un muy del palacio y gracioso médico, así muy ordinariamente — es decir, frecuentemente — ambos se burlaban; y habiendo estado muy malo Garcilaso, curóle el doctor y sanóle muy cuidadosamente; y viendo que un día y otro se tardaba la paga, envióle un paje el doctor, que pues le había hecho tanto mal como volverle al mundo, que le pagase. Él — Garcilaso — abriendo un arca vacía, sacó della también una bolsa vacía, y envlósela con esta copla dentro:

«La bolsa dice: —Yo vengo
como el arca dó moré,
que es el arca de *Noé*
que quiere decir: *no tengo*.»

También Gutierre de Cetina, el discípulo de Garcilaso, fué en su vida de aventuras y amores, un cortesano y guerrero que luce a la vez la coraza brillante del ejército de Carlos V, y la fina gracia neopetrarquista de un sonetista y madrigalista a la italiana. Peleó en la causa del emperador en Alemania e Italia. En su poesía, más bien ligera, tierna, mitológica, no falta el retumbar de los acentos guerreros:

> «Profundos fosos, muros impugnables,
> hierro, lanzas, saetas, piedras, fuego,
> ánimos de leones indomables.»

Su soneto al emperador deja como una estela de exaltación de la fama a los pies del César, pero a su vez su costumbrismo de corte en sus epístolas, se tiñe de acentos satíricos, como en la dedicada a don Diego Hurtado de Mendoza. En ella, entre el canto y recuerdo de empresas heroicas, seriamente entonadas — «las escaramuzas que de España la gloria conservaron» —, penetra el cuadro irónico en que se alza «el humo y vanidad de aquesta corte». Por lo tanto, esta fuente de información debe aceptarse como es: una cierta desfiguración, por la técnica literaria de la sátira, de hechos y usos de la realidad. Aparecen en este aguafuerte los señores llenos de ambición y envidia, su abundancia excesiva de servidores, la mesa preparada a todas horas para todos, el cortesano triste que se acerca al rey a pedir alguna merced sin conseguirlo; el que no duerme ni reposa por alcanzar un alto cargo; el que desea salir en una fiesta más galán y costoso que su rival:

> «el otro va trotando presuroso
> a acompañar al duque, si cabalga,
> como si sin él fuera peligroso.
> Aquél está esperando que el rey salga
> en sala por hacer antes presencia...»

El cortesano cuerdo y avisado, que no quiere nadar en la corriente del vulgo es despreciado y preterido. El diligente dicen que es importuno; el cauteloso, que es prudente; «mentir y trampear es beneficio»:

> «Han convertido el juego en ejercicio
> común ; juegan los grandes, los plebeos ;
> armas y letras van ya en precipicio.
>   Ya cesaron las justas y torneos ;
> la crápula y lascivia, en lugar destos,
> entraron...»

A su vez, en contraste de arte frente al desengaño mundano, ofrece un cuadro evocador de la época, el pasaje final en que pide el poeta a Mendoza un lienzo famoso del Ticiano, probablemente la *Flora,* que hoy figura en la galería de los Uffizzi :

> «Olvidado me había de pediros
> una cosa que mucho he codiciado,
> y he pensado mil veces en pediros ;
>
>   y es que de ver gran tiempo he deseado
> del famoso Ticiano una pintura,
> a quien yo siempre he sido aficionado.
>
>   Entre rosas y flores de verdura
> deseo ver pintada primavera
> en cuanto de beldad le dió natura...»

A su vez Gutierre de Cetina, en su variación en el amar, paralela a la ágil frivolidad de sus mejores tonos líricos, es un arquetipo del cortesano renacentista, aunque atacara la parte oficial y burocrática de la vida de corte. Cantó a Laura Gonzaga, sobrina del cardenal de Mantua, «bella e vaghissima giovane» de 16 años, conocedora del latín y dulce tañedora de instrumentos músicos. Una medalla de la época nos ofrece un retrato de esta belleza, ya en años tardíos, que permite adivinar en su faz de matrona de serena belleza, lo que sería la joven ternezuela, la «angiolella» de los tiempos en que parece inspiró el madrigal *Ojos claros, serenos.* Cetina vivió entre los próceres italianos o españoles de la Italia en relación con nuestra expansión imperial: con el príncipe de Ascoli, con don Luis de Leyva, con Hurtado de Mendoza, al que veía «remontado allá casi en el cielo» e identificado con las glorias literarias y cortesanas de la generación de él, y precedente de la de Cetina : «La imagen de Boscán, que casi viva debéis tener...», «y el Lasso de la Vega cuya historia sabéis...» Arquetipo del español del XVI, Cetina, tras la Sevilla humanista, que fué su cuna, la Valladolid·cortesana y la Italia renacentista, acabó sus días en la aventura americana, en Nueva España, y según parece víctima de un verdadero lance de capa y espada : un desafío debajo de la ventana de una doña Leonor de Osma en Puebla de los Angeles, de Méjico, en que fué herido y acaso murió de resultas de las heridas.

Ejemplar de soldado y cortesano fué otro poeta de la escuela de Garcilaso, de más extensa zona de hazañas guerreras, Hernando de Acuña. Todo su grupo familiar es típico del momento heroico de España. Su hermano Pedro de Acuña, el mayor, fué al servicio del emperador, recién casado, luchó en la Goleta, en hechos que por lo atrevido y descomunal, parecen más propios de los libros de caballerías que de la historia efectiva, estuvo con Garcilaso en la campaña de Provenza, y en el Piamonte coronó con suerte sus proezas. A otro hermano, don Diego, se le llamó *el gran cortesano,* y escribió unas sátiras llamadas las *Coplas del Provincial segundo* — imitando a las famosas de la época de Enrique IV. Hernando de Acuña fué guerrero, como Pedro, y más fino poeta que Diego. Era, como sus hermanos, de Valladolid, y sirvió largamente en las campañas del emperador. Frente a la fina atracción de la Italia del Renacimiento, veía en las tierras germánicas, como Garcilaso, un mundo bien diverso en el que resaltaban los rasgos duros y violentos. Garcilaso cantara al Danubio, como

«río divino
que *por fieras naciones*
vas con tus claras ondas discurriendo...»,

y Acuña, hace, en una égloga, notar el contraste de ambos ambientes, en el ánimo del español *Damón,* que es el nombre pastoril del propio autor :

«Cuando de Carlos V las banderas
por la fiera Germania se esparcieron
contra sus gentes bárbaras y fieras,

a la empresa difícil se movieron
de Nápoles, de Roma y Lombardía,
las gentes que has oído que vinieron.

Así eran — cortesanos, espíritus finos del Renacimiento adaptados a la maestría gallarda de la lengua española, y fuertes y animosos guerreros de las más gloriosas y altas empresas de la Europa moderna — los poetas y soldados de la España del emperador: «Un monarca, un imperio y una espada». El mismo Hurtado de Mendoza, a quien antes nos referíamos, nos da datos curiosos de su tiempo, a través de sus *Epístolas*. Sabemos por él cómo, avanzado el siglo XVI, decaía la ciudad fabril de Barcelona, tan floreciente en años posteriores:

> «Porque como descrece Barcelona
> y huye aquella playa gloriosa,
> así va enflaqueciendo mi persona.»

Otras veces nos presenta a los peregrinos que van a Roma o a nuestro Santiago, no movidos por grandeza de ciudad, no por edificios, dineros ni manjares, sino llegando a los lugares y templos de más veneración, venerando sus altares, desde lejos, y dejando como exvotos una tabla escrita o el vestido colgado junto a las imágenes de sus devociones. También nos evoca las danzas de bodas, y sus banquetes y manjares; la figura del «togado»,

> «cogida la cintura de tropel,
> la ropa cuanto luenga la querés,
> atestadas las mangas de papel,
>
> una beca de paño por través,
> un bonete a manera de sartén,
> con medias chineletas en los pies.»

Y su vida quieta, en remanso de medianía *burguesa*, charlando con Andrés el cerrajero; entreteniéndose, en las horas de frío,

> «quemando papelejos al brasero»,

o merendando queso y aceitunas, y bebiendo en su cantarillo el brioso y famoso vino de San Martín. También nos describe los atavíos y aderezos de las damas, que quieren ser vistas — «andar en cuentos» — en iglesias, plazas y canto-

nes, con sus jubones adornados con pespuntes, su «guar-
nicioncica en la ropilla»,

.«de cabezón muy alto y con botones.»

Y continúa comentando — pues se refiere, en sátira, a las
viejas que presumen y visten como en edad de merecer —:

> ¿Por qué de tafetán esa sayilla,
> y el tafetán primero deste nombre,
> y aun la primera felpa de Castilla?
>
> ¿Por qué mirar de lado a cualquier hombre,
> el escofión tocando con la mano...?
>
> ¿Y aquel decir: *mi primo don Fulano,*
> y mantellina siempre muy felpuda,
> y aventador de invierno y de verano?
>
> ¿Y aquel tener de noche el gesto en muda,
> las manos con unciones en los guantes,
> y estar de gravedad contino a muda?
>
> ¿Y aquel para mirar los circunstantes
> volver el cuerpo toda encambronada,
> los nervios del pescuezo muy tirantes?
>
> ¿Y aquel traer polaina muy alzada,
> que suba un poco encima las orejas,
> y la crenchilla rubia?...»

A su lado, el escudero «viejo y duendo», «de sayo luengo
y capa de una faja». En otra sátira de Hurtado contra las
damas el cuadro que presenta es muy semejante:

> «¡Cuántas veréis andar por esas calles,
> de dueñas y escuderos rodeadas,
> y seguidas de mil azotacalles!
>
> ¡De títulos y dones muy cargadas,
> señorías y faldas arrastrando,
> tan altivas, pomposas y entonadas!
>
> Con tanta continencia acompasando
> sus graves pasos, y con un abano
> aire, donde otra cosa no hay, echando.»

En otra epístola, una cierta melancolía parece invadir al
hombre que ha pisado tantas tierras, y anhela una paz entre

viñas y olivares mejor que «servir a reyes, residir en corte», donde se encanece «en humo de esperanzas»:

> «¿Qué sirve ser nacidos en España,
> en el templado reino de Toledo,
> si habemos de morir en tierra extraña?...»

> «De hombres, de caballos, de ducados,
> la provincia de España se despuebla,
> y, ¿en qué sabrosa parte son gastados?
> Adónde nunca vemos sino niebla,
> o llover o tronar perpetuamente...»

Puede completar este cuadro, que trazamos con diversas tintas, la descripción de motivos de la Andalucía de la época

Escena galante del siglo XVI

del Emperador, por el gran cortesano y diplomático Navagero, el que influyó en Boscán sobre el uso del endecasílabo en español. Encantado con el ambiente de Granada, nos dejó estas notas que revelan su complacencia en aquellas tierras y sus bellezas de paisaje, jardinería y arte: «Saliendo de la Alhambra por una puerta secreta, fuera de las murallas que la rodean, se entra en un hermoso jardín de otro palacio que está un poco más arriba, en la colina, y que se llama el Generalife, el cual, aunque no muy grande, es muy bello y bien fabricado, y por la hermosura de sus jardines y de sus aguas es lo mejor que he visto en España. Tiene varios patios con sus fuentes, y entre ellos uno con un estanque rodeado de arrayanes y de naranjos, con una galería que tiene debajo unos mirtos tan grandes que llegan a los balcones, y están cortados tan por igual y son tan espesos, que no parecen copas de árboles, sino un verde e igualadísimo prado... Corre el agua por todo el palacio, y por las habitaciones cuando se quiere, siendo muchas de ellas deliciosísimas para el estío. A un patio, lleno de verdura y de hermosos árboles, llega el agua de tal manera, que cerrando ciertas canales, el que está en el prado siente que el agua crece bajo sus pies y se baña todo...» Todo este paisaje encantador lo considera como el lugar y rincón ideal, lleno de belleza y gracia, para el hombre «entregado al estudio y a los placeres», «en tranquilidad y reposo». Nota Navagero que en Granada «las casas de los moriscos son pequeñas, pero todas tienen aguas y rosas, mosquetas y mirtos, y toda gentileza...» Y hace esta observación de los españoles de su tiempo: «Los naturales no sólo de este reino de Granada, sino de todo el resto de España, no son muy industriosos (es decir, *trabajadores*), ni plantan ni cultivan la tierra de buen grado, sino que prefieren irse a la guerra o a las Indias a buscar fortuna.»

BIBLIOGRAFIA

Fray Prudencio Sandoval, *Historia de la vida y hechos del emperador Carlos V*. Valladolid, 1604-1606. — Pedro Mexía, *Historia imperial y cesárea*, Sevilla, 1545. — Alonso de Santa Cruz, *Crónica de Carlos V* (edición moderna por la *Academia de la Historia*, 4 vols., 1920-23). — Don Francesillo de Zúñiga, *Corónica istoria*, 1527, reimpresión en *Bib. Autores Españoles*. — A. Morel-Fatio, *Historiographie de Charles Quint*, año 1913. — *Autobiografías y memorias,* en *Nueva Biblioteca de Autores Españoles,* edi. y estudio de M. Serrano y Sanz. — Fray Antonio de

GUEVARA, *Epístolas familiares* (en *B. Aut. Españ.*, y ed. *Bibliot. Clásica española*, Barcelona, 1886). — DIEGO HURTADO DE MENDOZA. *Obras poéticas (Colección de Libros Españoles raros o curiosos*, Madrid, 1877. — MENÉNDEZ PELAYO, *Orígenes de la novela*, t. I (*N. Bibl. Aut. Esp.*).— HERNÁN PÉREZ DEL PULGAR, *Breve parte de las hazañas del excelente nombrado Gran Capitán*, 1527. — *Historia anónima* (ed. Rodríguez Villa, N. Bibl. Aut. Españ., 1908). — LOPE DE VEGA, *Obras*, ed. Real Academia, observaciones preliminares de Menéndez Pelayo. — LUIS MILÁN, *Libro intitulado el Cortesano* (seguido del *Libro de motes de damas y caballeros*). Madrid, 1874 (*Col. de Lib. Esp. raros o curiosos*). — SANCHO DE MUÑÓN, *Tragicomedia de Lisandro y Rosalía*, Salamanca, 1542). — Novela anónima *La Serafina*. — H. KENISTON, *Garcilaso de la Vega. A critical Study of his Life and Works*, New York, 1922. — GARCILASO, *Obras*, tercera ed. corregida, de T. Navarro Tomás (*Clásicos Castellanos*, 1935). — MENÉNDEZ PELAYO, *Juan Boscán*, en *Antología de poetas líricos*, t. XIII. — LUIS ZAPATA, *Carlo famoso*, 1566. — Ídem, *Miscelánea*, *Memorial histórico español*, t. XI. — EUGENIO MELE, *Las poesías latinas de Garcilaso y su permanencia en Italia (Revista Castellana*, Valladolid, 1917, y *Bulletin hispanique*, 1923). — MARGOT ARCE BLANCO, *Garcilaso*. Contribución al estudio de la lírica españ. del siglo XVI (anejo de la *Rev. de Filología Españ.*, 1930). — GUTIERRE DE CETINA, Obras, ed. Hazañas y la Rúa, Sevilla, 1895. — E. MELE Y NARCISCO ALONSO CORTÉS, *Sobre los amores de Gutierre de Cetina y su famoso madrigal*, Valladolid, 1930. — RAFAEL LAPESA, *La poesía de Gutierre de Cetina (Hommage a Ernest Martinenche)*. — NARCISO ALONSO CORTÉS, *Don Hernando de Acuña*, noticias biográficas, Valladolid, Habana, 1913. — J. P. W. CRAWFORD, *Notes on the Poetry of H. de Acuña (Romanic Review*, 1916). — E. SEÑAN Y ALONSO, *D. Diego Hurtado de Mendoza*, apuntes biográficos-críticos, Granada, 1886. — BENEDETTO CROCE, *La Spagna nella vita italiana durante la Rinascenza*, Bari, 1917. — A. FARINELLI, *Italia e Spagna*, I, etc. — ERASMO BUCETA, *Tres cartas de D. Diego López de Haro al Emperador* (Boletín Real Academia Esp., 1930).

CAPÍTULO II

EL ESTUDIANTE. LAS UNIVERSIDADES

Dividíanse el mundo superior de los españoles del XVI, las armas y las letras. Al lado del soldado, el estudiante, el letrado, el canonista. Las Universidades de Salamanca y Alcalá representan algo tan esencial al alma española como las empresas de Italia y Flandes. Tenía la Universidad de Salamanca cátedras de Teología, Medicina, Letras y Artes, Leyes y Cánones. De rancio abolengo medieval, esta Universidad representó el espíritu de la tradición, pero unida al sentido más nuevo de los estudios, como lo encarnó su profesor Nebrija. La de Alcalá, fundada por Cisneros, cuyo curso inicial fué el de 1508 al 9, representaba sobre todo el espíritu renacentista. En el proyecto del fundador estaba el de reunir en ella el Colegio Mayor de San Ildefonso, siete colegios menores, de los cuales dos fuesen para niños, granjas o casas de recreo, hospital y casas de pupilos. «Parece el plan — dice Aguado Bleye — un anticipo de las modernísimas Universidades norteamericanas.» Los Reyes Católicos favorecieron a la Universidad de Salamanca, y Carlos V continuó esta ayuda real, al visitarla en 1534, y Felipe II, al casarse en ella (1543). Así la Universidad se convertía en una altísima y cimera institución nacional. En Salamanca, ella era su alma y su todo. No importa que su terreno fuese árido («por ser muy pobre el lugar», comentaba Santa Teresa), y a lo sumo se alabasen sus riquezas agrícolas («la felicidad y fertilidad de su terreno que abunda en trigo, cebada, centeno, garbanzos, vino, aceite, miel, queso, manteca, fruta, lino, pesca, ganados, caza, prado y montes», según Gil González de Ávila, en su *Historia de las Antigüedades de la ciudad de Salamanca,* 1606). El bullicio estudiantil y la ciencia profesoral era lo esencial a la ciudad, como en las modernas Cambridge y Oxford inglesas, que siguen aún aquel maravilloso espíritu de Colegios medievales, pasado por la fina trama humanista del Renacimiento.

Sobre las circunstancias de la vida de estudiantes hay diversas fuentes literarias. Entre las del tono más serio es sumamente curioso cuanto nos dice de tal etapa de su vida el obispo de Segovia y más tarde arzobispo de Valencia, don Martín Pérez de Ayala. Llegó a Salamanca en 1528 — noviembre — «y como la casa del Colegio era estrecha y echaban los religiosos de León mal con los de Uclés fuimos mal recibidos y albergados. Yo tomé mi aposento para recogerme a estudiar de noche, porque al día oía lecciones de Santo Tomás, donde tuve por maestro principal cerca de un año a Fr. Francisco de Vitoria, de buena memoria, el cual había comenzado la *Secunda secundae* entonces y había poco que tenía la cátedra de *Prima* allí. Y así pasados algunos días mal acomodados, con harto rigor de frío que aquel invierno hizo, que muchas veces, por ser el aposento bajo, llegaba a tener los pies sin sentido ninguno, de que no incurrí en pequeñas enfermedades de cuartanas y otras; al cabo, como no podíamos estar allí, en el Consejo de órdenes con el Prior determinaron de pasarnos a Alcalá, y eso fuí yo a negociarlo a Toledo, y así nos pasamos el año de 1529; donde tuve por maestro al reverendo doctor Juan de Medina, que fué uno de los célebres escolásticos de su tiempo, y oí dél tres años continuos, que tanto entonces duraba un curso, con toda la diligencia posible. Procuré también graduarme de licenciado y maestro en Artes, donde, respecto a los doctos que allí hubo, en treinta y cinco licenciados, fuí el segundo. El año de 1532, y al principio de él, fuí proveído por rector de aquella compañía, el cual cargo acepté y llevé con harta pesadumbre, por la licencia que tenían de vivir los colegiales,

Vista del Escorial

Vista de Burgos

Fachada de la Universidad de Salamanca

pareciéndoles que fuera del convento no eran obligados a tener religión, y así acabé de estudiar Teología y graduarme en Artes; hice algunos actos allí en Alcalá, especial *la tentativa* que llaman, con grande trabajo de estudio. Leí allí medio curso de Artes, siguiendo los ejercicios de las Escuelas y de la cátedra de Matemáticas. A la sazón se había levan-

Grabado de un libro de matemática aplicada

tado de nuevo el estudio y colegio de la ciudad de Granada por el Emperador Don Carlos... y como llevaban siempre maestros de Alcalá, yo fuí aceptado y señalado por ellos para leer Artes.» Se lo aceptó el arzobispo de Granada «con 30.000 maravedises de partido en cada un año, y de comer, y lo demás que era mejor, lo cual acepté, porque yo para consumarme tenía necesidad de leer un curso de Artes y dar una vuelta de propósito y confirmarme... Y visto que en Alcalá todo era por pasiones y votos de muchachos y personas maliciosas que suelen tener mano en estas cosas, quebré el hilo a mis pretensiones de cátedras y licencias», determinando ir a Granada. Comenzó aquí a *leer* «con harto aplauso, aun-

que como los estudiantse eran viciosos por causa de la tierra
y ser naturales, y mal aplicados», no sacó todo el rendimiento
que esperaba. Con todo, *una docena de ellos* entendían bien ;
pero éstos, los mejores, pararon allí poco : «unos se metieron
frailes, otros fueron a estudios». «Leí a Aristóteles casi todo
con la curiosidad que se sufría, no dejando de cumplir con
la sofistería metafísica que entonces se usaba, con gran jac-
tura de los ingenios.» Había «mucha variedad» de libros, y
compuso unos «*Comentarios y cuestiones sobre los Universales de Porfirio, donde allende la germana inteligencia del
texto,* que proseguí lo mejor que pude, en las cuestiones me
metí mucho y procuré ingerir los principios de las sectas que
entonces se usaban en las escuelas, es a saber : de *tomistas,
escotistas y nominales*».

Don Diego de Simancas, obispo de Zamora, en su libro
La vida y cosas notables..., nos dice cómo nació en Córdoba
y allí estuvo hasta los catorce años «en los cuales me mos-
traron a leer y escribir y Gramática», y conociendo su habilidad para pasar adelante, su madre decía : «Cargo de conciencia será no hacer que este niño estudie y sea un gran
doctor». Y como en Córdoba *no había escuelas para estudiar
Derechos* «ni aun se mostraba bien Latinidad», le llevaron a
Valladolid junto con su hermano Juan, que después fué co-
legial en Bolonia y obispo de Cartagena en Indias. Estudió
Latinidad en Valladolid, «y con la afición que le tomé apro-
veché de manera que en un mediano estilo di algún lustre
a todos mis actos públicos y mis escritos». «Después comencé
a oír Derechos en Valladolid, y a cabo de un año fuí a Salamanca, y allí estuve nueve años, oyendo a los Lectores cinco
años y pasando cuatro, todo ello con mucho cuidado y provecho ; y disputando con unas conclusiones delante de muchos doctores, dijo Fray Domingo de Soto, alto, que yo lo
oí : —E éstos habían de hacer doctores, con tres años de
estudio, y no a otros con veinte.»

Los testimonios literarios sobre la materia de estudiantes
y Universidades ofrecen muchas muestras de interés. En
La tía fingida, atribuída, a mi juicio con buen fundamento

de estilo, a Cervantes, dice Claudia a Esperanza: «Advierte, hija mía, que estás en Salamanca, que es llamada en todo el mundo madre de las ciencias, y que de ordinario cursan en ella y habitan diez o doce mil estudiantes, gente moza, antojadiza, arrojada, libre, aficionada, gastadora, discreta, diabólica y de humor». Sobre lo aventurero y arrojadizo de los estudiantes es muy curioso un dato que nos da Santa Teresa en el *Libro de las fundaciones.* Costándoles mucho trabajo encontrar lugar para acomodarse en Salamanca, en la época de curso, y consiguiendo las monjas a duras penas una casa «muy grande y desbaratada, y con muchos desvanes», la compañera de la decidida santa de Ávila cobró un pánico enorme a la proverbial travesura de los estudiantes del lugar: «Mi compañera no había lugar de quitársele del pensamiento los estudiantes, pareciéndole que, como se habían enojado tanto de que salieron de la casa, que alguno se había escondido en ella: ellos muy bien lo pudieron hacer según había adónde». Cuando esta monja pusilánime se vió cerrada en la pieza, en que le destinó junto a ella la fundadora, «parece sosegó algo cuanto a los estudiantes, aunque no hacía sino mirar a una parte y a otra, todavía con temores, y el demonio que la debía ayudar con representarla pensamientos de peligro para turbarme a mí...» El doctor Jerónimo de Alcalá y Yáñez, en su interesante novela picaresca dialogada *Alonso, mozo de muchos amos,* o *El donado hablador,* llama a Salamanca «madre de los ingenios del mundo y princesa de todas las ciencias» y da curiosos detalles sobre la vida de estudiantes. Como otros autores, cuenta las sucias e impertinentes *novatadas,* plaga de todos estos centros y otros análogos que revela la universalidad de la estupidez humana: «Fuimos a escuelas, juntándonos con los demás estudiantes, que pasaban de cinco mil de matrícula... Conociéronme luego por *novato;* pusiéronme cerco gran cantidad de aquellos estudiantes, comenzando a descargar en mí más saliva que suelen arrojar granizo las más preñadas nubes en el mes de marzo, y teniéndome en medio como blanco de sus travesuras, me preguntaban cómo quedaba mi señora madre y los señores hermanos, si lloré al partirme dellos y si había traído algunas pasas o confites para desayunarme. Hiciéronme que subiese en la cátedra, no dejándome bajar hasta que les leyese alguna cosa, y al cabo me dieron por libre, de tal modo que mi negro ferreruelo salió más blanco que la nieve. Maravilléme yo de que unos mozos tan grandes como sus padres diesen en aquellas boberías, mas dábanme por respuesta que era costumbre antigua...» «Salí en busca de mis amos, que habién salido de semejante refriega sino peor ; y aunque dicen que mal de muchos es gozo, no lo fué para mí, porque tuve que limpiar todo el día cuatro manteos y bonetes, sin mi sombrero y ferreruelo.» Mateo Alemán, hablando de la Universidad de Alcalá en el *Guzmán de Alfarache,* alude, pero en tono de regocijo, a estas burlas : «¡Oh, dulce vida la de los estudiantes! Aquel hacer de obispillos, aquel dar trato a un novato, meterlo en rueda, *sacarlo nevado,* darle garrote al arca, sacarle la patente, o no dejarle libro seguro ni manteo sobre los hombros». Quevedo, en el *Buscón,* cuenta cómo al llegar don Pablos a Alcalá los estudiantes de su misma posada le sacan dinero, «y luego comenzaron una grita del diablo, diciendo : «¡Viva el compañero y sea admitido en nuestra amistad, y goce de las preeminencias de antiguo ; pueda tener sarna, ande manchado y padezca la hambre por todos!» En cuanto a las bromas sucias, Quevedo, con su desmesurado barroquismo y su falta de contención en materias de gusto dudoso, llega en ese mismo pasaje — dentro del eco de la costumbre, recogida en los autores antes citados — a la cima de lo exagerado y nauseabundo, sobre todo en el texto manuscrito (véase en la ed. de Américo Castro), aunque gran parte pasó de ello al impreso. Suárez de Figueroa comentaba así las novatadas y aconsejaba respecto a ellas en *El Pasajero:* «Las burlas que padecen los novatos, no sólo son exquisitas, sino de mucho pesar, en cuyo sufrimiento suele quebrarse la correa del más fino redomado. Para remedio de esta perturbación conviene proceder de manera que en cosa os diferenciéis de los que ha mucho tiempo que cursan ; el habla sea despejada, libre, y por ningún modo recogida y modesta (1) ; procurad en los generales (2) tener con ligera ocasión alguna pesadumbre, llevándola meditada antes con los amigos. Será bien desnudar la daga a las palabras primeras.» Así, dice, que le mirarán con respeto : «En los estudios entraréis blandamente, que con menos riesgo de salud se consigue lo que se va adquiriendo con medios proporcionados y suaves». Los estudiantes vestían de ferreruelo negro, manteo y birrete, pero los pobres podían llevar otras prendas, incluso gorras, en vez de birretes, por lo que se les llamó *capigorrones* o simplemente *gorrones*. «Nada demuestra mejor el carácter democrático de la Universidad — dice Aubrey F. G. Bell — que el hecho de que cualquier criado, por harapiento que estuviese, pudiera asistir a las clases.» La vida de estudiante ofrecía muchos encantos, y es notable el tono de optimismo que rebosa la descripción de Alcalá y sus estudios, en una obra en que predomina el tono amargo como el *Guzmán de Alfarache* de Alemán : «¿Quién, dónde o cómo se hace hoy en el mundo como en las escuelas de Alcalá? ¿Dónde tan floridos ingenios en Artes, Medicina y Teología? ¿Dónde los ejercicios de aquellos colegios teólogo y trilingüe, de donde cada día salen tantos y tan buenos estudiantes? ¿Dónde se halla un semejante concurrir en las artes los estudiantes que, siendo amigos y hermanos, como si fuesen fronteros, están siempre los unos contra los otros en el ejercicio de las letras? ¿Dónde tantos y tan buenos amigos? ¿Dónde tan buen trato, tanta disciplina en la música, en las armas, en danzar, correr, saltar y tirar la barra, haciendo los ingenios hábiles y los

(1) En el *Buscón,* don Pablos se aturde y se sonroja, al ser descubierto como *nuevo,* y esto motiva las desmesuradas burlas de que es objeto : «Comencé a temblar ; entré en el patio, y no hube metido bien el pie, cuando me encararon y comenzaron a decir : ¡Nuevo!...» Aunque se ríe por disimular, le conocen la turbación : «Púseme colorado, nunca Dios lo permitiera...»
(2) *General* era el aula grande en que se enseñaban las ciencias, pero también se llamaban generales a los estudiantes considerados como jefes de un grupo, por su antigüedad, méritos o simplemente valentía. Al primer sentido se refiere Quevedo : «A mi amo apadrináronle unos colegiales conocidos, y entró en su *general*» ; al segundo, Figueroa.

cuerpos ágiles?» Y a su vez, comenta la intervención de los
alumnos en las oposiciones a cátedras, junto a las costumbres típicas de los estudiantes de todos los tiempos y climas,
en empeñar los libros y guardar, entre *ciencia* y *saber*, objetos de pugilatos y de luchas: «¡Aquel sobornar votos, aquel
solicitarlos y adquirirlos...; el empeñar de prendas en cuando
tarda el recuero, unas en pastelerías, otras en la tienda, los
Escotos en el buñolero, los Aristóteles en la taberna, desen-
cuadernado todo, la cota entre los colchones, la espada debajo
de la cama, la rodela en la cocina, el broquel con el tapa-
dero de la tinaja!» En *El donado hablador* se describe, como
cosa vivida, la asistencia a clases y detalles de los estudios:
«Comenzóse a leer. Iban a escuelas los de mi casa, y yo
acudía a comprar lo necesario para nuestra comida, y después
íbame por los generales y oía al catedrático que más gusto
me daba. Unas veces entraba en leyes, otras en medicinas,
otras en artes y sagrada teología, sin dejar los retóricos y
matemáticos. Oía a los unos, escuchaba a los otros, y pegá-
banseme de cada uno dellos algunos principios; de suerte
que quien me oyera hablar o disputar, entendiera que era
yo la misma sabiduría...» Era aspecto propio de las ciudades
universitarias, la presencia solemne y encopetada de los profesores: «Acuérdome que un día iba un letrado con su mula
y gualdrapa, con un lacayo delante y dos pajes detrás, con
la gravedad y compostura posible». Salamanca era más señorial y exigente en su vida universitaria, mientras que Alcalá dejaba sus puertas más abiertas a todos, pobres y ricos,
como se infiere de un diálogo que Huarte de San Juan nos
transmite en su *Examen de Ingenios,* entre el príncipe don
Carlos, hijo de Felipe II, y el doctor Suárez de Toledo.
Alcalá era para los estudiantes que no podían ir a ciudades
más lujosas, «el mejor cielo y suelo que lugar tiene en España». Destacaba la fama de sus estudios de ciencias. Así
Suárez de Toledo explicaba al príncipe, que había ido a
vivir a Alcalá porque su clima se lo habían recomendado los
médicos para su salud, el que habiendo comenzado su vida
cultural en Salamanca había cambiado su Universidad por

la de Cisneros, donde se había graduado: «El gasto de Salamanca en los grados es excesivo, y por eso los pobres huímos de él, y nos vamos a lo barato. Entiendo que la habilidad y las letras no las recibimos del grado, sino del estudio y trabajo, aunque no eran mis padres tan pobres, que si quisiera no me graduaran por Salamanca...» Los doctores por la Universidad de Salamanca tenían las franquicias y privilegios de los hijosdalgo de España. Si un catedrático perdía el uso y privilegios de su cátedra era un sinsabor extraordinario. El Brocense nos afirma: «Yo he conocido hombres en Salamanca que perdieron la vida casi luego en perdiendo la cátedra». Las exposiciones y discursos en latín producían gran admiración y entusiasmo, «porque la lengua latina es muy graciosa en la cátedra», decía Huarte. Con su agudeza y penetración distinguía el autor del *Examen de Ingenios* entre los éxitos profesorales y los técnicos de las mismas profesiones en cuya teoría parecían deslumbrar: «Hay letrados que puestos en la cátedra hacen maravillas en interpretación del Derecho, y otros en la abogacía, y poniéndolos una vara en la mano (esto es: haciendo de jueces o alcaldes) no tienen más habilidad para gobernar que si las leyes no se hubiesen hecho a aquel propósito». Por el contrario, «hay otros que con tres leyes mal sabidas que aprendieron en Salamanca, puestos en una gobernación, no hay más que desear en el mundo». Explica, no sin cierta ironía, el motivo de estas aparentes contradicciones: «Aunque es verdad que en la cátedra se ha de distinguir, inferir, raciocinar, juzgar y elegir, para sacar el sentido verdadero de la ley; pero, en fin, pone el caso como mejor le parece, y trae los *dubios* y *opuestos* a su gusto, y da la sentencia como quiere y sin que nadie le contradiga, para lo cual basta un mediano entendimiento». Es curiosa la observación del mismo sobre los jóvenes universitarios demasiado modosos y ordenados: «Los estudiantes que tienen los libros compuestos, el aposento bien aderezado y barrido, cada cosa en su lugar y en su clavo colgada, tienen cierta diferencia de imaginativa muy contraria del entendimiento y memoria».

Las grandes figuras del pensamiento y del Derecho, de fines del XVI, llevan su sentido renovador a la misma práctica de las enseñanzas en el aula. Francisco Suárez (1548-1617), el jesuíta filósofo y jurista más importante de su generación, que renueva la técnica y el contenido neoescolásticos, decía sobre sus propias explicaciones en la cátedra, en 1579: «El modo de leer que yo tengo es diferente de lo que los más usan por acá, porque hay costumbre de leer por cartapacios, leyendo las cosas más por tradición de unos a otros, que por mirallas hondamente y sacallas de sus fuentes, que son la autoridad sacra y la humana, y la razón, cada cosa en su grado. Yo he procurado salir deste camino y mirar las cosas más de raíz, de lo cual nace que ordinariamente parece llevan mis cosas algo de novedad». Suárez enseñó en Salamanca, Segovia y Valladolid. Se le quiso encizañar con sus superiores como «introductor de novedades», pero lo mismo el Visitador de Castilla que el padre general dieron la razón al filósofo. Fué llevado, por su fama, al Colegio Romano, donde explicó durante cinco años, siendo substituído por otro gran neoescolástico jesuíta y profesor, Gabriel Vázquez, que *leía* en Alcalá. Suárez dejó a Roma para «reparar su salud y sus fuerzas que con el estudio ha gastado» y pasó a Alcalá (1585-93), y después a Salamanca y a Coimbra. Suárez, ya de estudiante, había sido inteligentísimo y sagaz.

Cuando don Diego de Simancas, siendo obispo de Ciudad Rodrigo, fué mandado de visitador a la Universidad de Salamanca para «averiguar lo que allá se hacía con mal orden», y poner los remedios necesarios ya que «no estaban aquellas escuelas como debían», hizo allí que no dictasen los Lectores «que era una cosa perniciosa a los estudiantes», y «dije — refiere él mismo — que les quitaban el ejercitar de la memoria, y se la destruían, porque no encomendando las lecciones a ella, sino escribiendo lo que les dictaban los Lectores, no la cultivaban y no la acrecentaban; y también estragaban a los discípulos sus entendimientos, porque los cautivaban a lo que escribían, sin dejarles elección, y quitábanles el cuidado y diligencia, porque ya había sabido que

La Universidad de Alcalá de Henares

Un doctor de la Universidad de Salamanca *(Zurbarán)*

Col. Gardner. Boston

muchos encomendaban a sus amigos o a sus criados que les escribiesen las lecciones y con aquello se contentaban». Él cuenta observaciones de su visita que dan idea de esas rutinas que se propuso extirpar: «Yo me hallé en una lección, y vide que repetían cinco y seis veces cada palabra de las que decían para que las escribiesen, porque los que eran tardos daban con el tintero muchas veces, y decía el Lector:

—Digo, señores..., repitiéndolo hasta que [ya no] daban tinterazos». Los profesores protestaron de la reforma de Simancas y alguno le rogaba que no informase mal con lágrimas en los ojos. Al ver la rutina de muchos, Simancas afirmó de plano «que las cátedras no se hicieron para c.: r de comer a sesenta hombres holgando, sino que les daban aquellos estipendios para utilidad de todo el reino trabajando». Son curiosas sus observaciones sobre el lujo de los estudiantes en aquella Universidad: «Andaban vestidos tan costosos y con tanto fausto que no bastaban haciendas para sustentarlos. En sus casas tenían camas de campo, tapicerías, escritorios, mesas y sillas de nogal, y las lobas, manteos y sotanas de refino y de rajas, de mucho precio, y unos bonetes ridículos, con cuatro cuernos muy grandes, y las bocas que no cabían en la mitad de la cabeza; los manteos tan largos que arrastraban, y otras muchas boberías de este tono». Escribió al Consejo para se enmendasen tales demasías, y «enviéles un bonete de aquellos de media vara en largo de cuerno, con que rieron algunos mucho». Simancas quería que se disminuyesen los lujos, para que la enseñanza estuviese al alcance de todos, porque observaba que más bien los pobres que los ricos se interesaban por los estudios. «Escribíles que bien sabían que en España no suelen estudiar sino los que poco tienen, y que la principal reformación sería quitarles el abuso de los gastos.» Se le atendió, aunque hubo diferencias sobre los vestidos. Simancas hubiera querido «que vistiesen de paño negro de lo que labran en el Andalucía y en Alburquerque, el cual es de poca costa, y que dura mucho», pero en el Consejo prevaleció el que vistiesen de pardo. Sobre el deseo, en las mentes mejores de nuestro XVI,

4

de superar el procedimiento infecundamente memorístico, es curioso el testimonio de don Martín Pérez de Ayala *(Discurso de la vida...)* al censurar «la grosería del bárbaro modo de enseñar que en España se tenía de tomar mucho de memoria del arte de Nebrija, que fatigaban mucho los ingenios de los niños, de tal manera que hacían odiosa la sciencia o doctrina, con gran perjuicio, a aun ahora lo usan» (Ayala murió en 1566). Es dato curioso el de que los pobres preferían que sus hijos estudiasen cánones y se ordenasen, para tenerles más consigo: «Es costumbre de labradores y de viudas, que aman tiernamente a sus hijos».

En la continuación del *Guzmán de Alfarache* por Mateo Luján de Saavedra, se habla irónicamente de los «catedráticos que leen a pompa y no a provecho de sus discípulos, y cumplen sólo exteriormente con sus oficios, sin poner afecto caritativo...»

Como reflejo literario de la vida universitaria es sumamente interesante, aparte de otros aspectos como el de los ecos de la estancia del autor en Valencia, la comedia de Lope de Vega *El bobo del colegio*. En ella se describe a Salamanca, «mirándose en los cristales del Tormes», y rica en nobles casas y claras armas:

> «Esta máquina levantan
> al cielo cuatro colegios
> que aquí los mayores llaman:
> el Viejo, el del Arzobispo,
> de Cuenca y Oviedo, y basta
> que uno de los cuatro diga
> para saber que se igualan...»

> «Hay tres escuelas que exceden
> las de Grecia y las de Italia,
> con tan divinos maestros
> y cátedras adornadas,
> que Escoto, Hipócrates, Baldo
> y Aristóteles se honraran
> de oponerse a quien las rige;
> y si el amor no me engaña,
> no pienso yo que el Imperio,
> cuando a su elección se hallan
> los príncipes electores,
> ya con mitras, ya con armas,

> resplandece en mayor vista
> que cuando ocupan sus gradas
> tantas borlas de colores,
> verdes, azules y blancas,
> carmesíes y amarillas ;
> porque este jardín esmalta
> la madre Universidad,
> naturaleza del alma.»

Se hace eco Lope de una tradición respecto al Colegio Viejo «que dicen que tiene constitución, que se guarda inviolablemente», de que la docta casa tenía que encargarse de sustentar a un simple o bobo — el bobo del colegio —, y el personaje de la obra Garcerán finge serlo para su enredo amoroso :

> «Busca dos sayos y capas
> de labradores groseros,
> y pues que bobo le falta
> al Colegio, allá me lleva...»

Admitido, como tal simple, se le ve en escena «con sayo de colores y polainas» e interviene en una típica escena de ambiente universitario en que dos galanes mezclan su pedantería escolar de citas escolásticas latinas a los fingidos disparates del seudoloco. La comedia nos hace vivir hasta el clima de Salamanca :

> «Aconsejóme mi tío
> viniese a estudiar acá,
> aunque hace calor allá,
> y acá temamos el frío.»

— *Allá* se refiere a la región de la huerta valenciana —. También Espinel, tan sensible a los hielos y ventiscas, llamaba a Salamanca «tierra frigidísima, donde un jarro de agua suele corromper a un hombre», aludiendo a sus malas aguas. También en Lope se reflejan las burlas salmanticenses como la de vestir al bobo «en figura de príncipe reciente en la Universidad», «muy bizarro, con capa, espada y broquel», si bien utilizado por Garcerán para su industria, «¡ Bravo cuento, para mañana en Escuelas !».

Ya en tiempo de los Reyes Católicos, Juan del Encina, en su primario *Auto del Repelón,* había puesto en escena las burlas que hacían los estudiantes a los ingenuos labradores que llegaban al mercado de Salamanca. En *La verdad sospechosa* de Alarcón se describe así a los estudiantes de Salamanca:

> «En Salamanca, señor,
> son mozos, gastan humor,
> sigue cada cual su gusto.
> Hacen donaire del vicio,
> gala de la travesura,
> grandeza de la locura:
> hace al fin la edad su oficio.»

Cervantes hace a un estudiante el protagonista de las burlas picarescas y graciosas de su entremés *La cueva de Salamanca.* Alonso, en *El donado hablador,* se duele de que los estudiantes a quien sirve malgasten el dinero que con gran esfuerzo les procuran sus padres, «que por ventura lo dejaban de comer para que ellos anduviesen lucidos». Consideraba gran prudencia la de los padres que daban a sus hijos estudiantes sólo «lo necesario para su gasto por orden de los Padres de la Compañía de Jesús, pues con su cordura y buenos consejos les estorbaban impertinentes gastos». Por cierto que añade para sazonar sus consideraciones un cuento que da idea de la picaresca amatoria estudiantil. Hubo «un hijo de un buen hijodalgo, a quien enviándole su padre a Salamanca para que estudiase, dándole lo más que pudo para su curso, al salir de casa le dijo: —Ya ves, hijo mío, la poca hacienda que tenemos... Pídote, por el amor que te tengo, o como padre a quien debes obedecer, que estudies y trabajes como persona que va a Salamanca no a otra cosa, y que gastes con prudencia lo que fuese necesario. Partióse el mozo, entró en escuelas, cursó algunos días. Pasando por la ciudad acertó a ver una negra mujer que le llevó los ojos. Dió en festejarla, servirla y prenderla, gastando en esto más horas y tiempo que en los Baldos. Y consumiendo el dinero que había traído para seis meses, afligido por verse sin blanca, escribió a su padre suplicándole le socorriese con cincuenta ducados, y que no entendiese que había echado a mal lo que le había dado, pues en Dios y en su conciencia que lo había gastado con Prudencia. — Verdad, pues así se llamaba su dama». En *La tía fingida,* la vieja Claudia da a Esperanza estos consejos en que hace vivir la variedad de todas tierras y regiones en el conjunto estudiantil de la Atenas castellana: «'Todos, por la mayor parte, son forasteros y de diferentes partes y provincias; no todos tienen unas mismas condiciones. Porque los vizcaínos, aunque son pocos, es gente corta de razones; pero si se pican de una mujer, son largos de bolsa. Los manchegos son gente avalentonada, de los de Cristo me lleve, y llevan ellos el amor a mojicones. Hay aquí también una masa de aragoneses, valencianos y catalanes: tenlos por gente pulida, olorosa, bien criada y mejor aderezada, mas no les pidas; y si más quieres saber, sábete, hija, que no saben de burlas; porque son, cuando se enojan con una mujer, algo crueles y no de buenos hígados. A los castellanos nuevos, tenlos por nobles de pensamientos, y que si tienen dan, y por lo menos si no dan no piden. Los extremeños tienen de todo, como boticarios, y son como la alquimia, que si llega a plata lo es, y si a cobre, cobre se queda. Para los andaluces, hija, hay necesidad de tener quince sentidos, que no cinco; porque como son gente enjuta de cerebro, cada loco con su tema; mas, la de casi todos, es que puedes hacer cuenta que el mismo amor vive en ellos envuelto en lacería. Mira, pues, Esperanza, con qué variedad de gentes has de tratar».

Avanzado el XVI, la Universidad española vivió la apasionada lucha de la Contrarreforma. Por real decreto de 1558 se mandaba se averiguase si entre los libros que se manejaban había alguno de doctrinas protestantes. En torno al problema del escolasticismo, se dejó cierta libertad en punto a innovaciones, aunque ya aludimos al intento de persecución de Suárez; pero en materia de exégesis bíblica, el tono fué mucho más apasionado. La gran figura de Fray Luis de León hace vivir toda la pasión y la lucha de la segunda mitad del primer siglo de oro español. Profesor en Salamanca del

1560 al 72, la lucha entre dominicos y agustinos llega a su apogeo. Es curioso, por lo que respecta a la antes citada visita del obispo Simancas, que Fray Luis, por la cuestión de los dictados, sufrió la multa de un ducado. No es este detalle el que pueda darnos idea de lo que fué Fray Luis como profesor. Al contrario, como dice Bell, el poeta y prosista agustino en varias generaciones de alumnos dejó el sello de sus explicaciones vivas, «llenas de estímulo, personalidad y lucidez». Se hizo simpático a los oyentes, y estaba en contacto directo con ellos. Era tan brillante dialéctico en la cátedra, como orador en el púlpito. Sus explicaciones sobre las Escrituras tenían el tono vivo de su admirable y jugosa exposición del *Libro de los Cantares*. Decía contento de la espontánea colaboración de sus discípulos: «Os veo escribir, no me engaño en ello, y no obstante no os hago escribir: lo hacéis libremente». Los éxitos de cátedra del agustino, en su tiempo «se tenían por milagro». Aunque la pasión que el propio poeta puso en el tema de las discusiones sobre la *Vulgata* contribuyó a fijar los caracteres de su persecución, lo más importante en ella fué, como escribió Fray Luis, la obra de la «envidia y mentira»; la saña despiadada contra el catedrático inteligente, entre sus rivales del propio campo de las letras. El dominico León de Castro fué el enemigo más teatral de Fray Luis, aunque otros, menos gallardamente, pelearon contra él en la sombra. Castro tenía la pasión antijudía, y se pasó la vida denunciando a Fray Luis y amargando los años de una figura tan blanda de espíritu como importantísima en la cultura teológica de su tiempo como Arias Montano. Era, y esto explica el subconsciente resentido contra Fray Luis, un mal profesor, antipático a los alumnos: un documento de la época dice que los estudiantes se turbaban ante las despóticas maneras de Castro, si acudían a su domicilio en demanda de alguna aclaración, «y antes que se tornen en sí, los echa a palos de su casa». Lo peor es que era hombre de buena fe, al que su limitada inteligencia no dejaba ver adónde le llevaba su obstinación y partidismo, por otra parte excelente erudito —

cosa en sí que nada tiene que ver con la inteligencia — y buen conocedor del griego y del latín, aunque no del hebreo, lo cual también quizá contribuía a su antisemitismo doctrinal. Otra dominico, Fray Bartolomé de Medina, escolástico intransigente, que llevó la materia de teología moral a los más nimios detalles de la incomprensión — en materia de la confesión, por ejemplo —, era un enemigo peor para Fray Luis, «frío y calculador», «más suave que franco y sincero», según el comentario de Bell. Entre él y Fray Luis hubo algún rozamiento académico. Fray Luis con su nobleza, aun en sus apasionamientos: «Yo soy claro», decía, se prestaba a estos ataques y envidias que llegó a tener en alguna ocasión aun dentro de su misma Orden. Entre sus amigos y compañeros de cátedra, contaba Fray Luis al Brocense, a Grajal, a Martínez de Cantalapiedra: «Los amigos — diría el gran escritor en *Los nombres de Cristo* — no han de ser muchos porque para el deleite bastan pocos». Además le honraba tener, y ya era bastante, «gran número de discípulos y muy aficionados». No faltaban sin embargo, en Salamanca, los estudiantes cortos de mollera, que denunciaban las «novedades» en las enseñanzas, y alguno como el que apoyaba a León de Castro, «pues era del bando de Jesucristo», y que llamaba despectivamente *maestrillos* a Fray Luis, a Grajal y a Martínez. Cuando los tres fueron arrestados por la Inquisición, habían salido con la suya, Medina, que no había querido discutir en público con el agustino sobre los puntos candentes de la *Vulgata*, y Castro con su atestado que, según Bell, «era una amalgama de díceres, rumores y maledicencias». Los que han sido víctimas, en todos los tiempos, de las habladurías de salas de profesores y de envidias y chismes profesionales, tienen bastante para consolarse con el ejemplo cimero de Fray Luis de León.

Desde abril del 72 a diciembre del 76 duró el proceso y prisión inquisitorial de Fray Luis. Así evoca, sintéticamente, esta época Aubrey Bell: «Vemos a un profesor rodeado de enemigos, que por nada se arredra, que defiende con gran ingenio a Grajal, que es intrépido e inclusive acometedor

55

en la defensa de su doctrina y fogoso en sus denuncias. A un hombre de indomable espíritu que después de los enojosos meses de cárcel señala a los inquisidores cuáles eran sus deberes, y demanda que se forme un proceso sumario a sus acusadores y se les castigue». Era el mismo catedrático que con justo orgullo podía decir: «Tenían (mis oyentes) por oráculo cualquier cosa que les decía».

Declarado libre por la Inquisición, habiendo muerto Grajal en la cárcel de Valladolid, se le recibió en Salamanca en son de triunfo. En un documento de la época se consigna cómo el 23 de diciembre del 76, «día de San Dámaso, dieron por libre a Fray Luis, sin pena... Y a 30 de diciembre entró en Salamanca a las tres de la tarde con atabales, trompetas y gran acompañamiento de caballeros, doctores, maestros, etc. Y lunes adelante, le presentó el Comisario del Claustro, para que se le diese su propio lugar, honra y cátedra de Durando. Él no la quiso, y la Universidad dióle 200 ducados de partido. Miércoles a 2 de enero de 77 comenzó a leer. Hubo gran concurso». Según una tradición algo tardía, pero que no puede en absoluto considerarse falsa, se dirigió a los estudiantes con la fórmula: «*Dicebamus hesterna die*» (Decíamos ayer...). La anécdota va bien al carácter de Fray Luis de León. Éste, en 1578, todavía obtuvo la cátedra de Filosofía Moral, opositando con Zumel, el famoso dominico. Fray Luis ganó por 301 votos contra 222. Del 79 al 82 obtiene la cátedra de Sagrada Escritura, y explica sobre el *Eclesiastés*. No faltaron en todo esto las luchas entre las dos órdenes. Aun tuvo Fray Luis una pequeña cuestión con el Santo Oficio, en relación con su manera de interpretar la doctrina de la predestinación y los méritos de Cristo, y por insinuación de «sabor herético», según su nuevo rival Zumel. Aunque, una vez más, la Inquisición fué el fiel contraste en estos puntos en que se mezclaban pasiones personales, interesan las actitudes universitarias: «Comenzaron a alborotarse los estudiantes, y daban aviso a los hombres doctos de lo que se decía y platicaba entre ellos para que se pusiese remedio a la *novedad*

56

Retrato de un cosmógrafo

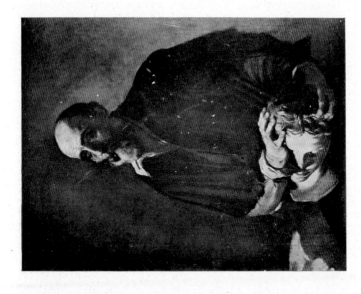

Un médico y un escultor ciego (*El Greco y Ribera*)

M.º del Prado

de opiniones que contra Santo Tomás y la verdad se pretendía introducir». Irónicamente, dijo una vez Fray Luis al empezar una clase : «Señores, mañana habrá un acto de luteranos, pelagianos y cristianos viejos. Yo he deseado y procurado la presidencia de él, para que vean estos padres (dominicos) cómo cualifican sus opiniones...» Cuando el debate tuvo lugar, hubo «gran rumor y alteración en la escuela, y, ansí, saliendo del acto los estudiantes y los religiosos, hacían corrillos tractando todos con sobresalto de aquellas cosas que se enseñaban tan fuera de lo común...» Todavía, por defender un pleito de la Universidad, va a la corte y es recibido y atendido por Felipe II. Fray Luis encarna todo el período de las acaloradas discusiones teológicas de la Universidad salmanticense en la segunda mitad del XVI.

BIBLIOGRAFIA

MENÉNDEZ PELAYO, *Historia de las ideas estéticas* y *La ciencia española.* — L. LUZURIAGA, *Documentos para la historia escolar de España,* dos vols., Madrid, 1916-1917. — V. DE LA FUENTE, *Historia de las Universidades, colegios y demás establecimientos de enseñanza,* Madrid, 1884-85. — E. ESPERABÉ ARTEAGA, *Historia de la Universidad de Salamanca,* 1914. — A. M. VILLA, *Reseña histórica de la Universidad de Sevilla,* 1886. — GIL GONZÁLEZ DE ÁVILA, *Historia de las Antigüedades de la ciudad de Salamanca,* 1606. — *Autobiografías y memorias (Nuev. Bibl. Aut. Esp.).* — HUARTE DE SAN JUAN, *Examen de ingenios...* — Para las citas literarias de novela picaresca, teatro, etc., véanse las obras mencionadas en el texto, para este capítulo —. RAÚL DE SCORRAILLE, *El P. Francisco Suárez,* tomo I, *El Estudiante, el Profesor* (trad. P. Hernández), Barcelona, 1917. — AUBREY F. G. BELL, *Luis de León, un estudio del Renacimiento español* (trad. P. García), Ed. Araluce, Barcelona. — PEDRO SIMÓN ABRIL, *Apuntamientos de cómo se deben reformar las doctrinas* (véase en *Aut. Esp.,* vol. LXV). — P. S. ALLEN, *The Age of Erasmus,* Oxford, 1914. — A. BONILLA Y SAN MARTÍN, *Luis Vives y la filosofía del Renacimiento,* Madrid, 1903. — L. G. ALONSO GETINO, *El maestro Francisco de Victoria y el renacimiento filosófico teológico del siglo XVI,* Madrid, 1914. — P. U. GONZÁLEZ DE LA CALLE, *Francisco de los Brozas,* Madrid, 1923. — J. HAZAÑAS Y LA RÚA, *La vida escolar en la Universidad de Sevilla en los siglos XVI, XVII y XVIII,* Sevilla, 1907. — M. REVILLA RICO, *La Políglota de Alcalá,* Madrid, 1917. — G. VÁZQUEZ NÚÑEZ, *El P. Zumel, general de la Merced y catedrático de Salamanca (Rev. de Archivos,*

57

1918-19). — L. G. Alonso Getino, *La causa de Fr. Luis de León ante la crítica y los nuevos documentos históricos* (Rev. de Archivos, 1903-04). — Id., *La autonomía universitaria y la vida de Fr. Luis de León,* Salamanca, 1904. — G. de Santiago Vela, *La Universidad de Salamanca y Fr. L. de León* (Archivo histórico hispano-agustiniano, 1916). —Id., *Oposiciones de Fr. L. de León a la cátedra de Biblia* (Id., 1916).

CAPÍTULO III

LA AVENTURA Y LA PASIÓN CABALLERESCA

No es casual que la época del Emperador fuese literariamente la del apogeo de los *libros de caballerías*. Al final de
la regencia de Fernando el Católico y el cardenal Cisneros
se edita el *Amadís de Gaula,* que existía en su forma primera ya en el siglo XIV. Garci-Rodríguez de Montalbo (cuyo
nombre aparece en la forma Garci-Ordóñez en las reimpre-
siones), al publicar el viejo libro, esencia de amor y heroísmo hispánicos, en la más bella tradición, en 1508, habla
en su prólogo, significativamente, de la adecuación de la
época al motivo caballeresco. Desde el primer párrafo está
presente el hecho de «las batallas de nuestros tiempos que
por nos fueron vistas», las cuales «nos dieron clara experiencia y noticia». Y al hablar, acto seguido, de «aquella
conquista que el nuestro muy esforzado y católico rey don
Fernando hizo del reino de Granada», pone este comentario,
en alas de poesía y entusiasmo: «¡Cuántas flores, cuántas
rosas en ella por ellos fueron sembradas, así en lo tocante
al esfuerzo de los caballeros en las revueltas y escaramuzas
y peligrosos combates...!» Él afirma haber corregido el texto
primitivo del libro que publica, y publicarlo como ejemplo
de caballeros: «Los cuales cinco libros, como quiera que hasta
aquí más por patrañas que por crónicas eran tenidos, son,
con las tales enmiendas, acompañados de tales ejemplos y
doctrinas, que con justa causa se podrán comparar a los livianos y febles saleros de corcho, que con tiras de oro y de

59

plata son encarcelados y guarnecidos ; porque así los caballeros mancebos como los más ancianos hallan en ellos lo
que a cada uno conviene». Y al comenzar la obra, y explicar
cómo corrigió el viejo estilo del libro, añade el editor que
lo hace «animando los corazones gentiles de mancebos beli-
cosos, que con grandísimo afecto abrazan el arte de la milicia
corporal, animando la inmortal memoria del arte de caballería, no menos honestísimo que glorioso». Alonso de Proaza,
al final de la impresión, en unas estrofas de arte mayor en
que elogia al autor del libro, indica que éste revela «las
lindas maneras del buen escribir, la cumbre del nuestro
vulgar castellano» y que entre claros arneses resplandecien-
tes, lizas y justas, batallas y torneos,

«aquí las virtudes y glorias florecen».

Las hazañas de la época hicieron que muchos de los
temas de los libros caballerescos tuviesen una cierta correspondencia con la realidad. Es curiosa en este respecto esta
observación de Zapata en su *Miscelánea*: «Aunque los libros
de caballerías mienten, pero los buenos autores vanse a la
sombra de la verdad, aunque de la verdad a la sombra haya
mucho. Dicen que hendieron el yelmo, ya se ha visto ; y que
cortaron las mallas de las lorigas, ya también en nuestros
tiempos se ha visto. Juan Fernández Galindo cortó a uno a
cercén un brazo con una manga de malla, y no le dejó sino
en las postreras mallas, y quien lo vió me dijo que Ramiro
de Cárdenas y un su hermano, caballeros de Écija, ambos en
una revuelta entre españoles e italianos en Nápoles, dió a
un napolitano una cuchillada sobre un casco, que le cortó el
casco y los cascos, y le derribó muerto de aquel golpe bravo ;
y luego de una estocada a otro, que traía una cota de malla,
pasarle la cota y el cuerpo, y echarle un palmo de espada
por las espaldas». Igualmente refiere diversos encuentros de
lanza, entre ellos uno de Jorge Manrique, en que a su contrario «le pasó peto y espaldar y cuerpo de parte a parte, y
el acerado arzón trasero de la silla, y aun hirió al caballo en
las ancas». Y comenta orgulloso de los hechos verdaderos

de su patria: «¡Una higa para todos los golpes que fingen de Amadís y los fieros hechos de los gigantes, si hubiese en España quien los de los españoles celebrase!» En otro lugar

Grabado de un Amadís *de 1535*

de la misma obra se refiere un caso en que un Veedor general, pasando revista a su compañía y viendo que uno de sus hombres llevaba las cinchas del caballo *ruines o delgadas,* se las cortó con su espada. «El hidalgo, como avergonzado de aquello, así como estaba armado y sin cinchas, en un furioso caballo arremétele recio y para, y pasa luego con su lanza a toda furia una larga carrera; después de acá y de allá galópale y manéjale con la espada en la mano, poniendo a todos maravilla y espanto. Después sosegó su caballo, y metió su espada en la vaina, y viniéndose luego para el Veedor general le dijo: —Porque Vmd. vea que no traigo por necesidad, sino por buen parecer, las cinchas, he hecho lo que Vmd. ha visto; agora mande Vmd. proveer mi lanza en otro en quien se emplee mejor, que yo no quiero estar más en la compañía.» De sí propio afirma Zapata, en relación con el antes citado Ramiro de Cárdenas, sínodo de los Palmerines y Tirantes, que «no le iba en zaga, antes era tan valiente como él y *más desaforado*».

De las luchas del duque de Alba con los flamencos, cuenta que don Lope de Figueroa, el valiente y malhumorado militar, que sacaron al teatro Lope, Vélez y Calderón, estando cerca los dos bandos contendientes, salió «a escaramuzar con ellos con trescientos de sus arcabuceros, y tantos fué matando de ellos e hiriendo que, cuando quiso volver, sin que le matasen a él y a todos los suyos, no pudo dar la vuelta. Pues perdido así, más quiso perderse osando que habiendo miedo; arremete a todo el escuadrón de ellos, gánales siete piezas que tenían de artillería, vuélvela y hácela disparar contra ellos; y, viéndoles temerosos y en desorden, arremete toda su gente y con tan pocos suyos degüella doce mil dellos, y a los otros hace que a espaldas vueltas dejen el campo». ¡Tan cerca estaban en muchos casos las proezas vividas de las contadas en los libros de caballerías! Entusiasmado Zapata de las cosas de España, decía: «Cada vez que tomo la pluma para tratar cosas de españoles, no vuela más ni corre ni trota un paso, según son ellas grandes; así diré lo que pudiere a vuelapié y cojeando».

Los libros de caballerías no sólo encantaban a sus lectores del XVI por la parte heroica y militar de sus aventuras, sino por su idealismo amoroso, como en el *Amadís,* o el simbolismo místico, como en *La demanda del Santo Grial.* En este libro, según el texto impreso en Sevilla, en 1535, una profunda melancolía brota del final de su aventura. El rey Galaz (que hace un papel semejante al Parsifal del poema alemán de Wolfram von Eschenbach) va a morir ante la santa reliquia del Grial, y tras sus oraciones, «luego se partió el ánima del cuerpo, e leváronla los ángeles a la corte celestial con gran alegría, cantando muy altamente». Y ocurrió una gran maravilla: todos «vieron venir de cielo una mano que tomó el Santo Grial de sobre la Tabla Redonda, e no pareció sino la mano tan solamente, y así como lo tomó subió al cielo. E cuando la mano vino, traxo una tan gran claridad, que todos fueron espantados, e cerca de la mano venían muchos ángeles, que traían candelas e cirios ardiendo, e incensarios muy ricos, e habían tan buenos olores, que les semejaba que estaban dentro en Paraíso... E así como el Sancto Grial salió, así vieron que la mano que [lo] levaba que lo dió a un Hombre que tenía en su cabeza una corona de oro, e había la cara tan colorada como sangre, que les pareció que era llama de fuego...» Esta figura del Señor tenía los pies y las manos sangrientos «e la sangre que dél salía caía en el Sancto Grial, e tomaba la lanza que corría sangre, e levantábala facia arriba». Tras su muerte, nostálgicamente, la *Demanda* se considera acabada, y nadie volverá a ver el Santo Vaso de la Sangre del Señor: «Nunca lo vieron en la tierra, desde que Galaz (hijo de Lanzarote del Lago) entró en la gloria de Dios, y los ángeles le vistieron paños de oro, y una corona pusieron en su cabeza (como en una tabla del xv), con muchas piedras preciosas, y en su mano diestra una sortija. Así fué levado el Sancto Grial al cielo, que después no fué vido en tierra, ni vieron después por él ninguna aventura». No es extraño así el tránsito de la afición de los libros heroicos a los de devoción en la convalecencia de San Ignacio.

Ante los ataques de los enemigos de los libros de caballerías no faltaron las adecuadas defensas de sus aficionados o sus editores. Al publicar el *Palmerín de Inglaterra,* decía Miguel Ferrel a don Alonso Carrillo: «Aunque estas historias de caballerías algunos las muerden y detraen, diciendo ser mal ejemplo para los que las leen, no deben de saber, como dice el Sabio, que en el mundo hay dos maneras de milicia, y que en cada una se tratase y hobiese ejercicio de aquellas cosas que de mayor primor y perfición la adornasen ; como en esta nuestra milicia de lo humano estas cosas tan necesarias sean para traer los ánimos a las armas y ejercicio dellas, conmoviendo los ánimos varoniles a semejantes cosas hacer que los antiguos hicieron».

Huarte de San Juan cree que la afición a los libros de caballerías guarda relación «con el furor poético», con los jóvenes tocados de este don del arte que tiene algo de «revelaciones divinas», «que el hombre cuerdo y que está en su libre juicio no puede ser poeta». «Y así tengo por cosa llana que el muchacho que saliere con notable vena para metrificar, y que con liviana consideración se le ofrecieran muchos consonantes, que ordinariamente corre peligro en saber con eminencia la lengua latina, la Dialéctica, la Filosofía, Medicina y Teología escolástica, y las demás artes y ciencias que pertenecen al entendimiento y memoria. Y así lo vemos por experiencia que si a un muchacho destos le damos que aprenda un nominativo de memoria no lo tomará en dos o tres días ; y si es un pliego de papel escrito en metro para representar alguna comedia, a dos vueltas que le dé se le fija en la cabeza. Éstos se pierden por leer en *libros de caballerías*, en *Orlando, Boscán*, en *Diana de Montemayor*, y otros así ; porque todas éstas son obras de imaginativa.» Hasta en las censuras de los escritores doctrinales contra los libros de caballerías, se adivinaba su cantera poética e idealista al unirlos, como en la pasada cita, con el género lírico o la narración pastoril. Así en el denuesto de Malón de Chaide, en el prólogo dirigido a los lectores de *La conversión de la Magdalena*, se sitúan en la misma hilera todas estas clases de obras : «¿Que qué otra cosa son los libros de amores y las Dianas, y Boscanes, y Garcilasos, y los monstruosos libros y silvas de fabulosos cuentos y mentiras de los Amadises, Floriseles y Don Belianís, y una flota de semejantes portentos, como hay escritos, puestos en manos de pocos años, sino cuchillo en poder del hombre furioso ?» Y tras acometer con detalle contra las Dianas y Garcilasos, vuelve a emprenderla con las narraciones caballerescas en este enjundioso párrafo, rico de dicción y de vigor, como todo el estilo del notable agustino navarro: «Otros leen aquellos prodigios y fabulosos sueños y quimeras, sin pies ni cabeza, de que están llenos los libros de caballerías, que así los llaman a los que (si la honestidad del término lo sufriera), con trastocar pocas letras, se llamaran mejor de bellaquerías que de caballerías. Y si a los que estudian y aprenden a ser cristianos en estos catecismos les preguntáis que por qué los leen y cuál es el fruto que sacan de su lección, responderos han que allí aprenden osadía y valor para las armas, crianza y cortesía para con las damas, fidelidad y verdad en sus tratos, y magnanimidad y nobleza de ánimo en perdonar a sus enemigos; de suerte que os persuadirán que *Don Florisel* es el *Libro de los Macabeos,* y *Don Belianís* las *Morales* de San Gregorio, y *Amadís* los *Oficios* de San Ambrosio, y *Lisuarte* los *Libros de Clemencia* de Séneca, por no traer la historia de David que tantos enemigos perdonó. Como si en la Sagrada Escritura y en los libros que los santos doctores han escrito faltaran puras verdades, sin ir a mendigar mentiras; y como si no tuviéramos abundancia de ejemplos famosos, en todo linaje de virtud que quisiésemos, sin andar a fingir monstruos increíbles y prodigiosos. ¿Y qué efecto ha de hacer en un mediano entendimiento un disparate compuesto a la chimenea en invierno por el juicio del otro que lo soñó?» Con más acrimonia, y en esta misma época en que el sentido heroico de la realidad comenzaba a estar lejano, Pérez de Moya, en su *Filosofía secreta,* que es un gran tratado de mitología clásica, llamaba a los libros de caballerías «cebos del demonio, con que en los rincones caza los ánimos tiernos de las doncellas y mozos livianos». Sin embargo, a figuras tan importantes en la historia religiosa de España y del mundo, como San Ignacio y Santa Teresa, habían encantado en su juventud el tramado novelesco, la aventura infinita de tales libros, después tan denostados.

Zapata, en su citada *Miscelánea,* profesaba un gran entusiasmo por estos libros y los asociaba, deliberadamente, al

65

5

género de la creación poética: «Del autor del famoso libro de *Amadís* no se sabe hasta hoy el nombre, honra de la nación y lengua española, que en ninguna lengua hay tal poesía ni tan loable». Y añade (refiriéndose a su propio poema *Carlo famoso,* tan curioso en las anécdotas como torpe y pesado en la versificación): «Yo pensé también que en haber hecho la historia del Emperador Carlos V, nuestro señor, en verso, y dirigida a su pío y poderosísimo hijo, con tantas y tan verdaderas loas de ellos y de nuestros españoles, que había hecho algo». Menéndez Pelayo dice que el espíritu del propio Zapata se contagió de la lección de los libros caballerescos, «puesto que en todas las cosas tiende a la hipérbole». Prefería Zapata, en poesía, las hazañas épicas de los romances viejos, a las que llamaba «sectas nuevas» aludiendo sin duda al estilo eglógico italianizante.

Muchos de los hechos de la época lindaban con la materia propia de los libros de caballerías. El «*Viaje del mundo,* hecho y compuesto por el licenciado Pedro Ordóñez de Cevallos», nacido en Jaén y canónigo de Astorga (1616), contiene aventuras que lindan con lo inverosímil, aunque con gran habilidad y donosura narradas, como las referentes a la Reina de Cochinchina, a la que convirtió al catolicismo, con una parte de *romance* de amor, que nada tiene que envidiar a las de los libros de sucesos fabulosos. Sus hechos en América tienen más probabilidades de ser verdaderos, pero todo tiene el sello y tónica de la época. Los juegos de armas en palacio, y cómo se señaló en ellos el capitán Pedro de Lemolín — ante la Reina de Cochinchina —, hacen pensar en las destrezas caballerescas. Don Juan Valladares de Sotomayor, cuyo padre había estado en Pavía, escribió otro libro, el «*Caballero venturoso,* primera parte con sus extrañas aventuras y prodigiosos trances, adversos y prósperos, historia verdadera, verso y prosa admirable y gustosa», en que trata de oponer realidades sombrosas a «las ficciones del Caballero del Febo» y a las que llama, incomprensivamente, «ridículas y disparatadas fisgas de Don Quijote». El mismo Cervantes, en su libro de despedida, el *Persiles,* vino, al sentirse atraído por las aventuras de la novela bizantina, y adaptar a ellas su original creación, en la que tanto puso a la vez de fantasía y de experiencia (libros III y IV), a dedicar su homenaje de desagravio al género caballeresco. Toda la Europa del XVI se sentía atraída por los lances análogos a los libros, que fueran cualesquiera sus fuentes, se difundían ahora según sus versiones e interpretaciones españolas. El desafío de Carlos V a Francisco I, aunque no llegara a realizarse, era como un eco real de esta moda, a la que se unía, en el Emperador, la más noble y valiente hidalguía. En su época tuvo lugar el famoso torneo entre don Pedro Torrellas y don Jerónimo de Ansa, que tardíamente recordó Calderón al escenificarlo con todo pormenor en su valiente comedia moza *El postrer duelo de España*. Se realizó con todas las ceremonias de un «duelo en juicio de Dios», en 1522, en la plaza mayor de Valladolid, y presidiéndolo el Emperador, estando a su lado el Condestable de Castilla. En las acotaciones de la comedia de Calderón, se indica cómo «tocan cajas y trompetas, y se ve en un trono a Carlos V, con una vara de justicia en la mano, y más abajo al Condestable, en otro trono con un bufete delante, y en él un misal, y en dos fuentes dos arneses, dos martillos de desarmar y dos espadas. Al pie de ambos tronos estarán cuatro reyes de armas, con casacas bordadas de las armas de Castilla y León, y en los lados habrá dos tiendas». Los combatientes aparecen con plumas y bandas, precedidos por los pajes que ostentan sus respectivos escudos. El Condestable pide licencia al rey para que se acerquen los combatientes. Se hace la llamada de ritual, mediante tres toques de cajas y trompetas. Los caballeros hicieron su juramento ante el misal. Se les preguntó si el reto es sólo por mantenerse «en la fama de honrada opinión», jurando afirmativamente, y que lo hacían sin rencor ni odio. Después empezó la lucha, con los martillos, con las espadas, y llegando a las manos. El Emperador cortó la lucha arrojando su cetro a la plaza. El ceremonial y el hecho en sí revelan la práctica caballeresca, aun en actos de tanta solemnidad. No era esto

67

sólo en España. En Francia, el rey Enrique II murió de la mala fortuna que tuvo, al luchar con la lanza en un torneo, a caballo (1559). De perturbaciones de gente tranquila y burguesa por la obsesión caballeresca, como Don Quijote, hay varios testimonios de hechos reales. En la *Miscelánea* de Zapata se cuenta: «Mas en nadie estas cosas maravillaron en nuestros tiempos tanto como en un caballero muy manso, muy cuerdo y muy honrado. Sale furioso de la Corte sin ninguna causa, y comienza a hacer las locuras de Orlando; arroja por ahí sus vestidos, queda en cueros, mató un asno a cuchilladas, y andaba con un bastón tras los labradores a palos, y no pudiendo escudriñar de él la causa, decían que de una tía suya lo había heredado, y así es cierto que hay dolencias y condiciones hereditarias». En el *Quijote* de Avellaneda hay un episodio que pudo basarse en este hecho sucedido.

El bondadoso y comprensivo Fray Luis de Granada, al tratar en su *Introducción del Símbolo de la Fe* de las «historias y batallas gloriosas de los sanctos mártires», deja bien a las claras cómo consideraba a éstos como una especie de caballeros andantes a lo divino, al alabar «la constancia y fortaleza destos gloriosísimos caballeros». La relación, en la mente de Granada, entre una y otra caballería existía sin duda, ya que a renglón seguido plantea el caso de los famosos libros literarios de aventuras, y el entusiasmo de sus lectores: «Agora querría preguntar a los que leen libros de caballerías fingidos y mentirosos, ¿qué les mueve a esto? Responderme han que entre las obras humanas que se pueden ver con ojos corporales, las más admirables son el esfuerzo y la fortaleza. Porque como la muerte sea (como Aristóteles dice) la última de las cosas terribles, y la cosa más aborrecida de todos los animales, ver a un hombre despreciador y vencedor deste temor tan natural, causa grande admiración en los que esto ven. De aquí nace el concurso de gentes para ver justas y toros y desafíos y cosas semejantes, por la admiración que estas cosas traen consigo, la cual admiración (como el mismo filósofo dice) anda siempre acompañada con deleite y suavidad. Y de aquí también nace que los blasones e insignias de las armas de los linajes comúnmente se toman de las obras señaladas de fortaleza, y no de alguna otra virtud. Pues esta admiración es tan común a todos y tan grande, que viene a tener lugar no sólo en las cosas verdaderas, sino también en las fabulosas y mentirosas; y de aquí nace el gusto que muchos tienen de leer estos libros de caballerías fingidas.» Como se ve, la explicación que da Granada es sumamente sugestiva y honda. Y añade: «Pues siendo esto así, y siendo la valentía y fortaleza de los sanctos mártires sin ninguna comparación mayor y más admirable que cuantas ha habido en el mundo (pues basta para ser como dijimos un hermosísimo espectáculo para Dios y para sus ángeles), y siendo sus historias no fabulosas ni fingidas, sino verdaderas, ¿cómo no holgarán más de leer estas tan altas verdades que aquellas tan conocidas mentiras? A lo menos es cierto que los sanos y buenos ingenios, mucho más han de holgar de leer estas historias que las de aquellas vanidades, acompañadas con muchas deshonestidades con que muchas mujeres locas se envanecen, pareciéndoles que no menos merecían ser ellas servidas, que aquellas por quien se hicieron grandes proezas y notables hechos en armas...» La afición a tales libros era común en los ingenios de la generación del Emperador y principios de la siguiente. Juan de Valdés afirma por su autorretrato del *Diálogo de la Lengua:* «Diez años, los mejores de mi vida, que gasté en palacios y cortes no me empleé en ejercicio más virtuoso que en leer estas mentiras, en las cuales tomaba tanto sabor, que me comía las manos tras ellas», y a pesar de censurar en ello más tarde el estar mal compuesto, ser sus mentiras «muy desvergonzadas» y «tener el estilo desbaratado», «que no hay buen estómago» que los lea.

Las dos grandes figuras del movimiento religioso español del XVI: el fundador y la reformadora, coincidieron en esta afición literaria juvenil. A San Ignacio le venía la preferencia por los libros de caballerías de su formación cortesana, de galán de los comienzos del quinientos. «Era entonces Ignacio — dice el Padre Ribadeneyra — mozo lozano y polido, y muy amigo de galas y de traerse bien.» «Comenzando ya a ser mozo y a hervirle la sangre, movido del ejemplo de sus hermanos, que eran varones esforzados, y él que de suyo era brioso y de grande ánimo, dióse mucho a todos los ejercicios de armas, procurando de aventajarse sobre todos sus iguales, y de alcanzar nombre de hombre valeroso, y honra y gloria militar.» Polanco nos lo pinta, también antes de su conversión, como «especialmente travieso en juegos y cosas de mujeres, y en revueltas y cosas de armas». A él y un hermano suyo se les entabló un proceso «sobre cierto exceso por ellos diz que el día de Carnestuliendas últimamente pasada cometido e perpetrado». En ese asunto se hace constar que Iñigo «siempre ha traído armas e capa abierta e cabello largo». Su ambiente, pues, era propicio a la afición caballeresca. Así se explica cómo, herido valientemente en Pamplona (1521), y durante su larga convalecencia, según Ribadeneyra describe, «era en este tiempo muy curioso y amigo de leer libros profanos de caballerías, y para pasar el tiempo, que con la cama y la enfermedad se le hacía largo y enfadoso, pidió que le trujesen algún libro desta vanidad. Quiso Dios que no hubiese ninguno en casa, sino otros de cosas espirituales que le ofrecieron ; los cuales él aceptó, más por entretenerse en ellos que no por gusto y devoción. Trujéronle dos libros, uno de la vida de Cristo Nuestro Señor y otro de vidas de sanctos, que comúnmente llaman *Flos sanctorum*. Comenzó a leer en ellos al principio (como dije) por su pasatiempo, después, poco a poco, por afición y gusto ; porque esto tienen las cosas buenas, que cuanto más se tratan más sabrosas son. Y no solamente comenzó a gustar, mas también a trocársele el corazón y a querer imitar y obrar lo que leía». Un cuadro de comienzos del XVII, inspirado en un grabado anterior, pinta a Ignacio, en el lecho, entregado a estas lecturas de «caballerías a lo divino» (lienzo propiedad del señor Batllori, actualmente en la *Institución Balmesiana* de Barcelona), y su aspecto físico recuerda mucho al que tradiciona'mente se asigna a la figura literaria de Don Quijote. Algunos de los primeros hechos del convertido tienen aún el sello de su afición caballeresca: el velar las armas en Montserrat, el episodio con el morisco, etc. Ribadeneyra comentaba alguna de estas aventuras, recordando que San Ignacio era «un hombre acostumbrado a las armas, y a mirar en puntillos de honra». También le llama, significativamente, «nuestro nuevo soldado». Y cuenta así su rito de Monserrat: «Como hubiere leído en sus libros de caballerías que los caballeros noveles solían velar sus armas, por imitar él, como caballero novel de Cristo, con espiritual representación, aquel hecho caballeroso, y velar sus nuevas y al parecer pobres y flacas armas, mas en hecho de verdad muy ricas y muy fuertes, que contra el enemigo de nuestra naturaleza se había vestido, toda aquella noche, parte en pie y parte de rodillas, estuvo velando delante de la imagen de Nuestra Señora, encomendándose de corazón a ella, llorando amargamente sus pecados y proponiendo la enmienda de la vida para adelante». En la autobiografía se concreta más: «Y como tenía todo el entendimiento lleno de aquellas cosas, de *Amadís de Gaula* y de semejantes libros, veníanle algunas cosas al pensamiento semejantes a aquéllas».

En Santa Teresa la afición a tales libros procedía de su madre, en cuya generación la boga por lo caballeresco había llegado a su extremo. Dice, hablando de ella, la Santa en el *Libro de su vida*: «Era aficionada a libros de caballerías, y no tan mal tomaba este pasatiempo, como yo lo tomé para mí; porque no perdía su labor, sino desenvolvíamonos para leer en ellos; y por ventura lo hacía para no pensar en grandes trabajos que tenía, y ocupar sus hijos, que no anduviesen en otras cosas perdidos. Desto le pesaba tanto a mi padre, que se había de tener aviso a que no lo viese. Yo comencé a quedarme en costumbre de leerlos, y aquella pequeña falta que en ella vi, me comenzó a enfriar los deseos, y comenzar a faltar en los demás; y parecíame no era malo, con gastar muchas horas del día y de la noche en tan vano ejercicio, aunque escondida de mi padre. Era tan en extremo lo que en esto me embebía, que si no tenía libro nuevo no

71

me parece tenía contento». Pero si creemos al Padre Ribera, biógrafo de la Santa, ésta llegó a escribir un libro al estilo de los *Amadises:* «Dióse, pues, a estos libros con gran gusto, y gastaba en ellos mucho tiempo, y como su ingenio era tan excelente, ansí bebió aquel lenguaje y estilo, que dentro de pocos meses ella y su hermano Rodrigo... compusieron un libro de caballerías con sus aventuras y ficciones, y salió tal que hubo que decir de él». Esta afición a los libros caballerescos la tomó Santa Teresa siendo muy niña, pues, como ella misma refiere, murió su madre cuando «quedé yo de edad de doce años poco menos».

Frente a las censuras de los predicadores contra estos libros, no faltaron las defensas y justificaciones.

Una alusión de Tirso, en *Los cigarrales de Toledo,* si no es un mero rasgo de ingenio galante, en boca de una dama, da a entender que la reacción producida por el *Quijote* fué transitoria, y que se volvió después a los mismos usos y aficiones de caballerías: «Paréceme, señores, que después que murió nuestro español Boccaccio, quiero decir Miguel de Cervantes, ejecutor acérrimo de la expulsión de andantes aventuras, comienzan a atreverse caballerescos encantamentos».

Realmente, la boga del *Amadís,* especialmente, no era fácil de borrar. Don Francisco de Portugal, en su *Arte de galantería,* Lisboa, 1670, nos cuenta que en su tierra «vino un caballero muy principal para su casa, y halló a su mujer, hijas y criadas llorando; sobresaltóse y preguntóles muy congojado si algún hijo o deudo se les había muerto; respondieron ahogadas en lágrimas que no. Replicó más confuso: —¿Pues por qué lloráis? Dijéronle: —Señor, hase muerto Amadís». La anécdota lleva a las imitaciones del primer Amadís, pues se refiere a su muerte. De otros casos de influjo caballeresco en Portugal, hay datos en *Corte na aldea* de Rodríguez Lobo. Un caballero quiso imitar los hechos del Galaoz de la *Demanda del sancto Grial.* «Muchas doncellas guardaron extremos de firmeza y fidelidad, por haber leído de otras semejantes en los libros de caballerías.» «En la mi-

Portadas de *libros de caballerías* (siglo XVI)

San Ignacio convaleciente. Nótese la semejanza de su rostro con el que tradicionalmente se asigna a *D. Quijote* (cuadro del siglo XVII, propiedad del P. Batllori)

Institución Balmesiana. Barcelona

licia de la India, teniendo un capitán portugués cercada una ciudad de enemigos, ciertos soldados camaradas que albergaban juntos, traían entre las armas un libro de caballerías con que pasaban el tiempo.» Uno de ellos, más ingenuo, tomaba todo lo que leía por verdad. Y en un asalto, atacó con la misma valentía de los héroes de los libros : «Se metió entre los enemigos con tanta furia, y los comenzó a herir tan reciamente con la espada, que en poco espacio se empeñó de tal suerte, que con mucho trabajo y peligro de los compañeros, y de otros muchos soldados, le ampararon la vida recogiéndolo con mucha honra y no pocas heridas». Al preguntarle los otros soldados que por qué luchaba de aquella manera, respondió : «Ea, dejadme, que no hice la mitad de lo que cada noche leéis de cualquier caballero de vuestro libro. *Y él dallí adelante fué muy valeroso*».

Como ocurrió ante la boga de Garcilaso, y después con la novela pastoril, no faltó quien quiso adaptar a lo religioso la trama y forma de este género literario. En Valencia — la patria que produjo el más original y penetrante libro caballeresco, aparte el *Amadís,* con el *Tirant lo Blanch* —, un escritor mucho menos saliente que Martorell tendió a esta aventura. Jerónimo de San Pedro (o de Sepere) escribió la *Caballería celestial de la Rosa fragante,* en confuso, extraño y peregrino simbolismo. En su parte primera, que llamó *Pie de la Rosa fragante,* trata de personajes del Antiguo Testamento ; en la segunda, u *Hojas de la Rosa...* Cristo es el caballero del León, y los apóstoles los caballeros de la Tabla Redonda. El antihéroe es el demonio, convertido aquí en caballero de la Serpiente. A pesar del propósito piadoso del autor, el efecto era tan raro, que la misma Inquisición prohibió el libro. Con más mesura, se ideó otro libro caballeresco «a lo divino» : *El caballero del Sol,* en que se alegoriza la peregrinación del hombre por la vida, como una milicia y aventura en lucha con los enemigos del alma, «envolviendo con la arte militar la filosofía moral». El autor, Pedro Hernández de Villaumbrales, que publicó su obra el 1554, tuvo el sentido alegórico de personificar los dos ca-

73

minos — del bien y del mal — en el peregrinaje del hombre, dar acción novelesca al tema de las virtudes y vicios, y, por su corporeización de las figuras alegóricas, y la figura sintética del Hombre, hace pensar, en su género y orden, en el mundo abstracto que predominará en el siglo siguiente en los autos de Calderón y las narraciones de Gracián.

En el párrafo del predicador P. Cabrera, que en el capítulo quinto incluímos, se verá cómo hasta en los sermones, y en un hombre tan censor de costumbres como el dominico, llegaba el gusto caballeresco, en la comparación del episodio de Cristo y el Bautista, con un tema de torneo caballeresco, con todo detalle descrito. Debe el lector analizar, pensando también en este sentido que para la vida española de su tiempo tenía el tema de los libros de caballerías. El teatro se llenó de temas caballerescos, aunque no sean éstas las mejores comedias. Lope y Calderón poseen un apartado de comedias del género, algunas muy interesantes, ya por la acción, ya por el estilo. Lope dramatizando las mocedades de Roldán, y Calderón alambicando, en preciosos versos, el tema de *La puente de Mantible,* demuestran cómo el tema caballeresco seguía vivo, aunque evolucionando, en pleno XVII. Pero aun en comedias apartadas de este mundo, no faltan las alusiones y referencias, que indican la popularidad de tales libros ante los galanes y damas de la sociedad de los últimos Felipes. En *La dama duende* de Calderón, Don Manuel, ante las bromas de Doña Ángela, le escribe un billete parodiando el tono de los libros de caballerías: «Fermosa dueña, cualquier que vos seáis la condolida deste afanado caballero, ruégovos me queráis facer sabidor del follón mezquino o pagano malandrín que en este encanto vos amancilla...»

BIBLIOGRAFIA

Menéndez Pelayo, *Orígenes de la novela,* I. — Pascual de Gayangos, *Discurso preliminar,* a la ed. del *Amadís,* en *Aut. Españ.,* t. XL. — E. Cotarelo y Mori, *Nuevas noticias biográficas de Feliciano de*

Silva (Bol. Real Academia Española, 1926). — P. BOHIGAS, *Los textos españoles y gallego-portugueses de la Demanda del Santo Grial* (anejo de la *Revista de Filología Española*). — THOMAS, *Spanish and Portuguese Romances of Chivalry,* Cambridge, 1920. — W. J. ENTWISTLE, *The Arthurian Legend in the Literatures of the Spanish Peninsula,* Londres, 1925. — K. PIETSCH, *Spanish Grail Fragments,* Chicago, 1924-25. — JERÓNIMO BORAO, *Noticia de don Jerónimo Jiménez de Urrea y de su novela caballeresca inédita Don Clarisel de las Flores,* Zaragoza, 1866.— ZAPATA, *Miscelánea...* — Ed. de *Libros de Caballerías,* por BONILLA Y SAN MARTÍN, en *Nuev. Bibliot. de Aut. Españ.,* VI y XI. — *Autobiografías y Memorias (Nuev. Bibliot. Aut. Españ.,* tomo II), véase el prólogo y la ed. del *Viaje del mundo* de P. ORDÓÑEZ DE CEBALLOS. — M. BUCHANAN, *Cervantes and books of chivalry (Modern Languages Notes,* 1914). — CALDERÓN, *El postrer duelo de España,* comedia *(Autores Españoles,* t. XIV). — ALONSO FERNÁNDEZ DE AVELLANEDA, *Segundo tomo del Ingenioso hidalgo Don Quixote de la Mancha,* que contiene su tercera salida y es la quinta parte de sus aventuras, Tarragona, 1614. — Las citas de escritores sagrados respecto a *Libros de Caballerías,* proceden de sus obras que se mencionan en el texto. — Véanse las notas referentes a *Libros de Caballerías,* en la ed. del *Quijote* de Cervantes, por C. Cortejón, tomo I, 1905.

Capítulo IV

LA VIDA RELIGIOSA

El siglo XVI español tuvo un aspecto esencial de su vida, en el orden religioso. Ante la Reforma de Lutero, el catolicismo español vibró poderosamente desarrollando una intensísima actividad, ya en nuevas reformas de órdenes religiosas, ya en creación de alguna como la Compañía de Jesús. No es que necesitase de este estímulo la vida española. Pero en torno a esta reacción católica y españolísima se desarrollaron sus mejores frutos. Cisneros, con su reforma ascética del clero y órdenes religiosas, dejó preparado el camino a seguir en los períodos inmediatos. Herido San Ignacio en el sitio de Pamplona en 1521, y dispuesto, en su convalecencia, a seguir una nueva dirección en su vida, la época del Emperador tiene ya su soldado de Cristo y su luchador en pro de la ortodoxia en el momento delicado en que su Orden va a aparecer. La «meditación de las banderas» en los *Ejercicios* de Loyola es típica de su concepción de la nueva orden como una lucha: Cristo y Lucifer batallan, llamando a los suyos debajo de su bandera. Para la «composición de lugar», hay que imaginar «un gran campo de toda aquella región de Hierusalem, adonde el sumo capitán general de los buenos es Christo Nuestro Señor; otro campo en región de Babilonia, donde el caudillo de los enemigos es Lucifer». También hay en toda la meditación metáfora de espías, y de arengas, que deja en claro el aspecto militante que imprime a su obra en todo aspecto el antiguo valeroso soldado del

Emperador. Mientras el erasmismo, con su exageración de defectos monásticos y una cierta complacencia más o menos subconsciente en la irreverencia, sobre todo en el sector hispano, más bien minaba el terreno que lo reformaba, Ignacio, que según nos cuenta Ribadeneyra sentía frialdad de espíritu al leer el *Enquiridion* de Erasmo, traducido por el arcediano del Alcor, sigue un rumbo totalmente distinto. Algún erasmista como Juan de Valdés iba a parar al sector más avanzado de la Reforma protestante; otros, como su hermano Valdés, aunque muriendo y viviendo en el seno de la Iglesia, habían producido una obra que, aunque producida por el celo en defensa del Emperador, rayaba en los límites extremos de lo audaz y tolerable en materia de doctrina, y parecía complacerse en el mismo motivo de lo irreverente y sacrílego. Su «cristianismo interior» era tal que andaba cerca del protestantismo. La Reforma católica española sabe dirigir y encauzar este anhelo de superación religiosa, sin extravíos ni confusiones, y sabe a la vez renovar las costumbres y la forma, y conservar intacto el tesoro de la tradición. Anécdotas y detalles demuestran lo abundante de esta fermentación en el intento de introducir el protestantismo en España, en las luchas de los erasmistas con las órdenes religiosas más intransigentes, y la modalidad especial de las herejías españolas, como la de los «alumbrados» o «dejados». A su vez en la historia ortodoxa de la vida fundacional de Ignacio y de Santa Teresa se ve la rica floración católica que, sobre todo en la época de Felipe II, da un matiz peculiar a toda la sociedad española.

Ribadeneyra describe así a San Ignacio: «Fué de estatura mediana o, por mejor decir, algo pequeño y bajo de cuerpo, habiendo sido sus hermanos altos y bien dispuestos. Tenía el rostro autorizado, la frente ancha y desarrugada, los ojos hundidos, encogidos los párpados... las orejas medianas, la nariz alta y combada, el color vivo y templado, y con la calva de muy venerable aspecto. El semblante del rostro era alegremente grave y gravemente alegre: de manera que con su serenidad alegraba a los que le miraban, y con su gravedad los componía. Cojeaba un poco de la una pierna, pero sin fealdad, y de manera que con la moderación que él guardaba en el andar no se echaba de ver. Tenía los pies llenos de callos y muy ásperos de haberlos traído tanto tiempo descalzos, y hecho tantos caminos. La una pierna le quedó siempre tan flaca de la herida... y tan sensible, que por ligeramente que la tocasen siempre sentía dolor... Su vestido fué siempre pobre y sin curiosidad, mas limpio y aseado, porque aunque amaba la pobreza, nunca le agradó la poca limpieza». Considera el biógrafo como el retrato más acertado y propio el de Sánchez Coello, el excelente y prevelazqueño retratista de Felipe II, que lo sacó en Madrid, el año 1585 — añade Ribadeneyra —, «estando yo presente, y supliendo lo que el retrato muerto del cual él lo sacaba no podía decir, para que saliese como se deseaba». Gran parte del período fundacional de la Compañía pertenece a la vida y sociedad de fuera de España, especialmente Italia. Pero pronto, la Orden fundada por un español, echó hondas raíces en nuestra patria, y dió en ella excelentes teólogos y escritores, como el citado, tan unido a la historia española, que en su *Tratado de la Tribulación* traza el consuelo doctrinal para la nación ante el fracaso de la Invencible. Pronto se advierten los modos, elegancia y finas maneras que para la predicación y atracción de almas y pueblos adquieren los jesuítas. En Tirso un personaje habla del modo de decir Misa de los Padres de la Compañía, «que con tanta curiosidad, espacio y policía las dicen» (*Cigarrales de Toledo*). Ribadeneyra habla de las reglas «que llamamos de la modestia, en que da avisos nuestro Padre de la compostura del cuerpo, y de la alegría y modestia que habemos de tener en el rostro para tratar con los prójimos con edificación». Tomaron los jesuítas parte importante en el Concilio de Trento, y San Ignacio les dió determinadas y sabias instrucciones muy características de su espíritu: «A mayor gloria de Dios... lo que principalmente en esta jornada de Trento se pretende por nosotros, procurando estar junctos en alguna honesta parte, es predicar, confesar y leer, enseñando a muchachos, dando Ejercicios, visitando pobres en hospitales y exhortando a los prójimos... a confesar, comulgar y celebrar a menudo Ejercicios espirituales y otras obras pías, moviéndoles asimismo a hacer oración por el concilio. Así como cerca el definir de las cosas ayuda el hablar tardo o poco, como está dicho, por el contrario, para mover a las ánimas a su provecho espiritual ayuda el hablar largo, concertado, amoroso y con afecto». El P. Salmerón decía, sobre la jornada de Trento: «Esto es un sembrar para coger después». Sobre la acogida de los jesuítas en España, ya en 1545, decía Araoz en una carta, que cita en su reciente historia de la Orden el P. Villoslada: «Es para alabar a Dios... cuánto crédito tienen de la Compañía en esta Corte y cuánto se sabe della. El buen Dr. Ortiz ha predicado mucho della y no cesa... Hay mucha religión en estos cortesanos...» Es interesante, como ambiente de época, lo que dice Ambrosio de Morales sobre la fundación del colegio de la Compañía en Córdoba: «Parecía la casa una feria de mercaderías del cielo. Veíanse por los claustros, iglesia y confesionarios, ordinaria contratación sobre los negocios de la salvación de las almas. El caballero, el mercader, el regidor, el fiscal, el juez, las madres de familia, todos acudían a tratar materias convenientes a sus oficios, resolución de las dudas y casos importantes, a la justificación de sus tratos, consejos tocantes a la gobernación de sus casas. No eran muchos los obreros aunque la mies era tanta. Eran los que había hacendosos y diligentes; tan a la mano los hallaban los pobres como los ricos... Y con ser hombres y sujetos naturalmente a cansarse y recibir importunidad algún día de negocios, no solamente ajenos, pero suyos, nunca venían de predicar tan cansados, que rehusasen de confesar a nadie, ni de estar todo un día en un confesionario, ni acababan tan importunados a la noche, que no fuesen muy de buena gana a velar con los que se estaban muriendo». Comentando la vocación de San Francisco de Borja, figura ejemplar y señera del mundo cortesano y del ascético de la España del Emperador, dice hoy el citado P. Villoslada: «Con tales ejemplos de humildad y desprecio de los honores se conmovía el pueblo católico español, y preparado así el terreno, caía la palabra del Santo, viva, ardiente y eficaz, operando en todas partes milagrosas transformaciones».

Cervantes, en el *Coloquio de los perros,* alaba el Estudio de la Compañía de Jesús, en Sevilla, a donde iban los alumnos «con autoridad, con ayo y con pajes que les llevaban los libros y aquel que llaman *vademecum...*» «Luego recibí gusto de ver el amor, el término, la solicitud y la industria con que aquellos benditos Padres y Maestros enseñaban a aquellos niños, enderezando las tiernas varas de su juventud, porque no torciesen ni tomasen mal siniestro en el camino de la virtud, que juntamente con las letras les mostraban. Consideraba cómo los reñían con suavidad, los castigaban con misericordia, los animaban con ejemplos, los incitaban con premios y los sobrellevaban con cordura, y finalmente cómo les pintaban la fealdad y el horror de los vicios, y les dibujaban la hermosura de las virtudes, para que, aborrecidos éstos y amadas ellas, consiguiesen el fin para que fueron criados.»

El P. Suárez, en su obra *De Religione,* habla con todo entusiasmo de la Orden a la que pertenece y menciona también los ataques de que era objeto: «Llamado por gran beneficio de Dios a esta Religión, cuarenta años hace ahora que estamos en 1595, educado y criado en ella, y habiendo tratado con sus religiosos durante todo este tiempo, siempre admiré el instituto y modo de vivir de tal Religión, y en ella experimenté en varias y distantísimas provincias de Italia y Francia, de casi toda España, y últimamente de Portugal, singular bondad de costumbres, religión y reverencia para con la divina Majestad; y respecto del prójimo, encendida caridad y celo de las almas. Y con todo eso, veo que esta Orden no sólo la aborrecen los herejes (que es gran gloria de ella) sino que con pretexto de religión la impugnan varias personas que profesan sana doctrina y religión católica, y la combaten de varios modos, ya en conversaciones privadas, ya en públicas lecciones y sermones, ora con murmuraciones

81

injustas, ora con sofísticos argumentos». Por todo ello desea responder a las objeciones, pero, como dice el P. Raúl Scorraille, la «apología no es para él polémica». Su excelente interpretación de los *Ejercicios* del Fundador, el tono sabio y sereno que emplea siempre, son indicios de que ahí habla el gran filósofo y teólogo. Un compañero de Orden decía de él: [Suárez] «no sólo era maestro en letras y virtud sino también Padre muy amoroso» que trataba a todos «con suma y religiosa afabilidad, y si estaban enfermos, los vigilaba a menudo... Yo le vi en Valladolid cuando me partía para este Nuevo Mundo, y allí acudió con su acostumbrada caridad a cuanto hube menester, dándome sus propios cuadernos de letras que yo no tenía, y el mismo breviario en que rezaba»... Su moderación y serenidad de espíritu fué reconocida siempre. En una de sus obras teológicas escribía él mismo: «Quien tiene religión y modestia, debe guardarse con suma diligencia de censurar ni notar a los demás con términos ofensivos». Y un biógrafo dice de él: «No le movían a alterarse las irrisiones y mordeduras de aquellos que para atribuirse y engrandecerse más a sí mismos, suelen, cuando escriben o hablan, ladrar contra los ingenios grandes e insignes». Como profesor en Valladolid, influyó Suárez en Luis de la Puente, uno de los jesuítas más importantes como glosador literario de los *Ejercicios* de San Ignacio. Suárez y La Puente dialogaban y discutían, y el primero aclaró dudas del segundo y le atrajo con su sencillez y modestia. Como escritor y profesor Suárez fué inagotable. En una de sus obras escribía: «Libre ahora de las lecciones diarias y de la afanosa tarea de la enseñanza, no tendré ya, Dios mediante, cosa que me detenga; y me asistirá siempre, para excitarme, el deseo de ser útil a los lectores; el cual es tan fuerte que no han de poder enflaquecerle ni las fatigas, ni vigilias, ni adversidades, mientras me duraren las fuerzas y la vida».)

La *Reforma del Carmelo* por Santa Teresa fué otra de las grandes obras de la vida religiosa del XVI. La mística de Ávila vibra también en reacción antiprotestante: «Esto es particular consuelo para mí; ver una Iglesia más cuando me acuerdo de las muchas que quitan los luteranos»... Alude a los mismos intentos de Reforma, heterodoxa, en España, en detalles como este: «¡ Oh, válame Dios, cuando yo vi a Su Majestad (el Santísimo Sacramento) puesto en la calle, en tiempo tan peligroso como ahora estamos por estos luteranos, qué fué la congoja que sentí!» Santa Teresa, con su vivo sentido de la anécdota, nos ha hecho contemplar todo el panorama de la vida religiosa de su generación. El *Libro de las Fundaciones,* sobre todo, está lleno de detalles en que vive el ambiente, lo local, junto a tipos y familias. En esta obra como en sus cartas, y en todas las alusiones a episodios de su tiempo en el *Libro de su Vida,* y en las demás producciones de una figura tan personal y subjetiva como la Santa, aparece ante nuestros ojos el mundo de sus envidiosos y rivales, las tierras secas de Castilla, helada en invierno y quemantes en el bochornoso estío: «Los grandes cuidados de los caminos, con fríos, con soles, con nieves, que venía una vez no cesarnos en todo el día de nevar, otras perder el camino, otras con hartos males y calenturas...» Pero todo lo sufría por contribuir a la obra común de todos los católicos en los momentos difíciles en que le tocó vivir. «Venida a saber los daños de Francia de estos luteranos — escribe al frente de su *Camino de perfección* — y cuánto iba en crecimiento esta desventurada seta, fatiguéme mucho, y como si yo pudiera algo u fuera algo, lloraba con el Señor, y le suplicaba remediase tanto mal. Paréceme que mil vidas pusiera yo para remedio de un alma de las muchas que vía perder. Y como me vi mujer y ruin, y imposibilitada de aprovechar en nada en el servicio del Señor, que toda mi ansia era, y aun es, que pues tiene tantos enemigos y tan pocos amigos, que ésos fuesen buenos; y ansí determiné hacer eso poquito que yo puedo y es en mí, que es seguir los consejos evangélicos con toda la perfección que yo pudiese, y procurar estas poquitas, que están aquí, hiciesen lo mesmo, confiada yo en la gran bondad de Dios». Y en un momento de fervor dolorido exclama: «¡ Mirad, mirad, Dios mío, que van ganando mucho vuestros enemigos!»

En torno a las fundaciones, Santa Teresa nos hace vivir su sociedad y sus ambientes: «Estaba aquella señora, nuestra fundadora, esperándonos a la portería de su casa, que era adonde se había de fundar el monasterio; no vimos la hora que entrar en ella, porque era mucha la gente. Esto no era cosa nueva, que, en cada parte que vamos, como el mundo es tan amigo de novedades, hay tanto, que a no llevar velos delante del rostro, sería trabajo grande; con esto se puede sufrir». Las penalidades de las estaciones, las incomodidades de los caminos, aparecen en cada caso concreto haciéndonos percibir claramente todo lo vivido por la Santa: «Ansí me partí luego con harto gran calor; y el camino que había era muy malo para carro». «Aunque quien iba con nosotras sabía el camino hasta Segovia, no el camino de los carros; y ansí nos llevaba este mozo por partes, que veníamos a apearnos muchas veces, y llevaba el carro casi en peso por unos despeñaderos grandes. Si tomábamos guías llevábannos hasta donde sabían había buen camino y, un poco antes que viniese el malo, dejábannos, que decían tenían que hacer.» «Primero que llegásemos a una posada, como no había certidumbre, habíamos pasado mucho sol, y aventura de trastornarse el carro muchas veces.» En otra ocasión nos dice cómo temía que «ir yo a Burgos con tantas enfermedades, que les son los fríos muy contrarios, siendo tan fría, parecióme que no se sufría, que era temeridad andar tan largo camino», pero alentada en la oración, se dispone a una nueva jornada: «Hacía entonces nieves: lo que me acobardaba más era la poca salud, que a tenerla, todo me parece que se me haría nada». Nos enumera todos los trabajos y peligros que pasaba: «En especial en un paso que hay cerca de Burgos, que llaman unos *pontones,* y el agua había sido tanta, y lo era muchos ratos, que ni se veía ni parecía por donde ir, sino todo agua, y de una parte y otra está muy hondo. En fin, es gran temeridad pasar por allí, en especial con carros, que, a trastornarse un poco, va todo perdido, y ansí el uno de ellos se vió en peligro...» «¡Pues, las posadas...! Como no se podía andar jornadas a causa de los malos caminos, que era muy ordinario anegarse los carros en el cieno, y habían de pasar de unos las bestias para sacarlos, gran cosa pasaron los padres que iban allí, porque acertamos a llevar unos carreteros mozos y de poco cuidado...» Y más adelante exclama con su especial donosura: «¡Pues bonitos estaban los caminos, y hacía el tiempo!» En una ocasión pidieron permiso al Arzobispo de Burgos para que un sacerdote «nos dijese Misa en casa por no ir por las calles, que hacía grandes lodos, y descalzas parecía inconveniente». En la fundación del convento de Villanueva de la Jara, vive con emoción un cuadro y un paisaje: «Está esta casa en un desierto, y soledad harto sabrosa, y, como llegamos cerca, salieron los frailes a recibir a su prior, con mucho concierto: como iban descalzos, y con sus capas pobres de sayal, hiciéronnos a todos devoción, y a mí me enterneció mucho, pareciéndome estar en aquel florido tiempo de nuestros santos Padres. Parecían en aquel campo unas flores blancas olorosas, y ansí creo yo lo son a Dios, porque a mi parecer es allí servido muy a las veras. Entraron en la iglesia con un *Te Deum* y voces muy mortificadas. La entrada de ella es debajo de tierra, como por una cueva, que representaba la de nuestro Padre Elías». Todo este ambiente llenaba a la Santa de «gozo interior». Ella quería hacer de sus monjas «varones esforzados» en el servicio del Señor, y exclamaba, desafiando con entusiasmo las hañagazas de sus enemigos: «¡Sea Dios alabado y entendido un poquito más y gríteme todo el mundo...!»

Nuestros santos comprendieron, ante el panorama religioso de su época, la necesidad de una reforma, pero también la de ser fieles a la Iglesia. Como antes Cisneros, tuvieron, cada uno por el camino que habían de seguir, la clara intuición de unir estos dos términos: catolicismo y reforma. San Ignacio, con el sentido nuevo y militante de su orden; Santa Teresa, con su fervor y tesón de mujer castellana, fundando uno a uno los conventos de descalzas; San Juan de la Cruz, con el tono doctrinal en que no falta la renovación y aún la crítica; Suárez, desempolvando la escolástica y actualizando el tomismo, guardando lo esencial de la tradición; Molina, en su posición moderna en la controversia «de auxiliis», en lo que llama hoy Maritain «teología humanista mitigada». «Podemos decir (afirma él mismo) que el *molinismo* es la teología del *caballero cristiano* de la edad clásica, como el jansenismo es la teología del magistrado cristiano de esa misma época.» San Juan de la Cruz, fijándonos en el santo místico y poeta, siendo un autor doctrinal de doctrina subidísima y de orden especulativa, a diferencia del sentido anecdótico que nunca falta en Santa Teresa, deja entrever mundos de su época: de devoción, que aprueba; de falsa devoción exterior, que condena, y de confusionismo ingenuo, que trata de aclarar y encauzar. No se cansa de aludir a la falsa piedad, o piedad de moda, de las gentes, que en aquel siglo de grandes santos y fundadores, en que abundaban los favores sobrenaturales, quieren también para sí estas singulares gracias, y a todo dicen: «Díjome Dios; hablóme Dios»... Él, que fué un confesor y guía de almas admirable, da advertencias y normas para los casos delicados. Es muy aguda su observación al insistir sobre el tacto que deben de tener los confesores con determinadas almas. Así, por ejemplo, con las almas que padecen de escrúpulos y sequedad espiritual censura a los confesores, que «hacen a las dichas almas revolver sus vidas y hacer muchas confesiones generales, y crucificarlas de nuevo; no entendiendo que aquel por ventura no es tiempo de eso ni de esotro, sino de dejarlas así en la purgación que Dios las tiene, consolándolas y animándolas a que quieran aquello hasta que Dios quiera; porque hasta entonces por más que hagan y ellos digan, no hay remedio». San Juan mismo, en una curiosa carta a «una carmelita que padecía de escrúpulos», deja en claro su posición agudamente psicológica: «Si pudiese acabar con sus escrúpulos no confesarse estos días, entiendo sería mejor para su quietud; mas cuando lo hiciere será de esta manera: acerca de las advertencias y pensamientos, ahora sean de juicios, ahora de objetos y representaciones desordenadas y otros cualesquiera movimientos que acaecen, sin quererlo ni admitirlo el alma, y sin querer parar con advertencia en ellos, no los confiese, ni haga caso ni cuidado de ellos, que mejor es olvidarlos, aunque más pena den al alma; cuando mucho podrá decir en general la omisión o remisión que por ventura haya tenido acerca de la pureza y perfección que debe tener en las potencias interiores...» «Viva en fe y esperanza, aunque sea a oscuras, que en esas tinieblas ampara Dios al alma...»

El *cristianismo interior* de Erasmo recuerda a veces los modos insistentes en que San Juan de la Cruz ataca o por lo menos deja en su puesto inferior a la devoción puramente externa, rayana en superstición. Pero hay una diferencia esencial. Erasmo se mueve en un orden puramente intelectual, tan intelectual que *dejaba frío* a San Ignacio, según un interesante pasaje que nos cuenta Ribadeneyra. San Juan siempre opone *amor, fe, entusiasmo* a ese culto externo, mero regalo del sentido, o a esa serie rutinaria de preferencias detallistas. En la *Subida*... hay repetidos pasajes de gran interés: «Algunas personas se hartan de añadir unas y otras imágenes en su oratorio, gustando del orden y atavío con que las ponen, a fin de que su oratorio esté bien adornado y parezca bien». El comentario, en que se ve que el ataque no va a esta forma de devoción en sí sino a la actitud de los que la interpretan, es concluyente: «Y algunos hacen tan poco caso de la devoción de ellos, que no los tienen en más que sus camarines profanos». Censura lo que llama el *abominable uso* de vestir las imágenes con el lujo y modas del mundo («con el traje que la gente vana por tiempo va inventando para el cumplimiento de sus pasatiempos y liviandades»). Así la devoción del alma «se les queda en poco más que en ornato de muñecas, ni sirviéndose algunos de la imagen más que de unos ídolos en que tienen puesto su gozo». Así, también, en su *Noche oscura*... hay este curioso pasaje: «Ya veréis otros arreados de *Agnus Dei* y reliquias y nóminas, como los niños con dijes». Es posible que llegara a él el influjo de Erasmo, en su parte más sana, sin la tendencia a desvalorizar el culto externo de la forma que lo hallamos, por ejemplo, en las atrevidas contraposiciones de los diálogos de Alfonso de Valdés. Esta misma actitud de San Juan de la Cruz llega a pasajes curiosos de un místico más tardío e igualmente inflamado del amor divino: Fray Juan de los Ángeles. Uno y otro son ejemplos señeros del sentido católico de nuestro pueblo y nuestra cultura.

Los elementos *escriturarios* son de una importancia capital en la obra de San Juan de la Cruz. Todo el *Cántico* se basa en su interpretación lírica y doctrinal del *Cantar de los Cantares,* y a través de toda su producción las citas bíblicas son algo constante, esencial y familiar. Sus contemporáneos acreditan el entusiasmo y conocimiento del Santo respecto a los textos de la Escritura. Fray Juan Evangelista testifica que Fray Juan de la Cruz «era muy amigo de leer en la Sagrada Escritura, y así nunca jamás le vide leer otro libro sino la *Biblia,* la cual sabía casi toda de memoria», añadiendo el P. Pablo de Santa María que «jugaba de diferentes lugares de ella en pláticas que hacía en capítulos y refectorio, sin estudiar para ello». El P. Alonso de la Madre de Dios nos indica que sobre todo se complacía en «los *Cantares,* el *Eclesiástico,* los *Proverbios* y *Psalmos* de David», y afirma que el Santo, para paladear su *Biblia,* «se retiraba a los rincones y lugares secretos del Convento de Granada», y que cuando iba de camino «iba siempre cantando *psalmos* y *himnos* (1). Baruzi plantea el problema de si San Juan se limitó a los textos según la *Vulgata,* o si buceó matices en el propio original hebreo. Las citas latinas coinciden con la *Vulgata,* es cierto, pero al dar a veces de un mismo pasaje varias traducciones romances, a través de su obra, hace posibles modalidades de detalle, a base del original. El P. Andrés de la Encarnación decía — respecto a los textos de la Escritura — que nuestro místico había puesto los versículos bíblicos «tan propia y genuinamente en romance... que es el pasmo de los sabios, y le celebran por eso de segundo Jeró-

(1) Véanse numerosas citas en el hondo estudio de Jean Baruzi *Le problème des citations scripturaires en langue latine dans l'œuvre de Saint Jean de la Croix. (Bulletin Hispanique,* 1922, págs. 18-40.)

San Ignacio de Loyola (*Roelas?*)

San Juan de la Cruz (*Canedo*)

M.º Provinciales de Valladolid y Sevilla

Tres modalidades gráficas de Santa Teresa
Abajo: Los éxtasis (atrib. a *Murillo*), La escritora *(Ribera)*
Arriba: La fundadora ya vieja *(Pacheco)*

M.º Prov. de Sevilla, Col. Blanco de la Quintana, M.º Prov. de Valencia

nimo castellano» y hasta agrega que «el añadirlas en latín disminuye no poco su bellísimo estilo» (1).

Sobre el título: *Noche oscura,* dice el P. Crisógono: «Puesto en el frontispicio de ese libro le envuelve todo como en manto de sombras sagradas y de misteriosas oscuridades, haciéndonosle mirar algo así como el *Sancta Sanctorum* del tabernáculo». Cree que sin proponérselo realizó el consejo del propio San Juan: *Guarda estas cosas de profanos ojos,* y considera a la obra como típica de la *mística carmelitana,* separada de toda otra escuela.

En San Juan de la Cruz asoman, de cuando en cuando, comparaciones de motivos de la vida y sociedad de su época, que acreditan su sensibilidad despierta. No son anécdotas en sí, como las de Santa Teresa, sino más bien comparaciones de lo espiritual con motivos realistas, para hacer comprender mejor su doctrina a los no iniciados. Compara a los apetitos, que nunca se sacian (por ejemplo), con «unos hijuelos inquietos y de mal contento, que siempre están pidiendo a su madre uno y otro, y nunca se contentan». El alma que tiene apetitos «es como el enfermo de calentura, que no se halla bien hasta que se le quite la fiebre, y cada rato le crece la sed». Se cansa y se fatiga, «y es herida y movida y turbada de ellos, como el agua de los vientos». «Es como el que, teniendo hambre, abre la boca para hartarse de viento, y en lugar de hartarse se seca más, porque aquel no es su manjar.» Los apetitos atormentan y afligen al alma «a manera del que está en tormento de cordeles amarrado a alguna parte, de lo cual hasta que se libre no descansa». «Así como aflige y atormenta el gañán al buey debajo del arado con codicia de la mies que espera, así la concupiscencia aflige al alma debajo del apetito por conseguir lo que quiere.» La razón es «el mozo de ciego» del apetito. «Poco le sirven los ojos a la mariposilla, pues que el apetito de la hermosura de la

(1) Confr. Baruzi, ob. cit., págs. 27-29 y notas. Recuérdese el problema que plantea a la Iglesia el uso de las *Escrituras* en Romance, desde la Reforma. El *Index* de Quiroga permite los fragmentos «en los libros de católicos que los explican o alegan».

luz la lleva encandilada a la hoguera. Y así podemos decir que el que se ceba de apetito es como el pez encandilado, al cual aquélla luz antes le sirve de tinieblas para que no vea los daños que los pescadores le aparejan.» Para otros motivos más latos se basa en metáforas de arte, o de primores de paisaje. Por ejemplo, en torno a la «unión de Dios» deja esta delicada comparación: «Está una imagen muy perfecta con muchos y muy subidos primores, y delicados y sutiles esmaltes, y algunos tan primos y tan sutiles que no se pueden bien acabar de determinar por su delicadez y excelencia. A esta imagen, el que tuviere menos clara y purificada la vista, menos primores y delicadez echará de ver en la imagen; y el que la tuviere algo más pura, echará de ver más primores y perfecciones en ella; y si otro la tuviere aun más pura, verá aún más perfección; y finalmente el que más clara y limpia potencia tuviere, irá viendo más primores y perfecciones; porque en la imagen hay tanto que ver, que por mucho que se alcance, queda para poderse mucho más alcanzar de ella. De la misma manera podemos decir que se han las almas con Dios en esta ilustración o transformación».

Al recurrir a experiencias, ajenas o próximas, nos hace vivir el ambiente de su tiempo en lo que se refiere al orden espiritual. Al referirse al primer «género de palabras que algunas veces el espíritu recogido forma en sí», y analizar de qué pueden proceder ellas, nos refiere: «Yo conocí una persona que teniendo estas locuciones sucesivas, entre algunas harto verdaderas y sustanciales que formaba del Santísimo Sacramento de la Eucaristía, había algunas que eran harto herejía. Y espántome yo mucho de lo que pasa en estos tiempos y es que cualquier alma de por ahí con cuatro maravedís de consideración, si siente algunas locuciones de éstas en algún recogimiento, luego lo bautizan todo por de Dios, y suponen que es así diciendo: Díjome Dios! respondióme Dios... Y no será así, sino que, como habemos dicho, ellos las más veces se lo dicen». Y más adelante explica: «Hay algunos entendimientos tan vivos y sutiles, que en estando recogidos en alguna consideración, naturalmente con gran facilidad, discurriendo en conceptos, los van formando en las dichas palabras y razones muy vivas, y piensan, ni más ni menos, que son de Dios ; y no es sino el entendimiento, que con la lumbre natural, estando algo libre de la operación de los sentidos, sin otra alguna ayuda sobrenatural puede eso y más».

Detalles de la vida de los grandes reformadores presentan ante nuestros ojos el doble plano de la sociedad de su tiempo : devoción y picaresca, recogimiento y frivolidad. Habiendo tenido la princesa de Éboli un ejemplar del manuscrito del *Libro de la vida* de Santa Teresa, fué tan indiscreta, que lo dejaba al alcance de los pajes y dueñas, que, como escribía Vicente de la Fuente, «se divertían en leerlo y hacían gran burla entre ellos sobre las revelaciones de la monja». Toda la mueca simiesca del mundo picaresco asoma ante las maravillas de la santidad, en esta anécdota. Sabida es la tirantez que hubo entre la princesa de Éboli y Santa Teresa, especialmente en el episodio de Pastrana, cuando la dama de la Corte quiso ser monja pero conservando su altivez, sus visitas y sus regalos. Santa Teresa, al no poder arrojarla del convento de Pastrana que era propiedad de ella, sacó de ahí a sus monjas que estaban espantadas, ingenuamente, de las extrañas veleidades de aquella dama que no había nacido precisamente para carmelita. La de Éboli, disgustada con la Santa, denunció el *Libro de su vida* a la Inquisición, «estando en la fundación de monjas de Pastrana». Todas estas miserias habían sido para la Santa de Ávila «grandísimo tormento y cruz», y le costaron «muchas lágrimas». Pero los dominicos del Santo Oficio dieron la razón a la mística doctora.

Otra nota anecdótica y curiosa para la época es la difícil situación para los místicos en la Sevilla, «Babilonia de los pícaros». «Nadie pudiera juzgar — dice Santa Teresa — que en una ciudad tan caudalosa como Sevilla, y de gente tan rica, había de haber menos aparejo de fundar, que en todas las partes que había estado ; húbole tan menos, que pensé algunas veces que no nos era bien tener menesterio en aquel lugar.» Y dice con frase hondamente psicológica sobre el influjo del ambiente material, de la ciudad sensual y rica en color, sobre el espíritu: «No sé si la misma clima de la tierra, que he oído siempre decir, los demonios tienen más mano allí para tentar, que se la debe dar Dios, y en ésta me apretaron a mí, que nunca me vi más pusilánime y cobarde en mi vida, que allí me hallé: yo cierto a mí mesma no me conocía». El ambiente muelle, propenso a la inacción, el calor, la dejadez de la tierra viven en esta página de la Santa criada en el frío de la Sierra de Gredos. El mismo choque primero del carácter castellano con el andaluz debió ocurrir en el alma tan serena y bondadosa como la de San Juan de la Cruz. En una carta Santa Teresa escribe: «Sepa que consolando yo a Fray Juan de la Cruz de la pena que tenía de verse en el Andalucía (que no puede sufrir aquella gente), antes de ahora le dije, que como Dios nos diese penitencia, procuraría se viniese por acá». Ella escribía desde Castilla. Sin embargo, de la misma manera que encontró a la larga dulzuras y reposo el Santo, en tierras de Granada, Teresa de Jesús supo del boato, lujo y aparatosa religiosidad de la capital de Andalucía, unido al encanto de aromas y flores y su paisaje y ambiente meridional: «Entre ellas tenía una fuente, que el agua era de azahar, sin procurarlo nosotras, ni aun quererlo, aunque después mucha devoción nos hizo, y nos consolamos ordenase nuestra fiesta con tanta solenidad, y las calles aderezadas y con tanta música y menistriles, que me dijo el Santo prior de las cuevas que nunca tal había visto en Sevilla...» Y el bullicio alocado de la espléndida ciudad luce en esta anécdota de sus fuegos de artificio: «Como hubo tantos tiros de artillería y cohetes, después de acabada la procesión, que era casi noche, antojóseles de tirar más, y, no sé cómo sea, prende un poco de pólvora, que tienen a gran maravilla no matar al que lo tenía. Subió gran llama hasta lo alto de la claustra, que tenía los arcos cubiertos con unos tafetanes, que pensaron se habían hecho polvo, y no les hizo daño, poco ni mucho, con ser amarillos y de carmesí; y lo que digo que es de espantar es que la piedra que estaba en los arcos debajo del tafetán, quedó negra del humo, y el tafetán que estaba encima, sin ninguna cosa, más que si no hubiera llegado allí el fuego... Las monjas alabaron a Dios, por no tener que pagar otros tafetanes».

Con su gracia habitual escribía desde Segovia la Santa, en 1574, deseando que el Señor «nos dé mucho en qué padecer, aunque sean pulgas y duendes y caminos». Y en otra ocasión, desde Valladolid: «El monesterio de Zamora se quede por ahora; lo uno por no haber tiempo, que será ahora bueno para las tierras de mucho calor; lo otro porque el que nos daba la casa no parece ha acudido muy bien, y está ausente aunque no despedido». Y en otra: «Para mí me ha pesado, y aun no gustado mucho de ir con este fuego a pasar el verano a Sevilla...» «¡Cuán mejor verano tuviera con vuestra reverencia que en el fuego de Sevilla!...»

La época de Felipe II era la del apogeo de la literatura mística y ascética. Santa Teresa y San Juan de la Cruz unían la reforma de la acción y de las Órdenes, con sus grandes cualidades de escritores. Fray Luis de León llegaba a la serena majestad de su prosa tratando de hondos motivos teológicos y escriturarios en *Los nombres de Cristo*. Su misma forma de diálogo, el ambiente del huerto de la Flecha de los agustinos de Salamanca, las figuras de Marcelo, Sabino y Juliano, dan la tónica de este género, que en el caso de Fray Luis era, desde el obligado e incómodo retiro de la cárcel de Valladolid, la evocación de las horas tranquilas entre sus hermanos de comunidad. «Era por el mes de junio — comienza el libro del más bello estilo en prosa de todo nuestro XVI — a las vueltas de la fiesta de San Juan, al tiempo que en Salamanca comienzan a cesar los estudios, cuando Marcelo, el uno de los que digo... después de una carrera tan larga como es la de un año en la vida que allí se vive, se retiró, como a puerto sabroso, a la soledad de una granja que... tiene mi Monasterio en la ribera del Tormes; y fuéronse con él, por hacerle compañía y por el mismo respecto los otros dos. Adonde habiendo estado algunos días, aconteció que una mañana, que era la del día dedicado al

apóstol San Pedro, después de haber dado al culto divino
lo que se le debía, todos tres juntos se salieron a la huerta
que se hace delante de ella. Es la huerta grande, y estaba
entonces bien poblada de árboles, aunque puestos sin orden ;
mas eso mismo hacía deleite en la vista, y, sobre todo, la
hora y la sazón. Pues entrados en ella, primero y por un
pequeño espacio, se anduvieron paseando y gozando del fres-
cor, y después se sentaron juntos, a la sombra ·de unas
parras y junto a la corriente de una pequeña fuente, en
ciertos asientos. Nace la fuente de la cuesta que tiene la
casa a las espaldas, y entraba en la huerta por aquella parte,
y corriendo y estropezando parecía reírse. Tenían, también
delante de los ojos, y cerca de ellos, una alta y hermosa
alameda. Y más adelante, y no muy lejos, se veía el río
Tormes, que aun en aquel tiempo, hinchiendo bien sus riberas, iba torciendo el paso por aquella vega. El día era
sosegado y purísimo, y la hora muy fresca.» En este delicioso ambiente de quietud y hermoso y sereno paisaje comienzan los diálogos admirables del más perfecto de nuestros escritores renacentistas. En este cuadro queda tan fija
la vida tranquila de los religiosos dados a las cosas de la
pura inteligencia, que basta imaginar las figuras, para encontrar la necesaria exigencia del fondo. Marcelo es, según
todos los intérpretes, el propio Fray Luis. Pacheco, en su
Libro de retratos, hacía así la semblanza del escritor agustino : «En lo natural fué pequeño de cuerpo, en debida proporción ; la cabeza grande, bien formada, poblada de cabello
algo crespo y el cerquillo cerrado ; la frente espaciosa ; el
rostro más redondo que aguileño ; trigueño el color, los ojos
verdes y vivos». En lo moral, ve en él «el don del silencio»,
agudeza en el hablar, sobriedad en el comer y beber ; grave,
limpio y honesto ; de natural colérico, pero dominándose.

La obra entera de Fray Luis reposa dominio de sí mismo, goce intelectual, ansia de infinito expresada en una
forma diáfana y elegante. Su poesía llena de anhelo espiritual, como en la *Oda a Felipe Ruiz,* o celebrando pitagórica-
mente los efectos de la música en la dedicada *a Salinas,* o

94

sintiendo el paisaje de estrellas en la *Noche serena,* expresan
el alma de un artista que, en la vida religiosa, entre las
luchas y ataques de sus episodios halló la serenidad con-
templando en su mente la *Morada del cielo,* de la más mística
de sus realizaciones líricas:

> «De púrpura y de nieve
> florida la cabeza, coronado,
> a dulces pastos mueve,
> sin honda ni cayado,
> el buen pastor en ti su hato amado.»

En su comunidad religiosa, en la vida apartada, en la
serena meditación de las verdades eternas hallaba el apasionado escritor el dominio y el sosiego. Es típica en este aspecto su oda *Al apartamiento,* o como él mismo aclara : *Descanso
después de la tempestad:*

> «¡Oh, ya seguro puerto,
> de mi tan luengo error! ¡Oh, deseado
> para reparo cierto
> del grave mal pasado!
> ¡Reposo alegre, dulce, descansado!
>   Techo pajizo, adonde
> jamás hizo morada el enemigo
> cuidado, ni se esconde
> envidia en rostro amigo,
> ni voz perjura ni mortal testigo.»

En la oda *A la vida religiosa,* se describe entre «mil
varios pensamientos», en tormento, pena y agonía, anhelando
al dulce Esposo, y embelesado ante el canto de las aves,
recostado entre flores, a la hora de la siesta. Parécele sentir
una voz que le canta las excelencias de la vida de claustro:
Al buen religioso,

> «La casa y celda estrecha
> alcázar le parece torreado ;
> la túnica deshecha
> vestido recamado ;
> y el suelo duro, lecho delicado.»

Embebido en sueño, escuchando el elogio del ascetismo, despierta, al tocar con su mano el agua de la fuente.

95

Moviéndose en pura belleza intelectual no es corriente señalarse en Fray Luis los motivos anecdóticos de su época. Con todo no pueden faltar ataderos a su época y a sus modos de ser. En su *Vida retirada* alude claramente a la arquitectura con techumbre mudéjar, recubierta de dorados, al aludir al «dorado techo», «fabricado del sabio moro, en jaspes sustentado»; pero lo que queda más vivo es el paisaje de su huerta, el mismo de la descripción citada de *Los nombres de Cristo:* la ladera del monte, la fontana pura, que, sosegada, tuerce su paso entre los árboles, entre verdura y flores, mientras

> «el aire el huerto orea
> y envía mil olores al sentido;
> los árboles menea
> con un manso ruido
> que del oro y del cetro pone olvido.»

Otras veces la descripción viva y natural de una tempestad de verano irrumpe dinámica en la serena especulación del más bello orden platónico de las ideas, como en la oda *A Felipe Ruiz.*

Agustino, también, como Fray Luis, fué otro escritor religioso, de dotes bien diversas, aunque también de gran mérito literario, Malón de Chaide. En *La conversión de la Magdalena,* éste expresa, sobre todo, sus grandes condiciones de hablista jugoso y de frases hechas, en una constante re-creación viva del idioma. Además sus condiciones de plasticidad y de individualidad dan formas concretas y vivas a todos los objetos, costumbres y tipos aludidos, entre el tono oratorio y fogoso de su obra doctrinal. En torno a la vida religiosa, es sumamente plástica, por ejemplo la descripción de un retablo de pleno XVI: «Entrad por esas iglesias y templos sagrados, veréis los retablos llenos de las historias de los santos; veréis a una parte pintado un San Lorenzo, atado, tendido sobre las parrillas, y que debajo salen unas llamas que le ciñen el cuerpo; las ascuas parecen vivas, las llamas cárdenas, que parece que aun de verlas pintadas ponen miedo; los verdugos con unas horcas de hierro que

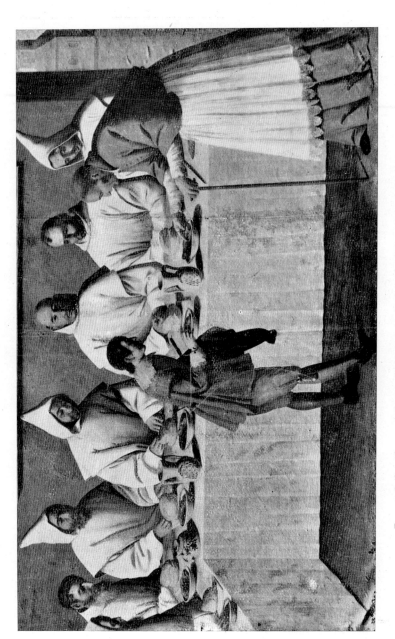

Escena de la vida monástica de la época, según un cuadro hagiográfico de *Zurbarán*

M.º *Prov. de Sevilla*

Monje de época (Zurbarán)

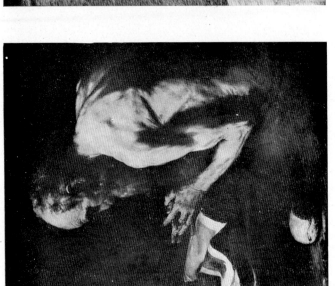

Ermitaño de época (Ribera)

M.º del Prado y M.º Prov. de Sevilla

las atizan, otros soplando con unos fuelles para avivarlas ; parécese aquella generosa carne, quemada y tostada con el fuego, y que se entreabren las entrañas, y anda la llama desvastando y buscando los senos de aquel pecho jamás rendido...» Lo terrible y realista de esta descripción es hermano del arte poderoso e impresionante de los pintores e imagineros de fines del XVI y pleno XVII. En lo que sigue, pensamos en el *Martirio de San Bartolomé* de Ribera, algo posterior, pero del mismo espíritu y asunto : «Veréis en otro tablado pintado un San Bartolomé desnudo, atado, tendido sobre una mesa y que le están desollando vivo». Y sigue la galería de martirios, para rematarse en la imagen dramática y patética del Crucificado. «A otro lado un San Esteban, que le apedrean ; tópanse las piedras en el camino, el rostro sangriento, la cabeza abierta, que mueve a compasión a quien le mira, y él arrodillado orando por los verdugos que le matan. Veréis en otra parte un San Pedro colgado de una cruz ; un Bautista descabezado, y al fin muertes de santos, y por remate, en lo alto, un Cristo en una Cruz, desnudo, hecho un piélago de sangre, abierto el cuerpo a azotes, el rostro hinchado, los ojos quebrados, la boca denegrida, las entrañas alanceadas, hecho un retrato de muerte».

Malón de Chaide, ya en las glosas de pasajes bíblicos, ya en las censuras de vicios o comparaciones, deja su plasticidad realista, en creación constante de motivos literarios, que son evocaciones de su propia época. Al aludir a la resurrección de la hija de Jairo, y los preparativos del entierro, cita a los «menestriles y lloraduelos». Aludiendo a los pecados veniales, dice : «Pequeña es una mosca, y, si sois limpio, os pone asco toda una comida ; y muy más pequeña es una pulga, y os da una mala noche». Al hablar de casos de almas, en hastío o en crisis, la vida de cada particular es asombrosamente animada : «Así cuando un alma quiere estar muy mala : —Padre, ¿qué será esto que no hallo sabor en lo que como? Otro tiempo me eran tan dulces las de Dios, hallaba tanto gusto en ellas que, cuando oía hablar una palabra de Dios, luego tenía los ojos llenos de lágrimas, el corazón tan tierno, confesaba a tercero día, comulgaba cada fiesta, con tantos suspiros, tantas lágrimas, tanta terneza, tanto amor... Ahora, padre, no tengo sabor en cosa ; tanta sequedad que me espanta ; el confesar, de año a año ; oír misa, por fuerza, y esa la más breve ; hablarme de Dios, es algarabía para mí ; el sermón me cansa, ¿qué será esto?...» Otro caso es el de aquel al que faltan las fuerzas en el camino de la virtud : «Si se os caen los brazos para obrar, si sentís mucho la afrenta, la palabrilla que el otro os dijo, si sentís el corazón no tan casto, si se os bambalean las piernas para caer...» En los tipos de los penitentes de la época, que pasan por los confesionarios, hay descripciones curiosísimas y vivas como esta : «Llega el otro, desuellacaras, homicida, robador de los pobres, con mil pecados mortales, que el menor dellos escandaliza el aire ; dice que se quiere confesar y que viene de priesa, que no se puede detener ; es menester que se despidan los que ha un mes que no hallan vez para confesarse, porque llega el Señor Don Fulano. Veréis la priesa del tejer de los pajes por confesionarios, en busca del Padre Maestro Fulano, el ir y venir de los recados, el menudear de las embajadas ; el ir en persona el Prior o Guardián, que se desembarace y lo deje todo, aunque esté a media confesión, que otro día la acabará, y si no que no importa, *que está esperando el Señor Don Fulano*. Veréis al confesor echar gente menuda abajo, levantarse y salir del confesionario, más hinchado que algún privado necio, que apenas cabe por la iglesia, y el claustro se le hace angosto. En tanto vuestro penitente se está paseando, renegando del confesor y de su tardanza. Al fin sale el Padre Maestro a acompañar a su penitente ; llévale a la celda, porque son pecados de cámara los que trae ; llega el paje despareruzado, y pone la almohada de terciopelo porque no se lastime. Hinca la una rodilla, como ballestero ; persígnase a media vuelta, que ni sabréis si hace cruz o garabato, y comienza a dar de dedo y a desgarrar pecados, que hace temblar las paredes de la celda con ellos ; y si el confesor se los afea, sale con mil bellaquerías, y dice que un hombre de sus prendas no ha de vivir como vive el fraile, y parécele que todo le está bien. Al fin sálese tan seco y tan sin jugo como entró, y el desventurado muy contento, como si Dios tuviese cuenta con que desciende de los godos». Su ataque, poco antes, al concepto convencional y anticristiano del honor es otra página muy viva e interesante como documento de época.

La tónica de la época era la del triunfo de la vida religiosa sobre la heroica y cortesana. Un caso ejemplar, como antes lo había sido el de San Francisco de Borja, lo fué el de Sor Margarita de la Cruz, hija de Maximiliano II y de la emperatriz María (nacida en 1567), a la que se propuso el matrimonio con Felipe II, rechazándolo por seguir la vida religiosa. Ingresó en las Descalzas Reales de Madrid, y en su toma de hábito era abadesa una hermana de San Francisco de Borja. Su confesor fué Fray Juan de los Ángeles, el eximio escritor místico. Felipe II, primo de la infanta, quería que volviera al siglo, y es curioso el comentario, sobre este particular, de Fray Juan de los Ángeles: «¿Qué pesan los criados, la familia, los pobres, la autoridad, la grandeza, los hermanos, los tíos, al lado de la estimación que un alma hace de Dios? Todo lo arrastra el seguirle por dónde y cuándo nos llama. Puesta la mano al arado, los ojos en el Señor que va delante, no vuelve la cara atrás. Llamen los criados, lloren los pobres, suspiren los padres, contradigan los deudos, murmuren los hombres; piérdase la autoridad, la grandeza, el poder, todo eso es poco para quien lo busca todo». Y la misma infanta Sor Margarita escribía a un prelado, sobre el mismo asunto, al tratar de que en la misma congregación religiosa tuviera cargos y trato especiales: «No se compadece, Señor, con el estado que profeso, pobre y humilde, el tener casa real ni aparato de criados, introduciendo en tan real y religioso convento lo profano del siglo y el estilo de Palacio». Fray Juan de los Ángeles, con grandes vuelos, aplica el orden heroico del siglo que se acaba a la vida puramente espiritual. Llama a una de sus obras capitales: «Diálogos de la *Conquista del Espiritual y secreto Reino de Dios*», con la metáfora de la lucha y *con-*

quista, y hasta no falta algún recuerdo de los temas *de caballerías:* «Pelear con doce enemigos que defienden la entrada deste divino Reino como *doce fieros jayanes,* los cuales, vencidos, queda libre para morar en él con mucha paz». Como San Juan de la Cruz, el franciscano de los Ángeles, fino artista y psicólogo, encarece el valor de un confesor para las almas en lucha y crisis de espíritu : «Para todas estas cosas es muy necesario tener un maestro de virtud, de ciencia y experiencia, con el cual se comuniquen los secretos del espíritu y a quien en lugar de Dios se obedezca ; porque habemos visto muchos miserablemente caídos en mil lazos y embustes del demonio por fiarse demasiado de su parecer, hasta ponerlos en una cruz y no consentirlos comer en muchos días contra la obediencia de sus superiores. Pero advierte que el discípulo no ha de tratar, fuera de confesión, con demasiada familiaridad y amistad al maestro, gastando el tiempo en pláticas excusadas con él, porque por este camino se pierde poco a poco la espiritual vergüenza y el respeto que como a padre se le debe y se impide el aprovechamiento religioso y santo». No faltan agudas observaciones sobre lo que podía influir en determinadas formas externas de devoción la vanagloria social, ya que a veces «no es puro Dios el que nos mueve a obra». Sobre esto dice el discípulo de los citados *Diálogos:* «A mí me ha acontecido sentirme muy flaco para estar de rodillas en el coro y a mis solas un cuarto de hora, y en saliendo en público perseverar de esta suerte más de una hora, sin sentir cansancio ; y también hallarme secos los ojos y sin poder derramar una lágrima a solas, y delante de gentes salirme hilo a hilo hasta ser oído y visto de los circunstantes, y maravillábame que diesen los hombres tales fuerzas y tal devoción y espíritu». Es curioso que en esta obra, acabada en 1592 (pues tiene una aprobación de febrero del 93), parece el Maestro del diálogo (o sea el propio Fray Juan) notar que la época de los grandes santos va pasando, y se penetra, como realmente así fué, en un nuevo período en que prevalecerá, al parecer, lo *mundano.* La lamentación y el tono satírico y costumbrista del párrafo merecen destacarse : «Verdad es que el mundo está ya en lo último y allegado a la decrépita, porque aun en materia de virtud se hallan en él cien mil novedades y disparates nunca vistos ; y en materia de pecados no tienen número las invenciones que cada día salen... y así me persuado que los Santos de la fama, los generales y capitanes del pueblo cristiano y los *de la Mesa Redonda* (1) ya pasaron, y que la gente que ahora se hace para el cielo es de a pie, gente menuda, gente afeminada y de melcocha, que ni un papirote saben sufrir por Dios». Junto a esta típica ironía a un tono dulzón de religiosidad, que se insinuó entonces y en el XVII, como precursor de ciertos aspectos de la devoción beata y amerengada del XIX — en algunas notas —, hay esta observación del comienzo del refinamiento en la vida de Corte : «Vivimos con cien mil reglas de prudencia acerca del sueño ; que sea de siete horas. De la comida, que sea buena y regalada. De la cama, que no sea dura para que descanse el cuerpo. Del rato de conversación, porque no nos opilemos. De la visita, para que no parezcamos salvajes. De la urbanidad y término cortesano, porque no seamos enfadosos al mundo. Al fin, la virtud en estos desdichados tiempos no tiene sino la armadura o esqueleto, que lo demás casi todo es prudencia de carne enemiga de Dios». Alude a veces a casos de experiencia como el de los *alumbrados* de Extremadura, «que se arrobaban y sentían gustos tan excesivos, que se enflaquecían y debilitaban y les faltaban las fuerzas corporales y quedaban muchas veces yertos, y los miembros intratables y helados, y ellos sin ningún sentido... ; por lo cual te digo que no son más santos ni mejores los que más sentimientos tienen, según la sensualidad, en la devoción y amor, sino aquellos que saben levantar su afecto o fuerza amativa sobre todas las cosas».

No falta en el mismo Fray Juan la censura a los eclesiásticos que viven en la ostentación y el lujo : «¡ Oh, varones eclesiásticos que, renunciando las riquezas espirituales

(1)   Obsérvese una vez más la alusión al modo de decir caballeresco.

que la temporal pobreza de Cristo os ofrece, abrazáis las transitorias que Él condena y desprecia, y peláis los pobres y los desolláis cerrados, para pompa y fausto de vuestras casas! ¡Las paredes entapizadas, las mesas de reyes, el ornato de grandes, y los pobres que están a vuestra cuenta muriendo de hambre!». Y censurando supersticiones y falsas profecías y señales, aunque no hace más que aludir a ellas «porque son cosas modernas, y quédense para los historiadores», deja en vivo cuadros inolvidables: «Bien pudiera aquí tratar de algunas mujeres que han fingido llagas, azotes, coronas de espinas y Cristos en los pechos, porque en nuestros tiempos habemos visto todo esto; y aun en él se conoce la causa de una doncella que soñaba ciertos sueños que a la primera vista parecían profecías; y de un sacamanchas, que si se sacara las de su alma no manchara a tantos con sus falsedades; y de un profeta mentiroso de que yo me escandalicé mucho y dije su caída mucho antes que cayese, por algunas señales que vi en él de presunción y soberbia». La consecuencia que saca es: «no te fíes de todo espíritu, porque no lo es verdadero todo lo que lo parece; especialmente no des crédito a mujeres en materia de visiones y revelaciones... que Dios es sapientísimo, y sabe estimar sus riquezas en lo que son, y no las suele depositar en vasos tan quebradizos». Enseña hasta los inconvenientes que pueden derivarse de seguir a cualquier histérica, como diríamos hoy, y aun peor si obraba de mala fe. Cita diversos ejemplos, coronándolos con esta frase: «Pudiera hacer aquí un catálogo lamentable de muchos hombres letrados y santos, o a lo menos tenidos por tales, engañados de mujercillas, especialmente beatas, arrinconados y puestos de lado, y aun algunos encarcelados y penitenciados por el Santo Oficio». El cuadro de este curioso aspecto de la sociedad de la época se continúa por el gran escritor: «Los hombres sabios y cursados en la vida espiritual ningún caso hacen destas musarañas y quimeras; pero la gente popular y simple piensa que aquí está el punto de la santidad. En fingiendo una mujercilla cuatro desmayos, la celebran por santa y tiene segura la comida y cuanto ha menester. Y aun otra cosa he observado en beatillas: que antes de serlo son humildes y se contentan con un rinconcillo en que pasar la vida con pobreza, y en siéndolo miran en si la Señora cuando van a visita les manda dar cojín para asentarse, y si las llama merced y otros puntos del mundo». «Vale ya tan caro un santo, que se nos van los ojos a cualquier insignia que vemos de santidad, y aunque no lo sea, nos arrojamos a venerarla en cualquier que la veamos; y así los hipócritas a muy poca costa suya parecen muy santos...» Alude a las *alumbradas* que, con falsa sugestión de piedad, «venían en mil torpezas que aquí no se pueden poner».

Es sumamente interesante el estudio psicológico de los escrupulosos en estos *Diálogos* de Fray Juan de los Ángeles. En conjunto los considera que «pecan de necedad o de locura, porque son penosísimos y casi insufribles dondequiera que moran. Perturban las comunidades, están en los coros como monas haciendo gestos y meneos desacostumbrados, con que provocan a risa a los demás, y a veces a ira». Cita casos muy curiosos.

Pero no debemos ver sólo el reverso de la medalla. La época, sobre todo algunos años antes, llevaba una auténtica inquietud religiosa, una gravedad ascética y doctrinal a todos los órdenes sociales y literarioartísticos, que correspondía y sustituía al plano heroico y cortesano del período del Emperador. La sátira siempre extrema, y el celo de los predicadores y rigurosos ascetas tiende a poner su sociedad y su tiempo como el peor de los posibles. Volvamos la vista a otros aspectos en que lo literario es reflejo de la ideología del tiempo, en los años de Felipe II. Recordemos la poesía, grave y serena, como ya decíamos en Fray Luis de León, pero añadamos otros síntomas inconfundibles. Herrera, al cantar la victoria de Lepanto, o llorar la pérdida y muerte del rey Don Sebastián de Portugal en Alcazarquivir, emplea para el ditirambo o la elegía, las citas bíblicas, el tono grave de la poesía religiosa, las estrofas llenas del sabor de arena y de hoguera del himno de Moisés al paso del Mar Rojo, o

de las aladas profecías de Isaías. Compárese esta poesía con
la escuela garcilasista y se verá el cambio: un típico militar
y poeta de la época de Felipe II, jefe en Flandes, que murió
precisamente luchando al lado del rey Don Sebastián, en
África, en «aquel día fatal, aborrecido», que cantara con
estro bíblico Herrera. Me refiero a Francisco de Aldana, «el
capitán Aldana», que, al decir de Lope,

> «bien merece aquí tales honores
> tal pluma y tal espada castellana».

Como a Herrera y a Figueroa, la época le llamó «divino»,
y lo fué en el sentido de teñir de honda preocupación religiosa su condición literaria, al hacer epístolas típicas «a lo
divino». Entre ellas la *Carta del capitán Francisco de Aldana para Arias Montano,* «sobre la contemplación de Dios
y los requisitos della», es sumamente típica de la nueva
posición. El capitán, que ya no canta sólo al César, ni sigue
la moda exquisitamente deliciosa de las églogas de tersas
ninfas y de los madrigales de frívolo pasatiempo de amor,
sino que inquiere, como Fray Luis, las causas que mueven la
naturaleza, y las honduras del alma, para exclamar a Dios:

> «¡Oh, causa del ser mío,
> cuál me sacaste de esa muerte oscura,
> rica del don de vida y de albedrío!»

Tercetos para expresar las meditaciones cara al firma-
mento, hacia las raíces y hojas de los árboles, hacia el
estupendo Océano, para dirigirse como en diálogo ideal al
escriturario y teólogo Montano, sintiendo la mano de Dios
sobre todas las maravillas de la creación:

> «Enamórase el alma en ver cuán bueno
> es Dios, que un gusanillo le podría
> llamar su criador, de lleno en lleno.
>
> Y poco a poco le amanezca el día
> de la contemplación, siempre cobrando
> luz y calor, que Dios de allá le envía.»

El General de los Capuchinos exorta a Felipe III a ayudar a los príncipes católicos alemanes,
frente a la heterodoxia

Bibl. Nacional

Una solemne profesión de monja (grabado de 1636)

Fray Luis de Granada, el gran escritor dominico, cuya alma parece más bien franciscana, dejó una parte de su *Introducción del Símbolo de la Fe,* dedicada a las maravillas de la Naturaleza.

La devoción tomó diversos aspectos al comenzar el siglo XVII. A los santos y fundadores de la realidad, sustituyó su entrada plena en el mundo del arte y la literatura. Entonces, los santos penetran en las comedias religiosas — todas acción —, en los cuadros del momento más hondo, original y brillante de la pintura española — Ribera, Zurbarán, Murillo —, o en la fuerte realización de la escultura policromada — Pedro de Mena, Montañés, José de Mora —. La lírica, el teatro — desde las aludidas *comedias de santos* a la simbología de los *Autos sacramentales* —, la poesía narrativa, son muestras brillantes de la importancia del elemento religioso en todo el XVII. Queda algún ejemplo bueno de la literatura doctrinal sacra, como Nieremberg o la madre Agreda, pero sobre todo en las obras muestras citadas es donde hay que hallar el exponente máximo de religiosidad en la cultura española de los últimos Austrias. A su vez el culto se hace cada vez más magnífico y teatral. Procesiones, dedicación de nuevos templos, traslados de reliquias, fiestas de jubileos, autos de fe, importan ahora más que la modesta intensidad de un alma en Ejercicios o que la fundación de un convento de la más estricta disciplina en un lugar olvidado de Castilla o Andalucía. La celebración del Año Santo en 1650 fué algo esplendoroso, por ejemplo, en materia de lujo y ostentación. Calderón lo recordó con exquisita poesía y animado alegorismo al realizarse en el auto simbólico, literariamente, titulado *El año santo en Madrid.* Las relaciones de la época coinciden con el dramaturgo en sus alusiones a visitas de templos, suntuosas procesiones, e intervención en todo ello de las personas reales. La música de las festividades religiosas es cada vez más rica y compleja. Los ornamentos, la abundancia de cirios, el aparato, cada vez más suntuosos. Los retablos se recargan de oro, y se aumentan las mandas de las capillas, y la pintura de cua-

dros o trazado de figuras de bulto. A la decadencia del
mundo interior sigue aquí, como en todas las manifesta-
ciones de la cultura y vida espiritual española, una apoteosis de lo exterior y lo teatral, de la que es el mejor
ejemplo literario la magnífica presentación escénica de los
Autos del Corpus con su escenografía cada vez más variada
y complicada de los últimos años de Calderón.

BIBLIOGRAFIA

MENÉNDEZ PELAYO, *Historia de los Heterodoxos españoles.*— A. VAL-
BUENA PRAT, *El sentido católico en la Literatura española,* Zaragoza,
1940. — H. BAUMGARTEN, *Die Religiöse Entwicklung Spaniens,* Estras-
burgo, 1875. — M. BATAILLON, *Honneur et Inquisition (Bulletin Hispanique,* 1925). — ID., *Erasme et l'Espagne,* 1938. — PEDRO SÁINZ RO-
DRÍGUEZ, *Introducción a la Historia de la Literatura mística en España,*
Madrid, 1927. — A. ASTRAIN, *Historia de la Compañía de Jesús en la
Asistencia de España,* Madrid, 1902-25 (siete vols.). — NIEREMBERG, *Varones ilustres de la Compañía de Jesús* (ed. moderna arreglada, Bilbao,
1887-92). — R. G. VILLOSLADA, *Manual de Historia de la Compañía de
Jesús,* Madrid, 1941. — BONILLA Y SAN MARTÍN, *Erasmo en España (Revue Hispanique,* 1907). — GETINO, *El Maestro F. de Victoria y el Rena-
cimiento filosófico-teológico del siglo XVI,* 1914. — SIGÜENZA, *Historia
de la Orden de San Jerónimo (Nuev. Bibl. Aut. Españ.).* — FERMÍN
CABALLERO, *Vida de Melchor Cano,* Madrid, 1871. — J. BARUZI, *Saint
Jean de la Croix et le problème de l'expérience mystique,* París, 1931. —
P. CRISÓGONO DE JESÚS SACRAMENTADO, *San Juan de la Cruz: su obra
científica y su obra literaria,* Madrid-Ávila, 1929. — ID., *La escuela
mística carmelitana,* Madrid-Ávila, 1930. — ID., *San Juan de la Cruz.
El hombre, el doctor, el poeta,* Ed. Labor, 1935. — ALLISON PEERS,
Spanish Mysticism. A preliminary Survey, Londres, 1924. — ID., *Studies
of Spanish Mystics,* vol. I, Londres, 1927. — J. DOMÍNGUEZ BERRUETA,
Santa Teresa y San Juan de la Cruz, Madrid, 1915. — H. DE CURZON,
Bibliographie Térésienne, París, 1902. — GERARDO DE SAN JUAN DE LA
CRUZ, Ed. de obras de San Juan de la Cruz. — SILVERIO DE SANTA TE-
RESA, *Obras de Santa Teresa,* Burgos, 1915-19. — ID., ídem en un
volumen, 1922. — GABRIELA CUNNINGHAME GRAHAM, *Santa Teresa, being
some account of her Life and Times togheter with some pages from
the History of the great Reform in the religious Orders,* Londres, 1907.
— CAZAL, *Sainte Thérèse,* París, 1921. — RODOLPHE HOORNAERT, *Sainte
Thérèse écrivain: son milieu, ses facultés, son œuvre,* 1922. — ROUS-
SELOT, *Les mystiques espagnols,* París, 1867. — BLANCA DE LOS RÍOS,
*Influjo de la mística, de Santa Teresa especialmente sobre nuestro
grande arte nacional,* Madrid, 1913. — MIGUEL ÁNGEL, *La vie franciscaine
en Espagne entre les deux couronnements de Charles Quint (Rev. de*

Archivos, 1914). — ETCHEGOYEN, *L'amour divin. Essai sur les Sources de Sainte Thérèse,* Burdeos, 1923. — MELGARES MARÍN, *Procedimientos de la Inquisición,* 1886. — RAÚL DE SCORRAILLE, *El P. Francisco Suárez,* tomo II : *El doctor, el religioso,* Barcelona, 1917. — Sobre los escritores místicos citados en el texto, véanse, además de las ed. citadas, especialmente las de las *Bibl. de Aut. Esp.* y *Nueva Bibl. de Aut. Españ., Clásicos Castellanos,* etc. — JACQUES MARITAIN, *Problemas espirituales y temporales de una nueva cristiandad,* Madrid, 1935 (para un punto de relación con el molinismo y su significación). — ALBERTO BONET, *La filosofía de la libertad en las controversias teológicas del siglo XVI y primera mitad del XVII,* Barcelona 1932. — A. F. G. BELL, *Fray Luis de León.* — Añádanse sobre Fr. Luis de León las obras mencionadas en el cap. II. — MALÓN DE CHAIDE, *La conversión de la Magdalena,* prólogo y ed. del P. Félix García *(Clás. Castellanos,* t. 104 y 105. — M. LLANEZA, *Bibliografía de Fray Luis de Granada,* Salamanca, 1926. — FRAY J. CUERVO, *Biografía de Fr. Luis de Granada,* Madrid, 1896. — P. SALA, *Ed. de las obras de Fray Juan de los Ángeles y estudio preliminar (Nuev. Bibl. Aut. Esp.,* XX y XXIV). — A. VALBUENA PRAT, *Prólogo a la Antología de poesía sacra españo[a,* Barcelona, 1940.

Capítulo V

ENTRETENIMIENTOS Y FIESTAS

Unas citas, ejemplares, de buenos autores y de datos curiosos, nos permiten evocar aspectos de lo que era la diversión y el festejo en la Edad de Oro.

UNA CACERÍA. — Interesante por extremo y olvidada es la descripción que en uno de sus sermones, tan ricos en estilo, nos hace el dominico Fray Alonso de Cabrera, predicador de Felipe II: «Ya os habréis hallado alguna vez en alguna cacería. Es maravillosa cosa la solicitud con que buscan los podencos la caza y diversidad de cazadores della. Unos que a ojo matan, otros que por oído, otros que por viento y por olor los sacan, que ni sabréis qué pudo dejar el pie del conejo y de la perdiz impreso en la yerba por donde pasó, de que la nariz del rastrero toma información en la pesquisa. Dan con el conejo, laten, corren, saltan, al fin le encierran. Acuden los cazadores donde los perros llaman. Cercan, rodean, enredan, cavan. Veréis algunos perros tan codiciosos de la caza que os hará maravilla. Unos puestos al oído, otros enhiestos con suma atención sobre la mata, otros escarban con pies y con manos para desenterrar la caza. Diréis: estos podencos, ¿qué es lo que ahora piensan con todas sus diligencias? ¿Hanles de dar los cazadores parte de la presa? Ni aun la pelleja. ¿Pues por quién solicita ahora aquel podenco pesuñado, de cola torcida y enroscada, a andar tan agudo, saltando carrascos de monte en monte sin descansar todo el día? ¿Piensan que le han de dar algo por ser malsín, ni que ha de ser más así en toda su vida?...»

DISIPACIÓN POR LAS GALAS Y JUEGOS. — A propósito del sermón del *Niño perdido,* hace estas digresiones el mismo P. Cabrera: «Los pobres ni cuidan de sus hijos ni los doctrinan, ni saben si vienen a la Iglesia. Por ahí andan matando perros, jugando y descalabrándose, mientras misa y sermón. Los ricos, cuando mucho, dan a sus hijos un ayo, malo o bueno, y con esto se tienen por descargados; las hijas encerradas en casa, en poder de esclavas, el día de fiesta sin oír palabra de Dios ni oficios divinos, y para los toros y juegos de cañas les alquilan ventana, y ¡ojalá no fuera más que esto!... Pero es mayor el mal, que apenas ha amanecido en el muchacho el uso de razón y ya comienzan los catedráticos de pestilencia, que son sus padres, a leerles lecciones de infierno. —Mira por ti, no te dejes hollar de nadie; no te juntes con quien sea menos que tú; sabe responder cuando te dijeren alguna palabra; quien te la hiciere te la ha de pagar. ¿Qué diremos de la madre que a una niña de cinco años la enrubia y enriza y le pone guirnaldillas y garzotas? ¡Que maman en la leche la vanidad! ¿Qué del padre que enseña a jugar y jurar a su hijo?...»

Y disipación aun en el templo: «Ahora, por nuestros pecados, hay tanta confusión y desconcierto, que es grima ver un día de sermón los hombres entre las mujeres; y esas vuestras sillas en lugares ocasionados donde pasan muchas solturas y licencias, ya inquietando a la gente devota y recogida, ya solicitando a las que van a ver y ser vistas, con gran escándalo de los circunstantes y gran desprecio de la majestad de Dios que está presente».

LA ESGRIMA Y LOS PREDICADORES. — Dice él mismo en el sermón de la octava de la Epifanía: «Hay hombres que tomarán en las manos un montante y juegan de floreo con él, de modo que es pasatiempo; las vueltas, la ligereza, los saltos, la destreza, el entrar y salir; pero llegados a las veras, no son más que sus vecinos y aun apenas. Otros hay que no saben pizca de eso del floreo, sino en echando mano cierran con vos y os desbaratan y desatinan, y a diestro y a siniestro os dan un golpe, y otro, y otro, como granizo, que ni os guardan tiempo ni aun os dejan respirar. Los predicadores que hay agora son esgrimidores de floreo. Lindas razones, palabras limadas, que dan gusto y deleitan el oído, pero no matan moro ni sacan sangre; señalan y no hieren. El Baptista no juega sino a todo matar. En desenvainando la espada de su palabra, es miedo aún desde acá cómo la esgrime».

COMPARACIÓN CON JUSTAS Y TORNEOS. — Del mismo, y en el mismo sermón: «Abrid, cristiano, los ojos de la fe, para ver dos valentísimos justadores que en una fresca ribera hacen campo. La joya es la humildad, que no tiene precio en valor; las lanzas, el baptismo; la tela o estacada, el Jordán (río acostumbrado a ver grandezas de los siglos antiguos, que en aquel punto sacó de entre las cañas y carrizales la cabeza a ver si esta maravilla sobrepujaba a las pasadas). Sale a la mira toda la corte celestial y está el mundo todo suspenso, que tenía por invencible al Baptista, por largas experiencias tenido por el más humilde que jamás de mujer nació; y como tal defiende también su capa, que justando con Dios, a los primeros encuentros no hizo desdén, y pasaron el uno por el otro muy apuestos, sin conocerse mejoría. Viene Cristo, que es el caballero aventurero, disimulado y desconocido; mas el mantenedor San Juan, como plático y experto en la guerra, luego que vió su gentil postura, el denuedo que mostraba, el aire y gentileza con que venía, qué firme y derecho sobre los estribos de la humildad, reconoce el valor grande que trae encubierto y se apercibe a defenderse, y entiende que ha de haber bien menester las armas... A la primer lanza que corrieron, fuertemente se tuvo y hace rostro y defiende su puesto; porque si Cristo pide con humildad el Baptismo, Juan se le niega con reverencia, y pide con humildad ser de él baptizado. Vuelve el divino guerrero a tomar otra lanza y escoge la más recia y gruesa que había en toda la hastería de la ley de Dios... —¡Desta va! ¡Aunque más piernas hagáis os habéis de rendir! Fué tan poderoso el encuentro que... de-

jóle el campo por suyo... Y así como en las justas, cuando
el mantenedor cae o el aventurero hace en él alguna suerte
notable, se alborotan todos y se levanta gran murmullo y
gritería y tocan los atambores y suenan las trompetas y mi-
nistriles, así cuando Juan cayó humillado y glorioso, se parte
con luz el cielo y se da un espantable tronido en que decla-
raron a Cristo por vencedor y señor del mundo... ¡Ah, Señor, y cuán buen bracero sois! ¡Qué brazo el vuestro tan
vigoroso! ¡Qué valiente encuentro habéis hoy dado...!»

JUEGO DE PELOTA, A PALA. — En el curioso poema del
casuísta y poeta jesuíta Antonio de Escobar y Mendoza,
San Ignacio, hay esta descripción de este deporte tan típico
del norte de España :

«Acercáronse a un puesto adonde estaban
los que la ociosidad entretenían.
Unos sola la vista recreaban,
otros los brazos y los pies movían,
hiriendo con la pala el globo hinchado
que era a los leves aires arrojado.

Paráronse a mirar a coyuntura
que la pelota empieza su carrera,
uno la hiere con la pala dura
otro a tornar a herirla se acelera.
Cae en tierra, y botando se apresura
segunda vez con muestra más ligera ;
corre a darla un gallardo mozo, y luego
el sitio muda haciendo pasajuego.

El brazo vencedor dobla el partido,
vuelve a salir el orbe rezumbando ;
de la abeja solícita el rüido
va su ligero curso acompañando.
En la pasada pala recibido
a su primer lugar tornó volando,
sin que nadie a alcanzarle se atreviese,
aunque más en puntillas se pusiese.

El tercero salió no tan altivo
y cerca de las palas discurriendo,
en forzosa prisión quedó captivo
los furiosos impulsos recibiendo ;
y, aunque quiso escaparse fugitivo,
anduvo aquí y allá golpes sufriendo,
hasta que humilde y flaco el suelo toca
saliéndosele el alma por la boca.

Cacería de Felipe IV en el Pardo (*Velázquez*)

National Gallery (Londres)

Fiestas y Torneos en la Plaza Mayor de Madrid (siglo XVII) por *J. de la Corte*

M.° Municipal de Madrid

Todos los circunstantes se gozaron
mostrando el alegría en boca y ojos ;
los cuatro vencedores se juntaron
a hacer la división de los despojos.
Todos de la ganancia atesoraron
de indianas cumbres los cabellos rojos,
y el eco alegre de plebeza gloria
fué el despojo mejor de la victoria.

FUEGOS ARTIFICIALES. — Por su originalidad y vistosidad, destaca un tipo de estos festejos descrito por Tirso en *Los cigarrales de Toledo.* «Se trataba de un artificio sobre el río, en barca, y en figuras que similaban la fiesta del correr de toros. Salió un toro formado, de una barca, tan a lo. vivo, que pudieran temer las hermosuras que le miraban nuevos engaños de Júpiter y nuevos sobresaltos de Europa... Corría con los hendidos pies — en la sustancia, remos — y otros que encubiertos debajo de las olas le ayudaban, con tanta ligereza y propiedad, por el cristalino coso, que daba alcance a las imaginaciones y desasosiego a los ojos que le seguían. Imitaba en los crespos remolinos, manchas negras y blancas, erizada piel y retorcida cola, tan propio lo que no era, que casi engañaba a su mismo artífice. La popa que en ingenioso metamorfosis se había convertido en corto cuello, espumosa boca, abiertas narices y cabeza proporcionada, se remataba en dos buídos cuernos, pero dorados... Daba engañosas y ligeras vueltas, paraba e imitaba bramidos... Juntáronse todas las barcas, y con diestra gallardía y vistosos caracoles cercaron al orgulloso toro al son de infinitos instrumentos, acometiéndole con animosas suertes y volviendo él también por sí ; que aunque las lanzas del torneo ya eran rejones, por un entretenido rato que duró la navegable caza, si no vencedor, no salió vencido, ni fueron pocos los que midieron, en vez de la arena, lo que las engendra de oro [se refiere a las aguas del Tajo]. Había ya la noche cerrado al día las puertas de rubíes... cuando desde los torneadores barcos tiraron sus dueños infinidad de rejones y garrochas ardiendo, con que el toro, ya erizo, pudiera servirle de signo al Zodíaco, al Sol de hospedaje, de

113

oficina a Vulcano y a Júpiter de almacén, cubriendo de cometas el tercer elemento, que con abrasados estallidos se remata en estrellas, y éstas, en varios colores encendidas, formaban en ingeniosas cifras los nombres de los desposados. [Se festejaban unas bodas, en Toledo.] Abrasóse con festivo regocijo la combatida máquina...» Como se ve, se trataba de una compleja técnica de figuras, análogas a las modernas *fallas* valencianas, pero con la particularidad de combinarse con la navegación, al realizarse en el caudaloso río, en barcas, en la Imperial Ciudad.

MÁSCARAS. — En los mismos *Cigarrales* se describen entretenimientos de este tipo: «Entraron máscaras, que a los compases de arpas, laúdes, cítaras y vihuelas, igualaron gentilezas de los pies, aquella noche, a suertes de las manos de aquel día». En el cortesano festín, donde se dan las músicas y danzas de enmascarados, ocupaban las damas los ojos «en las mudanzas, y oídos en los encarecimientos de galanes encubiertos que gozaban sus lados de rodillas — permisión lícita de palabras en tales ocasiones». Dos galanes — se cuenta — «con baqueros de tela, turbantes y *rostros* (caretas) entraron en el festivo concurso». Hablan a sus enamoradas «disimulando la voz». En el diálogo, a uno de los galanes se le cae la máscara, y su amada, que le considera perdido, «en viéndole de improviso, fué tan poderosa la alegría, que ya que no la quitó la vida... le causó un desmayo». Al reconocer todos al caballero, «dejaron las máscaras los disfrazados, mejorando el sarao en el recibimiento del generoso huésped».

JUEGO DE TRUCOS. — Era algo parecido al billar, y Escobar, en su antes citado poema de San Ignacio, lo describe en un episodio en que Loyola, «jugando a los trucos, gana a otro que andaba perdido».

«En el fin de la mesa se pusieron,
sucesivos los tacos gobernaron,
ligeros los marfiles se movieron,
y puestos en frontera se quedaron.
El uno contra el otro prestos fueron,
y entrambos con el golpe se arrojaron

de la mesa, quitando la fortuna
a Ignacio el miedo, y al contrario una.

Segunda vez corrieron velozmente,
y la pared frontera visitando,
la bola del doctor quiso impaciente
ir por toda la sala vueltas dando.
La de Ignacio, veloz, pasó la puente,
y de tercer camino golpeando
el hierrezuelo le dejó movido
bañado de temblores y sonido.

Teme el contrario y en el ardua empresa
con grande admiración mira a Loyola;
hieren las bolas, ruedan por la mesa.
Apuntó el Santo a la enemiga; hirióla,
y del violento golpe a toda priesa
por la ventana se arrojó la bola,
saliendo la de Ignacio a la tronera,
a ver cómo rodó la compañera.

Ya Loyola le ofrece la cartilla;
admítela al Doctor; juega de mano;
con blando impulso toca la tablilla,
y cerca de la argolla para ufano.
Bien presto Ignacio su arrogancia humilla,
que aunque se emboca el enemigo, en vano
se queda, porque Ignacio diestramente
salva argolla y bolillo juntamente.

Tira el contrario cual la vez primera,
la bola de ganar desesperada,
furiosa se arrojó por la tronera,
huyendo la batalla comenzada;
pero su dueño, que ganar espera
(como era en el caer privilegiada),
la vuelve a la ventana; el Santo tira,
derríbala otra vez, la sala admira.

Vuelve a ver si se trueca la ventura,
y una vez sola Ignacio se sujeta,
el arduo emboque asegurar procura,
y en medio de la argolla se quïeta.
Mas Ignacio, con arte más segura,
haciendo un arte pasa por falqueta,
y con tan gran facilidad se emboca
que ni hiere el marfil ni el aro toca.

Gana el partido con ventaja el Santo...»

El juego de trucos se definía, en la época, como «juego
de destreza y habilidad, que se ejecuta en una mesa dis-

puesta al efecto con tablillas, troneras, barra y bolillo, en el cual regularmente juegan dos, cada uno con su taco de madera y bolas de marfil de proporcionado tamaño. También se juega con tres bolas y se llama carambola».

DANZA DE ESPADAS. — Covarrubias, en su *Tesoro de la lengua española,* la explica así: «*Danza de espadas* se usa en el reino de Toledo, y dánzanla en camisa y en gregüescos de lienzo, con unos tocadores en la cabeza, y traen espadas blancas y hacen con ellas grandes vueltas y revueltas, y una mudanza que llaman *la degollada,* porque cercan el cuello del que los guía con las espadas, y cuando parece que se lo van a cortar por todas partes, se les escurre de entre ellas».

Lope, en *El valeroso catalán,* describe unas fiestas en las que los danzantes alternan con los *gigantones.* La localización por Covarrubias de estas danzas en Toledo es demasiado simplista. Las había por todas las regiones españolas, y aun hoy se conservan muy semejantemente al carácter que tenían en el siglo XVI en las fiestas mayores de muchos lugares y capitales, por ejemplo en Santo Domingo de Silos (Burgos) para la fiesta de la Visitación, y en Huesca para San Lorenzo. Ricardo del Arco cita la mudanza o baile del *degollado* en Aragón.

Muchas de estas *danzas* tenían un carácter religioso. Lope, en *La Carbonera,* describe los *danzantes* en la procesión del *Corpus* de Sevilla; precedente sin duda de la estilizada finura dieciochesca del actual baile de los *seises* (en la octava del *Corpus* y de la Inmaculada):

«Discurriendo a todas partes,
las danzas pasan y tornan,
ya de galanes y damas,
y ya de mozos y mozas,
con lazos, con toqueados,
con palas que nunca aflojan,
invención original
de las danzas labradoras;
otros tras ellos venían
que, con las espadas rotas,
vestidos de linzo y randas
lucen más a menos costa.»

En *El diablo cojuelo* de Vélez se habla de «un juego de esgrima» que suele preceder a las *fiestas* de determinadas provincias.

BAILE DE LAS NARANJAS. — Salen villanos y labradores, ponen una mesa. Y se sientan los espectadores: los hombres en sillas y las mujeres en almohadas. Tañen los músicos, y «pongan una fuente de plata en la mesa».

> —Bailad a la usanza vuestra
> Saquen los mozos las mozas.

BARTOLO : Tú puedes comenzar,
             Lorenzo, el baile primero.
LORENZO : La naranja tengo aquí,
             ¡pardiez!, con dos reales.
BARTOLO : ¿Dos?
LORENZO : Dos puse en ella, ¡pardiez!
BARTOLO : Sal.
LORENZO : Toca.
BARTOLO : Comienza.
LORENZO : Di.

«Tome una naranja puesta en un palo, y dos reales metidos en ella, y saque, con reverencia, a Teresa y bailen los dos.»

MÚSICOS : Molinico que mueles amores,
             pues que mis ojos agua te dan,
             no coja desdenes quien siempre favores,
             que dándome vida matarme podrán.

«Dale la naranja a ella, y baile sola.»

> Molinico, que mueles mis celos,
> pues agua te dieron mis ojos cansados,
> muele favores, no muelas cuidados,
> pues que te hicieron tan bello los cielos.
>   Si mis esperanzas te han dado las flores
> y ahora mis ojos el agua te dan,
> no coja desdenes quien siembra favores,
> que, dándome vida, matarme podrán.

«Ofrezca la naranja en el plato de la mesa.»

En otros bailes, había *pasos* especiales. En el llamado del *villano,* en medio del recitado: «pónganse juntos y bailen con los pies, haciendo que trillan». Y al final de algunos, se ofrecían «una rosca de picos con muchas flores», que si la danza era de bodas se ofrecía a los novios, y acompañaban a su casa a los desposados con regocijo y música:

> «Que si linda va la madrina,
> ¡por mi fe que la novia es linda!»

(Lope, *San Isidro, labrador de Madrid.*)

FIESTAS DE MAYO. — Fueron famosas en toda España. Destacaron las de Sevilla y Madrid. En *Con su pan se lo coma,* de Lope, dice un personaje:

> «Ya sabéis que es mañana
> de mayo el primero día,
> pues verás la tierra cana
> que se traslada a porfía
> a la vega verde y llana.
> Esta noche encerrarán
> los vaqueros diez novillos,
> que mañana correrán,
> que a los arados y trillos
> salir de mansos podrán.»

Correrán *sortija,* en sus yeguas, para lo cual éstas irán vistosamente enjaezadas. Representarán una *comedia.* Los cantares eran alusivos a la fiesta:

> «Este sí que es mayo famoso,
> que los otros mayos no,
> este sí que se lleva la gala
> y los otros mayos no.»

Como cantan los villanos en el comienzo de *La esclava de su hijo.* Y en la misma obra se dice:

> «Eso de mayos y flores
> con laureles, con obleas,
> es uso de las aldeas.»

El sonreír de la primavera animaba de júbilo y sonrisa los prados, aldeas y ciudades. Se diría que las fiestas de mayo: *Santiago el verde, la Cruz,* eran lo juvenil de la primavera. Así como las de San Juan, la noche del «23 al 24 de junio», la de la plenitud del verano: la gran fiesta de la naturaleza en su madurez. Lope y nuestros grandes escritores sintieron ambas fiestas, y de las dos nos dejaron recuerdos y evocaciones llenos del encanto popular de su poesía. Todo el auto de Lope, *La maya* se basa en las fiestas, del *sonreír de la primavera,* aplicadas al simbolismo religioso. Se representó «en la puerta del insigne templo del *Pilar* sacro, en un teatro adornado de ricas telas». Acaso la estancia en Zaragoza del poeta fuese, en tal caso, entre 1585 y 1588. La *Maya* era «la niña a la que en los días de fiesta del mes de mayo, por juego y divertimiento, visten galanamente en algunos pueblos, y la ponen sentada sobre una mesita en la calle, pidiendo otras muchachas dinero a los que pasan». Covarrubias habla de «una manera de representación que hacen los muchachos y las doncellas, poniendo en un tálamo un niño y una niña, que significan el matrimonio», con el cual queda claro el origen pagano de la fiesta. En el auto de Lope se habla de las «obleas» de la fiesta, en alusión simbólica a la Eucaristía, y a las *aldeas* del cielo: «Trátanos Dios como aldeas.» Aparece el Regocijo, vestido de villano. Y la *Maya* será el Alma, diciendo el cuerpo:

> «Hoy el alma ha de ser *maya,*
> grandes fiesta quiero hacer...»

aunque aludiendo al día del Corpus, en que el auto se representaba, y ya a comienzos de junio, se comenta: «puesto que el Mayo se vaya — que creo que salió ayer...» La Alegría y el Contento salen, como galán y dama, «ricamente vestidos», y tocan instrumentos. Van todos a la fiesta de la *Maya,* «Hay merienda y colación» hasta el extremo, y la Gula aconseja al príncipe de las Tinieblas:

> «Ponte galán y pasea,
> que a fe que te ha de querer
> como ella galán te vea...»

Y se evocan las grandes *comilonas* de las fiestas: «perdices, capones».

«pavos, pichones, terneras,
cabritos, tortas, jamones».

«Es la fiesta por esta calle», y la *Maya* «viene hermosa,
rica y compuesta» : «Entraron a este tiempo el Regocijo,
el Contento y la Alegría con sus instrumentos, pandero,
guitarra y sonajas, el Cuerpo y el Entendimiento, y el Alma
vestida de Maya, con muchas joyas. Sentáronla detrás de
una mesa llena de flores. El Cuerpo traía una escobilla y
un paño, y el Entendimiento un plato, y la música con-
menzó así :

«Esta *maya* lleva la flor,
que las otras no...»

Muy bellamente se unen los temas folklóricos con los del
Cantar de los Cantares:

ALMA : ¡ Oh, qué süaves olores
los de aquestas flores son.
y cómo muero de amores!
Ha sido gran discreción
cubrir la mesa de flores.
Hijas de Jerusalén,
cuando mi querido vaya
por vuestras puertas tambén,
que venga a verme hecha *maya:*
decid si me quiere bien...»

Entra el Mundo a las fiestas de la *Maya,* «conforme a
lo que representaba : la tela era verde y la bordadura
flores».

Lope hace contar en el auto las mismas «letras» populares, más usuales en las fiestas :

«Corrido va el Abad.
Corrido va.
¡ Corrido va el Abad !»

Ante la Carne «muy bizarra y vanagloriosa», se canta
el irónico e infantil :

«Guarda el coco, la niña,
guarda, niña, el coco.»

Ilustración de motivos musicales
Del siglo XVI (abajo) *(Anónima)* y comienzos del XVIII (arriba) *(El Greco)*

M.º de Atenas y M.º Prov. de Valladolid

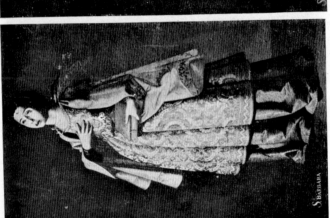

Santas de Zurbarán con el traje de mujeres de su época

M.º del Prado y M.º Prov. de Sevilla

Y ante el Rey de las tinieblas, que llega «disfrazado con galas», se hace el juego de:

>   «—Toca garabato.
>   —Toca.
>   —Pase el pelado,
>   que no lleva blanca ni cornado,
>   pase el pelado.»

Ante la llegada de Cristo, «príncipe de la luz», acompañado de ángeles, la «letra» toma el carácter más lírico:

>   «Echad mano a la bolsa,
>   cara de rosa.
>   Echad mano al esquero,
>   caballero.
>   Rosa de rosa nacido,
>   lirio entre espinas hallado,
>   trigo blanco en cruz molido
>   del dedo de Dios sembrado.
>   Echad mano a ese costado,
>   y dadnos alguna cosa,
>   cara de rosa.»

BIBLIOGRAFIA

P. CABRERA, *Sermones*, ed. P. Mir *(Nuev. Bibl. Aut. Españ.,* III). — ANTONIO DE ESCOBAR Y MENDOZA, *San Ignacio. Poema Heroico,* Valladolid, 1613. — TIRSO DE MOLINA, *Cigarrales de Toledo,* ed. Renacimiento, revisada por V. Said-Armesto, Madrid, 1913. — E. DE LEGUINA, *Libros de Esgrima españoles y portugueses,* Madrid, 1891. — ID., *Bibliografía e historia de la Esgrima española,* 1904. — M. *Esgrima española, Apuntes para su historia,* Madrid, 1902. — Sobre la caza, véase la *Biblioteca Venatoria* de GUTIÉRREZ DE LA VEGA, con textos, entre ellos el *Discurso sobre la Montería,* por G. ARGOTE DE MOLINA. — F. DE UHAGÓN y E. DE LEGUINA, *Estudios bibliográficos. La caza,* Madrid, 1888. — F. JANER, *Naipes o cartas de jugar y dados antiguos (Museo Español de Antigüedades,* vol. 3, Madrid, 1874). — JUAN DE ESQUIVEL NAVARRO, *Discurso sobre el arte del danzar y sus excelencias y primer origen,* Sevilla 1642. — GASPAR SANZ, *Instrucción de música sobre la guitarra española,* Zaragoza, 1697. — SIMÓN DE LA ROSA Y LÓPEZ, *Los seises de la catedral de Sevilla,* Sevilla, 1904. — E. COTARELO Y MORI, *Introducción y textos de su Colección de entremeses (Nueva Bibl. Aut. Españ.,* dos vols.). — COVARRUBIAS, *Tesoro de la Lengua española.* — VÉLEZ DE GUEVARA, *El diablo cojuelo,* ed. Rodríguez Marín *(Clás. Castellanos,* 1941). — LOPE DE VEGA, *Obras* en Ed. Real Academia

Española (observaciones preliminares de Menéndez Pelayo) y Nueva ed. Real Academia (prólogos de Cotarelo y Mori, y J. García Soriano). — J. ALENDA Y MIRA, *Relaciones de fiestas y solemnidades de España,* Madrid, 1903. — LOPE DE VEGA, *Obras,* Ed. Real Academia y Nueva Ed. Real Academia. — RICARDO DEL ARCO, *La sociedad española en las obras dramáticas de Lope de Vega,* Madrid, 1942. — *Cancionero musical de los siglos XV y XVI,* transcrito y comentado por F. Asenjo Barbieri, Madrid, 1890. — LOPE DE VEGA, *El maestro de danzar.* — CALDERÓN, *El maestro de danzar.* — Véanse otras diversas obras de TIRSO, VÉLEZ, VALDIVIELSO, QUIÑONES DE BENAVENTE, etc.

CAPÍTULO VI

SEVILLA, EL LUJO, LA DISIPACIÓN, EL AMBIENTE PICARESCO

Sevilla encarnaba el apogeo, el lujo, el boato, el brillo, y también la confusión y el desorden, que acompañaban a la metrópoli del Imperio español, en la segunda mitad del siglo XVI. La riqueza de Indias, que llegaba para la Casa de Contratación, era algo inusitado. Alonso de Morgado, en su *Historia de Sevilla, en la cual se contienen sus antigüedades, grandezas,* etc., publicada en la misma ciudad, en 1587, dice: «Cosa es de admiración y no vista en otro puerto alguno, las carretas de a cuatro bueyes que en tiempo de flota acarrean la suma riqueza de oro y plata en barras, desde Guadalquivir hasta la Real Casa de Contratación de las Indias». En 1595, por ejemplo, el día 22 de marzo, al descargar junto al río las naves del Nuevo Mundo, se emplearon 332 carretas para llevar el oro, plata y perlas. La ciudad, con sus calles cada vez más vistosas, con «tanto ventaje de mar... con su graciosa presencia», como decía el mismo Morgado, ofrecía un aspecto brillante y magnífico. En la famosa calle de Francos, describía Mal-Lara, había «regalos», «de vidros, brinquiños, adobos de diversos olores, mercería y todo el ornato que las mujeres inventaron». Indudablemente, completando la frase aguda de Santa Teresa, que insertamos en otro capítulo, en aquel ambiente de lujo, aroma y clima muelle, no sólo los demonios, sino el Mundo y la carne tenían *más mano para tentar.* Rodríguez Marín, en su vivificadora evocación, de artista y sevillano, de todo aquel ambiente en su estudio al frente de una edición admirable del *Rinconete* cervantino, exclama (1) al pensar en la Sevilla del xvi: «¡Oh, qué ciudad aquélla! ¡Cuánta vida, qué animación, qué ir y venir de gentes, qué diversidad de ropajes, qué confusión de lenguas parecida a la de Babel, qué trajinar de los carros, conduciendo riquezas; qué continuo tráfago en la Casa de Contratación de Indias; qué puerto tan bullicioso; qué alegres y pintorescas márgenes las del Guadalquivir; qué hermosas mujeres por las calles y en las ventanas; qué delicioso ambiente; qué espléndido sol; qué alegre cielo...!» La poesía y las artes florecían, ricas y pujantes en aquel ambiente en que todo eran enemigos del alma. Su culto magnífico, del que aún hoy quedan muestras en la rica liturgia de su catedral, sublimaba en música y brocado, aquel perfume de naranjos y azahar, aquel cielo azul; que los pintores fijarían en los fondos de sus sonrientes *Inmaculadas*. Pero, claro es, que el lujo mundano creara un ambiente típico para los enredos de la picaresca. Ya el sevillano Gutierre de Cetina escribía en una epístola a Baltasar de León, estos versos que explican la disipación, el ocio y los enredos, de la exultante ciudad:

> «Aquí no calza nadie como viste;
> no conforman los dichos con los hechos,
> la disimulación es la que asiste.
> ¿Qué diré, pues, señor, de los cohechos,
> los robos y maldades de escribanos,
> sus hurtos, sus diabólicos provechos?
> Como del cuerpo nacen los gusanos
> que el mismo cuerpo triste van comiendo,
> *se comen a Sevilla sevillanos.*»

En esta misma epístola alude a los extranjeros «hechos de nuestra sangre sanguijuelas», y como se alzaban a «caballeros confirmados», los que poco tiempo antes los habían visto de «mozos de espuelas» a lo pícaro. Morgado descri-

---

(1) El párrafo, aun cuando situado en el libro, corresponde a otra obra del mismo erudito. Luis Barahona de Soto, estudio biográfico, 1903.

Vista de la antigua Sevilla desde Triana

Grabado de los albores del siglo XVIII sobre la antigua Sevilla

bía el boato en los vestidos : «Los ciudadanos visten comúnmente rajas, cariseas, gorgorán, filete, lanillas, buratos,
y terciopelados. Ninguna mujer de Sevilla cubre manto de
paño ; todo es buratos de seda, tafetán, marañas, soplillo,
y por lo menos, anascote. Usan mucho en el vestido la seda,
telas, bordados, colchados, recamados y telillas ; las que
menos, jarguetas de todos colores. El uso de sombrerillos
las agracia mucho, y el galano toquejo, puntas y almido-
nados. Usan el vestido muy redondo, précianse de andar
muy derechas y menudo el paso, y así las hace el buen
donaire y gallardía conocidas por todo el Reino, en especial por la gracia con que lozanean, y se atapan los rostros
con los mantos, y mirar de un ojo».

Lope de Vega en *El Arenal de Sevilla* (1) evoca en acción, todo aquel ambiente, con la fuerza y caracterización,
embebidas en poesía, del gran dramaturgo nacional : Laura
y Urbana su tía, ambas con mantos, van al Arenal y comentan :

«LAURA : Famoso está el Arenal.
URBANA : ¿Cuándo lo dejó de ser?
LAURA : No tiene, a mi parecer,
todo el mundo vista igual.
Tanta galera y navío
mucho al Betis engrandece.
URBANA : Otra Sevilla parece
que está fundada en el río.
LAURA : Como llegan a Triana
pudieran servir de puente.
URBANA : No le he visto con más gente.
LAURA : ¿Quieres que me siente, Urbana?
URBANA : Mejor será que lleguemos
hasta la torre del Oro,
y todo ese gran tesoro
que va a las Indias veremos.»

Tía y sobrina se admiran del movimiento del puerto
de río, del cargar y descargar, y sienten que por estar los

(1) El llamado Arenal, de Sevilla, ocupaba — según Morgado —
«desde la puerta de la Almenilla hasta la torre del Oro, habiendo en
estas dos partes del muro de la ciudad el mismo Guadalquivir, que
deja en esta distancia la ensenada que hoy vemos tan espaciosa y
llana que caben en ella cincuenta mil hombres de guerra».

bultos cubiertos no vean las ricas materias que llegan:
«¿De qué sirve ver en fardos — tanta cifra y tanta marca?» Lope evoca el descenso de las naves «de tanta diversa nación»,

«las cosas que desembarcan,
el salir y entrar en ellas».

El Arenal «un mundo en cifra retrata». A su vez, describe, los galanteos de la opulenta ciudad. Al acercarse, un galán que «gallardamente pasea» se cubren ellas las caras : «Echa el manto, el rostro enluta». Lope hace asomar a la escena «unas proas de barcos con ramos», para dar más sabor de verdad a toda la escena. Es curioso ver cómo se hermanan regiones y paisajes en manos del poeta:

«Todo el cuerpo de Sevilla
es un alma castellana.»

El Barrio de Triana, «río abajo», con su famoso templo de los Remedios, se evoca en la comedia. Y la vena lírica juega con el localismo y el paisaje.

LOPE : Sembrando en tu Arenal mis esperanzas,
¡oh, Sevilla!, ¿qué fruto será el mío?...»

También surge ahí la vida maleante: los emboscados salteadores, por la noche:

«Arenal y noche oscura.
¡Por mi mal, Sevilla, os vi!»

En el gran Arenal, cada ocasión era fiesta y espectáculo:

«A ver tantas galeras
cubre sus blancas riberas
agora infinita gente.
Que no hay hombre, no hay mujer
que no salga al Arenal
a mirar grandeza tal,
cual nunca se espera ver;
porque han bajado galeras
de toda Italia, y venido
a la ocasión que has oído
mil naciones extranjeras.»

A su vez los *ceceos* de las gitanas. Sus *buenaventuras* comenzando con el archiandaluz: «¡Cara de rosa...!» El fingido alguacil, propio de la confusión de la gran ciudad. En una carta de Arias Montano a Felipe II, que publicó Rodríguez Marín, se habla de los desafueros y cohechos de Sevilla, ya que había muchos que «se sustentaban con nombre de justicia, y en entrar algunos leones a la parte del interés de una infinidad de lobos y raposas y otras salvajinas que cazaban y pescaban por mar». Porras de la Cámara, racionero de la catedral, en carta al cardenal Niño de Guevara, elegido arzobispo de la metrópoli hispalense, se lamentaba de que «está Sevilla menos sigura y más sospechosa que Sierra Morena». Hurtado de Mendoza en su *Guerra de Granada,* notaba cómo abundaban en Sevilla «los hombres forasteros que de otras partes se juntan al nombre de las armadas, al concurso de las riquezas, gente ociosa, corrillera, pendenciera, tahura; hacen de las mujeres públicas ganancia particular; movida por el humo de las viandas...»

Mare magnum, Babilonia llamaban poetas, pícaros y censores a la rica y compleja ciudad del Guadalquivir. El tipo del *valentón* era característico de este ambiente. Cervantes lo evocó en su soneto a las honras de Felipe II de catedral hispalense. Espinel notaba que en Sevilla «hay una especie de gentes que ni parecen cristianos, ni moros, ni gentiles, sino que su religión es adorar en la diosa Valentía». En un romance de *germania* se contaba de un rufián que

> «Vino huyendo de Sevilla
> que es Chipre de los valientes,
> por no sé qué niñerías:
> robos, capeos y muertes.»

Rodríguez Marín en su estudio sobre *El Loaisa de El Celoso Extremeño* de Cervantes, explica así ese aspecto: «Como resto de las antiguas costumbres caballerosas, vulgarizadas y ensalzadas en novelones y romances quedó viva en el populacho la admiración de todo acto de valor, más profunda cuanto más desaforado fuese. A procurar y obtener esa admiración dedicáronse muchos hombres, echándose a vivir sobre su fama de valientes y sobre el miedo que a estos tales tienen las gentes pacíficas... *Germanes, jaques o jácaros, rufos o rufianes* y *pícaros* se llamaron teniéndolo a mucha honra, los que profesaban en aquella cuasi orden militar de la valentía burdelesca y perdularia, y *germania, jacarandina... rufianesca* y *picaresca* se llamó... el espantable gremio». Juan de Mal-Lara describe así la famosa Torre del Oro: «Muéstrase la Torre del Oro, que es grande y alta, dozavada, con doce garitas, que salen una en cada ángulo, haciendo proporción hermosísima para desde allí defender a los que quisieren picar la torre, y luego se parecen las almenas con muchas ventanas formadas, que las abraza un grueso cinto de hierro, con que encadena lo alto de la torre para no acabarse de abrir, según tiene las muestras; sube desde el suelo otra torre, que es redonda y galana con ventanas y almenas». El Bachiller Peraza, bastante antes, destacaba una rota exterior, que perdió con el tiempo: «Es labrada por fuera de azulejos, en los cuales dando el sol reverbera con agradable resplandor, y tiene otras pinturas coloradas por defuera».

Famosos en su tiempo fueron los «bodegones» sevillanos, entre ellos el del Corral de los Olmos, donde se citaban jácaros y rufianes, comilones y mozas del partido, donde a menudo se engañaba, se divertía y se peleaba. Muchas citas literarias de la época acreditan lo célebre del lugar: En un romance *de germania* se habla del Corral de los Olmos: *dó se junta la brabeza.* Cervantes en el acto I del *Rufián dichoso,* en su animada acción de picaresca sevillana hace mención viva del lugar:

«Del gran Corral de los Olmos,
dó está la jacarandina,
sale Reguilete el jaque
vestido a las maravillas.»

Vélez de Guevara hace el gracioso de *El diablo está en Cantillana,* que *se dé un filo* en el Corral de los Olmos. Es-

taba a un lado de la catedral, ya que en la descripción de
Sevilla por Rodrigo Caro se habla de que: «Fuera del
Templo Mayor... tiene esta... Iglesia dos claustros grandes: el uno llaman comúnmente Corral de los Naranjos,
porque los hay en él de muchos siglos atrás, con algunas
palmas y cipreses; al otro llaman el corral de los Olmos,
porque en él también los había y éste cae a lo largo de la
puerta Oriental del Templo, y el de los Naranjos a la
parte del Norte...» Un rufián de *El sagaz Estacio* de Salas
Barbadillo se dice «graduado en el corral de los Naranjos,
que es la Salamanca de nuestra *germanía*».

Hasta en las personas y usos más serios entraba la
moda de lo arrufianado y picaresco, siendo en esto curiosa
la poesía del Dr. Juan de Salinas, llena de alegre regocijo
castizamente andaluz:

> «¡Bien haya una guitarrilla
> y seis versos de un romance
> a lo pícaro cantados:
> que para mí no hay más Flandes!»

«En Sevilla — escribía Rodríguez Marín, en su estudio
del *Rinconete* — especialmente, era pícaro o apicarado hasta el aire que se respiraba.»

Lope en la novela *La prudente venganza,* habla de «la
opulenta Sevilla, ciudad que no conociera ventaja a la gran
Tebas, pues si ella mereció este nombre, porque tuvo cien
puertas, por uno solo de sus muros ha entrado y entra el
mayor tesoro que consta por memoria de los hombres haber tenido el mundo», y en *El peregrino en su patria* per-
fila la alabanza sintética: «Sevilla, ciudad en cuanto mira
el sol bellísimo, por su riqueza, grandeza y majestad. Trato,
policía, puerta y puerto de las Indias...» En la comedia
Los peligros de la ausencia, se evoca con gallardía una fiesta de barcos engalanados en el Guadalquivir:

> «¡Qué bien, vestidos de ramos,
> con sus dorados racimos,
> en vez de toldos, están
> los barcos! ¡Oh, gran Sevilla,
> como cisnes, por la orilla,
> las alas abriendo van!»

Suárez de Figueroa (*El Pasajero*) pintaba a los sevillanos, «casi todos de abundosas lenguas, y, como de sutiles imaginativas, prontos en decir», y a las sevillanas como «mujeres» que «se pueden preciar con razón de aseadas y limpias y airosas y desenvueltas...» Y completa este interesante retrato: «En general, son trigueñas, de gentil disposición, de conversación agradable, atractivas hasta con la suavidad de la voz, por ser su pronunciación de metal dulcísimo». Con singular gracia, Lope en *La Dorotea*, completa este diseño: «Sevilla es para eso; eso dicen de la hermosura de sus damas, y aquellas bocas desenfadadas, donde tan lindos dientes brillan... «La limpieza de la dama sevillana dejó ecos literarios también: «Mujer conozco yo en Sevilla, que todos los sábados por la mañana ha ir al baño, aunque se hunda de agua el cielo» (Rojas, *Viaje entretenido*), y Morgado consigna que usan mucho los baños, como quiera que hay en Sevilla dos casas dellos, los unos en la callecija de San Ildefonso, junto a su Iglesia, y los otros en la collación de San Juan de la Palma, que han permanecido en esta ciudad desde el tiempo de los moros». Los hombres no podían entrar en los baños de día, porque era el tiempo dedicado a las mujeres. «A las grandes salas donde se bañan salen sus caños, que corren, de agua caliente, y también fría...» Sobre su ambiente muelle, propicio al ocio, Cervantes dice en *El rufián dichoso*, que Sevilla «es tierra do la semilla holgazana se levanta». La disipación y afición a los bailes más muelles y procaces era tal que un año en la procesión del Corpus se bailó la *Zarabanda*, y el P. Mariana censura «que en la mesma ciudad en diversos monasterios de monjas y en la mesma festividad, se hizo no sólo este son y baile sino los recreos tan torpes, que fuese menester se cubriesen los ojos las personas honestas que allí estaban». Es posible, con todo, que en eso de lo deshonesto se haya ido de la mano el rígido y sistemático censor de los espectáculos.

Cervantes buscó el adecuado ambiente sevillano para la acción de su perfecto cuadro de costumbres picarescas *Rin-*

conete y Cortadillo. Los dos muchachos llegan a la gran ciudad llenos de ilusión, para aprovechar «la ocasión tan buena del viaje a Sevilla, donde ellos tenían gran deseo de verse». Entraron a la hora de la oración, al anochecer, y por la puerta de la Aduana donde tenía lugar el registro de forasteros y pago del almojarifazgo. Vendieron las camisas «en el malbaratillo que se hace fuera de la puerta del Arenal». «Se fueron a ver la ciudad, y admiróles la grandeza y suntuosidad de su mayor Iglesia, el gran concurso de gente del río, porque era en tiempo de cargazón de flota y había en él seis galeras, cuya vista les hizo suspirar, y aun temer el día que sus culpas les habían de traer a morar en ellas de por vida». Advirtieron «los muchos muchachos de la esportilla que por allí andaban», ocupación bastante independiente y típica de la inquieta condición del pícaro, ya que «el oficio era descansado», y en él «no se pagaba alcabala», y el que lo ejercía «algunos días salía con cinco y con seis reales de ganancia, con que comía y bebía, y triunfaba como cuerpo de rey, libre de buscar amo a quien dar fianzas y seguro de comer a la hora que quisiese, pues a todas lo hallaba en el más mínimo bodegón de toda la ciudad». El poder entrar libremente por todas las casas era buena ocasión para los que quisieran utilizar el oficio para encubrir sus hurtos y travesuras. Los que fueren mozos de la esportilla habían de comprar costales pequeños, limpios o nuevos y cada uno tres espuertas de palma, dos grandes y una pequeña, en las cuales se repartía la carne, pescado y fruta, y en el costal, el pan. Acudían «por las mañanas a la carnicería y a la plaza de San Salvador; los días de pescado, a la Pescadería y la Costanilla; todas las tardes al río; los jueves, a la feria». La casa de Monipodio, ««padre, maestro y amparo» de los ladrones de Sevilla es un cuadro literario sobre fondo documental del hampa sevillana. Cervantes, como dice Givanel, al frente de una edición del Rinconete, «conocía a esa gente, no de oídas, sino por haberla tratado en su andariega vida por Andalucía, y por haber vivido con ella en la cárcel de Sevilla».

Algunos de los motivos cervantinos, como tomados del mismo natural, coinciden con los del Paso de los ladrones de Lope de Rueda (segundo del Registro de Representantes), en que Cazorla explica a Salinas y Buitrago la jerga en que hablaban los delincuentes del hurto. Cervantes tuvo el cargo de «proveedor del aprovisionamiento de víveres», para los barcos que iban a América, por lo cual tuvo ocasión de vivir mucho del ambiente de su preciosa novelita, llena de la purificadora «indulgencia estética» que dice Menéndez Pelayo.

Cervantes traza un cuadro perfecto en torno a la casa y patio de Monipodio. Un mozuelo conduce a Rinconete y Cortadillo a una casa «no muy buena, sino de muy mala apariencia». Al entrar, esperan «en un pequeño patio ladrillado, que de puro limpio y aljimifrado parecía que vestía de carmín de lo más fino. A un lado estaba un banco de tres pies, y al otro un cántaro desbocado, con un jarrillo encima, no menos falto que el cántaro. A otra parte estaba una estera de enea, y en el medio un tiesto, que en Sevilla llaman maceta de albahaca». Entra Rincón «en una sala baja de dos pequeñas que en el patio estaban, y vióse en ella dos espadas de esgrima y dos broqueles de corcho, pendientes de cuatro clavos, y una arca grande, sin tapa ni cosa que la cubriese, y otras tres esteras de enea tendidas por el suelo. En la pared frontera estaba pegada a la pared una imagen de Nuestra Señora, de éstas de mala estampa, y más abajo pendía una esportilla de palma, y encajada en la pared una almofía blanca, por dó coligió Rincón, que la esportilla servía de cepo para limosna y la almofía para tener agua bendita, y así era la verdad». Esta mezcla de religiosidad supersticiosa y desgarro hampesco, es típica de lo andaluz, y concretamente de lo sevillano, y en algunos aspectos aun se da en mezcla en el día de hoy. Cervantes describe en su propio ambiente la figura descomunal de Monipodio: «Parecía de edad de cuarenta y cinco a cuarenta y seis años, alto de cuerpo, moreno de rostro, cejijunto, barbinegro y muy espeso; los ojos hundidos. Venía en camisa y por la abertura de adelante descubría un bosque ; tanto era el vello que tenía en el pecho. Traía cubierta una capa de bayeta casi hasta los pies, en los cuales traía unos zapatos enchacletados ; cubríanle las piernas unos zaragüelles de lienzo, anchos y largos hasta los tobillos ; el sombrero era de los de la hampa, campanudo de copa y tendido de falda ; atravesábale un tahalí por espalda y pecho, a do colgaba una espada ancha y corta, a modo de las del perrillo, las manos eran cortas, pelosas y los dedos gordos, y las uñas hembras y remachadas ; las piernas no se le parecían, pero los pies eran descomunales de anchos y juanetudos». Francisco de Lugo y Dávila en su «*Teatro popular,* novelas morales para mostrar los géneros de vidas del pueblo, y afectos, costumbres y pasiones del ánimo, con aprovechamiento para todas personas», (1622, compuestas hacia 1620), en la novela IV o *De la hermanía,* sigue a la vez que el precedente literario cervantino, el fondo auténtico del hampa sevillana, respecto al cual consigna nuevos términos y detalles : «A Sevilla, centro común donde se terminan las líneas de la rufianería (a quien ellos llaman hermanía), donde asiste su Macareno o Prioste, donde se derrama la huncía, donde se vierte el poleo, donde se califican los jayanes, donde se gradúan las marquizas, donde se examinan las flores y donde toda cicatería se avizora, llegó un hombre calzado de frente, espeso de barba, crecido de bigote, relampagueante de ojos, de una ceja (porque las dos se comunican tanto, que más parecía una), ancho de espaldas, recio de brazos, rollizo de pantorrillas, y nervioso y velludo todo el cuerpo». Lugo lo describe visitando el Arenal, la Heria, el Compás, y el Corral de los Naranjos, donde se le juntan otros compañeros rufianescos, que con él,

«se fueron de consuno a la taberna,
dó se dan seis cuartillos por azumbre».

Pero Cervantes, con su genio, había sido el definidor literario por excelencia del hampa sevillana y su ambiente.

Rodríguez Marín llama al *Rinconete* «acabadísimo *cuadro de género...* trazado y pintado en Sevilla, cuya esplendorosa luz lo boca, cuyo cálido ambiente lo crea: cuya menuda y olorosa albahaca lo perfuma. Las figuras todas tan variadas, tan donairosas, tan privativas, por decirlo así, de lo picaresco sevillano, no han perdido ni un ápice de su natural color, de su genuina gracia, de su gentil parola germanesca, de su propio y gallardamente expresivo realce».

Cervantes en *El coloquio de los perros* deja también una visión de la Sevilla rica y picaresca, y aun concretamente recuerda motivos del *Rinconete*. Describe en el *Coloquio* el famoso Matadero de Sevilla, que albergaba tantas clases de gentes del propio ambiente y condición rufianesca y de picardía. Los jiferos o matachines, entre los que se halla el amo del perro Berganza, Nicolás el Romo, figura inconfundible, como típica de un ambiente social, «mozo robusto, doblado y colérico, como lo son todos aquellos que ejercitan la jifería». «¿Qué te diría — comenta Berganza... — lo que vi en aquel Matadero, y de las cosas exorbitantes que en él pasan? Primero has de presuponer que todos cuantos en él trabajan, desde el menor hasta el mayor, es gente ancha de conciencia, desalmada, sin temor al Rey ni a la justicia. Los más amancebados. Son aves de rapiña carniceras: mantiénense ellos y sus amigas de lo que hurtan». Cervantes ofrece un pintoresco diseño de estos aspectos de la vida sevillana: «Todas las mañanas que son días de carne, antes que amanezca están en el Matadero gran cantidad de mujercillas y muchachos, todos con talegas, que, viniendo vacías, vuelven llenas de pedazos de carne, y las criadas, con criadillas y lomos medio enteros. No hay res alguna que se mate, de quien no lleve esta gente diezmos y primicias de lo más sabroso y bien parado. Y como en Sevilla no hay obligado de la carne, cada uno puede traer la que quisiere, y la que primero se mata o es la mejor o la de más baja postura; y con este concierto hay siempre mucha abundancia». Los jiferos, «todos se pican de va-

lientes, y aun tienen sus puntas de rufianes ; no hay ninguno que no tenga su ángel de guarda en la plaza de San
Francisco, granjeado con lomos y lenguas de vaca». Y cita
como una frase, convertida casi en refrán, «que tres cosas
tenía el Rey por ganar en Sevilla : la casa de la Caza, la
Costanilla y el Matadero». Igualmente describe las sisas
de los mercaderes, y aún de cuantos pueden meter mano en
cosas de abundancia y lujo, típicamente sevillanas, incluso
las sagradas : «Un caballero conozco yo que se alababa
que, a ruegos de un sacristán, había recortado de papel
treinta y dos flores para poner en un Monumento, sobre
paños negros, y de estas cortaduras hizo tanto caudal, que
así llamaba a sus amigos a verlas como si les llevara a ver
las banderas y despojos de enemigos...» Describe en la misma novela a Sevilla como «amparo de pobres y refugio de
desechados, que en su grandeza no sólo caben los pequeños,
pero no se echan de ver los grandes». Indica cómo «es costumbre y condición de los mercaderes de Sevilla, y aún
de las otras ciudades, mostrar su autoridad y riqueza, no
en sus personas, sino en las de sus hijos». Ellos muchas
veces viven modestamente, pero a sus vástagos «los tratan
y autorizan como si fuesen hijos de príncipes». Llegan en
esto a tal extremo, que «algunos hay que les procuran títulos, y ponerles en el pecho la marca que tanto distingue la
gente principal de la plebeya». Así describe los hijos de
mercaderes que iban a los Estudios de los Jesuitas de Sevilla. Nos da noticias de las costumbres de cada época del
año, en algunos detalles : «era tiempo de invierno, cuando
campean en Sevilla los molletes y mantequillas». Los gitanos merodeaban los alrededores de la ciudad, como en la
venta en que uno de ellos quitó al perro Berganza las car-
lancas con punta de acero, que llevaba como collar, al guardar las ovejas en el campo. «Por los barrios de San Julián
andaban ladrones», por lo que fué a rondar por allí el
propio Asistente de Sevilla. De acuerdo con las supersticiones meridionales, crea el episodio — basado en algunos
elementos históricos — de las brujas : la Cañizares, que

sigue las pisadas de la Camacha y la Montiela, situándolo
en Montilla. En Sevilla pasa la acción de *El celoso extremeño,* adonde se acoge Carrizales «tan lleno de años como
de riquezas». Al casarse, ahí, con la joven Leonora, compró
una hermosa casa «en un barrio principal de la ciudad, que
tenía agua de pie y jardín con muchos naranjos». «En el
portal de la calle que en Sevilla llaman casapuerta, hizo
una caballeriza». El ambiente del ocio y la picaresca sevillana es esencial en esta honda novela psicológica de Cervantes. «Hay en Sevilla un género de gente ociosa y holgazana, a quien comúnmente suelen llamar *gente de barrio.* Estos son los hijos de vecino de cada collación y de
los más ricos della, gente baldía, atildada y meliflua». El
galanteador, a pesar del encierro de Leonora, es «uno destos
galanes... que entre ellos es llamado *virote,* mozo soltero
(que a los casados llaman *matones)*». Loaysa — «que así se
llamaba el virote» — para enamorar a Leonora usa de ardides de la picardía: el disfraz de mendigo, la guitarrilla,
el canto de «romances de moros y moras a la loquesca...
mudando la voz para no ser conocido». A su vez sabe hacer
vibrar «el endemoniado son de la zarabanda», nuevo entonces en España. Rodríguez Marín en su estudio histórico-
literario *El Loaysa del El celoso extremo* sostiene que el *ga-
lán-virote* de Cervantes no es más que un trasunto del poeta
hampesco Alonso Álvarez de Soria, satírico, aventurero, preso, y al fin ahorcado en la Plaza de San Francisco de Sevilla.
Aunque la argumentación en favor de esta identidad no me
parece convincente, el hecho es que Cervantes trazó un cuadro tan verídico, que en muchas partes pudo pasar por histórico. ¿Y quién sabe si lo fuera, dada la forma sobria y sin-
cera que tiene el relato en el manuscrito original, que fué de
Porras de la Cámara? Allí la esposa de Carrizales se llama
Isabela, y al morir el viejo, y entrar ella por su voluntad
en un convento, Loaysa «desesperado y corrido, dicen que
se fué a una famosa jornada que entonces contra infieles
España hacía, donde se tuvo por nueva cierta que lo mató
un arcabuz que se le reventó en las manos, que ya fué cas-

Dama y caballero de la Sevilla de fines del XVI (*Pacheco*)

M.º Prov. de Sevilla

Retrato de Don Miguel de Mañara (atrib. a *Zurbarán*)

Hospital de la Caridad. Sevilla

tigo de su suelta vida». Y la novela, en dicho texto, acaba así: «El cual caso, aunque parece fingido y fabuloso, fué verdadero».

Cervantes también puso en acción el animado conjunto de la Sevilla matona y picaresca en el acto I de *El rufián dichoso*. El ambiente es el hondo del cuadro de la vida airada de Cristóbal de Lugo, que arrepentido al fin se hizo dominico pasando a Méjico, donde hizo una notable vida de penitencia, muriendo en olor de santidad. Pero el tono de hampa del acto I es un claro reflejo de la misma ciudad, tan conocida por el autor del *Rinconete* y el *Coloquio*. Lugo, que es hijo de un tabernero, se expresa así:

> «¡Que sólo me respeten por mi amo
> y no por mí, no sé esta maravilla;
> mas yo haré que salga de mí un bramo
> que pase de los muros de Sevilla.
> Cuelgue mi padre de su puerta el ramo,
> despoje de su jugo a Manzanilla;
> conténtese en su humilde y bajo oficio,
> que yo seré famoso en mi ejercicio.»

Se citan en ese acto muchos detalles curiosos, como el de un famoso vendedor de barajas, francés y jorobado:

> «Aquel Pierres Papin, el de los naipes,
> —¿Aquel francés jiboso?
>   —Aquese mismo,
> que en la cal de la Sierpe tiene tienda.»

Y la gente hampesca habla de Lugo, el valentón, así:

> «Entre rufos, él hace y él deshace,
> el corral de los Olmos le da parias,
> y él en dar cantaletas se complace.»

Tipos como el del famoso rufián Pero Vázquez de Escamilla, que murió ahorcado como Alonso Álvarez de Soria, trascendieron a los medios literarios. Lope de Vega en *El desprecio agradecido* lo cita en una situación claramente rufianesca, de valor realista, en que se alude a los *juegos* de esgrima, y a las heridas del duelo a espadas:

137

«Mira que soy sevillano,
declárate, porque luego
clamoréen por el hombre ;
que desde aquí te prometo
por el alma de Escamilla
que fué de los bravos dueño,
una mohada y dos chirlos,
y si repara a lo diestro,
la de conclusión, y adiós...»

Hasta en *La Gatomaquia* se acordó Lope del «fuerte Pero Vázquez de Escamilla, el bravo de Sevilla», y Quevedo en una de sus jácaras-bailes, alude entre otros motivos hampescos, a la ejecución del rufián :

«De enfermedad de cordel
aquel blasón de la espada,
Pero Vázquez de Escamilla
murió cercado de guardias.»

También Álvarez Soria, pero bien en serio, fué llorado al narrarse su trágico fin en un romance que cita Rodríguez Marín en la obra antes citada :

«Elevada está Sevilla,
toda la gente suspensa.»

Se va a representar :

«De Alonso Álvarez el bravo
la lastimosa tragedia.»

Asisten las *mozas del partido* «Circes y Medeas», cebo del demonio, y

«Acompáñanlas mil rufos
de los de la picaresca,
hasta llegar a la hora
que a muchos dellos espera.»

Quevedo, en el *Buscón* cita también a Escamilla («derramóse vino en cantidad al alma de Escamilla») y a Alonso Álvarez, el tuerto, «lidiador ahigadado, mozo de manos y buen compañero», al que los borrachos que la *cogieron triste, le lloraron tiernamente* como a *malogrado mancebo.* Y esto ocurre estando don Pablo en un ambiente propio para ello : en Sevilla.

El ambiente de ocio de la gran ciudad hispalense nos lo pinta muy adecuadamente Castillo Solórzano, cuando hace que Trapaza al casarse tardíamente con Estefanía resida en la Babilonia de los haraganes: «Trapaza no tuvo ocupación en Sevilla por su negligencia, que no era amigo de más que asistir en gradas hasta el mediodía, y a la tarde ver la comedia». De ahí nació que volviera a la atracción del juego, que se arruinara, que al fin «acudiera a los garitos, no a jugar, que se hallaba pobre, sino a que le pagasen los baratos que había dado, correspondencia que falta en los tahures». Alemán hace al fin del *Guzmán,* que el protagonista vaya encantado camino de Sevilla con su segunda mujer, diciendo entre sí: «A tierra voy de Jauja, donde todo abunda y las calles están cubiertas de plata, donde, luego que llegue, nos saldrán a recibir con palio y mandaremos en tierra». Piensa en la casa de contratación de Indias, «barras van, barras vienen, que pudiera toda fabricarla de plata y solarla con oro». Se imaginaba ver a los Peruleros «asobarcados con barras, las faltriqueras descosidas con el peso de los escudos y reales». La esposa de Guzmán, «aunque se había hallado bien todo el tiempo que residió en Madrid y le parecía que hacía la corte ventajas a todo el mundo, con aquella majestad, grandeza de señores, trato gallardo, discreción general y libertad sin segunda, hallaba en Sevilla un olor de ciudad, un otro no sé qué, otras grandezas, aunque no en calidad, por faltar allí reyes, tantos grandes y titulados, a lo menos en cantidad. Porque había grandísima suma de riquezas y muy en menos estimadas. Pues corría la plata en el trato de la gente, como el cobre por otras partes, y con poca estimación la dispensaban francamente». En la misma obra y lugar se adivina la suntuosidad de la Semana Santa sevillana, «la manera que allí la celebran ,las limosnas que se hacen, la cera que se gasta». La mujer de Guzmán «quedó pasmada y fuera de sí, no pareciéndole que aquello pudiera ser y exceder mucho en las obras a lo que antes le habían dicho con palabras».

En el *Alonso, mozo de muchos amos,* o *El donado ha-*

blador, de Jerónimo de Alcalá, tampoco podía faltar el cuadro sevillano: «Llegamos... a la gran ciudad de Sevilla, madre de tantos extranjeros y archivo de las riquezas del mundo; acababa de llegar la flota y entretúveme aquella noche en ver las luminarias y alegría universal de todos los ciudadanos, la salva de los galeones, y el regocijo de grandes y pequeños». Alonso salió al río «ayudando a traer a la ciudad algunas cosas ligeras de las que desembarcaban, ejercicio en que se ocupan en aquellos tiempos inumerables holgazanes con no pequeño interés y granjería». Luego, dejó el Arenal y fué a la Lonja a buscar quién le diese de comer. Estuvo ocioso en medio de una calle en momento de mucho tránsito «que aún con ser tan anchurosa, unos a otros se estorbaban el paso», y al fin se concertó como mozo de mula para un médico.

Gonzalo de Céspedes y Meneses en sus *Historias peregrinas y ejemplares* habla de Sevilla, como la ciudad rica y preciosa por antonomasia, «alegre, apacible y deleitosa» por su situación y clima, y destaca su riqueza «incomprensible». «En sus actos y demostraciones es única, es incomparable. Y así los Oficios de la Semana Santa celebra, en particular, tan suntuosamente, que deja a Roma, cabeza del mundo y silla de la Iglesia muy atrás». Alaba sus monumentos, como su templo arzobispal, «en quien está aquella torre de elevación y arquitectura memorable. Sus alcázares o por mejor decir huertos pensiles, según la amenidad de sus jardines y la fragancia y artificio de sus hermosos cuadros, también pueden competir con sus mayores grandezas». Para Céspedes entre las casas, «la de mayor admiración, riqueza y nombre es su Aduana, en quien cifrándose los tesoros de Oriente, sus gomas preciosísimas y la inacabable y espantosa máquina, que sin cesar, en montañas de plata, barras de oro, cochinilla, calambre y otras mercaderías inmensas, brota la extendida América, siendo de todo escala y receptáculo esta ciudad y casa...» Abunda Sevilla en «lindo aceite y olorosos vinos», y a pesar de su «gran concurso», «todo se vende a precio moderado». En la novela que Céspedes sitúa en Sevilla (*El desdén del Ala-meda*), vive la ciudad en sus fiestas y regocijos, su lujo y su esplendidez, con sus invenciones y máscaras, correr de toros, «bizarros embozos», danzas, damas embozadas, gen-tileza y secreto.

Salas Barbadillo hace pasar el final de su novela *La hija de Celestina*, en la ciudad hispalense en que Elena, la Mén-dez y Montúfar hacen vida poltrona e hipócrita, enrique-ciéndose «de los regalos y dádivas grandes que les hacían los poderosos ciudadanos de Sevilla, que cada uno de ellos tiene, esto es lo más general, un mar en el ánimo, que siem-pre está de creciente y jamás de menguante». Vemos cómo el Venticuatro, el caballero, el señor de título, el Asistente o el Canónigo hacían gala de sus invitaciones y limosnas, y que las personas todas eran liberalísimas, como la señora «rica y muy caritativa» que enviaba a Elena cada día «dos platos regalados para comer y otros tantos para cenar, adere-zados con mayor limpieza y regalo que si fueran para su persona».

Comenta Pfandl el dicho de un sevillano, Lorenzo Bau-tista de Zúñiga (*Anales eclesiásticos y seglares de Sevilla*), de que, para sus fiestas, el Corpus Christi y la Inmacu-lada «eran las niñas de los ojos de la ciudad», y lo amplía a toda España. Con todo, ambas grandes fiestas de regocijo, y la suntuosidad en lo patético de la Semana Santa, tenían, como tienen aún, un acento peculiar en la ciudad de la Gi-ralda. Hoy, todavía, las danzas de los seises en la Catedral dan un matiz inconfundible a su magnífica liturgia de la Purísima y del Corpus.

En un romance atribuído a Góngora se llama a Sevilla,

«Fénix del orbe,
que debajo de sus alas
tantos hoy leños recoge ;
gran Babilonia de España
mapa de todas naciones,
donde el flamenco su Gante
y el inglés halla a su Londres...»

«Octava maravilla» llaman a la ciudad diversos poetas.
«Un abril goza en sus puertas Sevilla» se dice en *El semejante a sí mismo,* de Alarcón. La ciudad que cría «fuentes
y airosos hombres» y «gallardas mujeres» luce su garbo
en el ambiente apropiado del *Burlador* de Tirso.

BIBLIOGRAFIA

D. Ortiz de Zúñiga, *Anales eclesiásticos y seglares de Sevilla,* Madrid, 1677. — J. Amador de los Ríos, *Sevilla pintoresca,* Sevilla, 1844. —
Rinconete y Cortadillo, novela de Miguel de Cervantes Saavedra. Edición crítica de Francisco Rodríguez Marín, Sevilla, 1905. — Alonso
de Morgado, *Historia de Sevilla, en la cual se contienen sus antigüedades, grandeza...,* Sevilla, 1587 (hay reimpresión hecha por el «Archivo
Hispalense», 1887). — Juan de Mal-Lara, *Recibimiento que hizo la muy
noble y muy leal ciudad de Sevilla a la C. R. M. del Rey D. Felipe,
N. S.... Con una descripción de la ciudad y su tierra,* Sevilla, 1570. —
Hazañas y la Rúa, *Obras de Gutierre de Cetina,* Sevilla, 1895 (tomos I y II). — F. Rodríguez Marín, *Luis Barahona de Soto, estudio
biográfico, bibliográfico y crítico,* Madrid, 1903. — F. Rodríguez Marín,
El Loaysa de El celoso extremeño, estudio histórico-literario, Sevilla,
1901. — *El casamiento engañoso y el coloquio de los perros,* novelas
ejemplares de Cervantes, Edición crítica con introducción y notas por
Agustín G. de Amezúa y Mayo, Madrid, 1912. — M. Herrero-García,
Ideas de los españoles del siglo XVII (Los andaluces, p. 179, sigs.). —
Lope de Vega, *El Arenal de Sevilla* (en Nuev. Ed. Real Academia).
— Cervantes, *El rufián dichoso* (cons. Hazañas y la Rúa, *Los rufianes
de Cervantes).* — Véanse las diversas obras literarias citadas en el
texto : *Guzmán de Alfareche,* de Alemán ; *El pasajero, de* C. Suárez
de Figueroa ; las de Salas Barbadillo, Castillo Solórzano, Quevedo,
etcétera. — Cristóbal de Chaves, *Relación de la Cárcel de Sevilla,*
1585-97 (véase en el vol. I del *Ensayo* de Gallardo).

CAPÍTULO VII

LA LITERATURA PICARESCA Y SU SIGNIFICACIÓN Y FONDO SOCIAL

El ambiente *picaresco*, sus tipos y realidades y sus reflejos en el género castizamente nacional que los recoge, es un tema sumamente amplio y sugestivo. No es esencial la discusión en torno a la misma etimología y orígenes de la palabra *pícaro*. Mientras en la opinión más generalizada se hace derivar de *picardo*, igualmente al término *picardía*, aludiendo a los hechos de armas de la época en que Picardía, como Flandes (de donde *flamenco*), ocupaban un papel muy destacado, otros piensan en el verbo *picar*. En la primera interpretación, la frase *vivir como un picardo*, o *pícaro*, aludía de una parte al soldado de fortuna y aventurero (como decir, más tarde, *vivir como un bohemio*) y de otro al aspecto roto y desarrapado de esos mismos soldados. En la de *picar*, se piensa, en relación con el término muy generalizado de *pícaro de cocina*, algo análogo a la derivación de *pinche* (de *pinchar*), y a su vez, en Salillas, la sensación de enojo y desazón, del picar, y la de contaminación de carnes, vino o fruta (que *empiezan a picarse*, o *acedar*). El hecho es que el término *pícaro* y el de *ganapán* se dan muy semejantes en el siglo XVI. Fonger de Haan, en su trabajo *Pícaros y ganapanes*, cita un pasaje de la *Carta del Bachiller de Arcadia al capitán Salazar*, de hacia 1548, en que se dice: «Cuando el sol muestra su cara de oro, igualmente la muestra a los *pícaros* de la corte, como a los cortesanos della». *Ganapán* se encuentra ya a fines del XV;

pícaro, en la primera mitad del XVI. Covarrubias, en su *Tesoro...,* cree que «en algún tiempo alguna gente pobre de Picardía viniese a España, con necesidad, y nos trujesen el nombre», y lo relaciona con *picaño* (palabra ya usada en la Edad Media), «fablarme de buena fabla, non burlas nin *picannas»,* dice el Arcipreste. Según el mismo Covarrubias, *pícaro* «se pudo decir de pica, que es el asta, porque en la guerra hincándola en el suelo, los vendían *ad hastam* por esclavos. Y aunque los pícaros no lo son en particular de nadie, sonlo de la república para todos los que los quieren alquilar, ocupándolos en cosas viles».

De hecho, el caso de los vagabundos, parásitos, personas sin ocupación fija, dispuestos a la aventura y al hurto, era corriente en el XVI español, sobre todo en su segunda mitad. En una estadística de la época se registran 150.000 *vagamundos* o *vagabundos* en España, a fines del siglo XVI. Eugenio de Salazar, en una carta de hacia 1560, habla de que en la corte hay muchos «bellacos, perdidos... falsarios, rufianes, pícaros, vagamundos y otros malhechores...»

A su vez el término *pícaro* va entrando en el grupo de los de criado, lacayo, mozo de cocina, etc. Son curiosos pasajes algunos como éste de Hurtado de Mendoza, de la *Sátira contra las damas,* ya aludida en otro capítulo:

«Que el mozo de caballos y hortolano
saben quién éstas son, por ciertas pruebas,
y no echan lance que les salga vano.

Lenguaje es dellas que ventaja lleva
un cocinero, un pícaro, un lacayo
en darles gusto, y que mejor aprueba.»

En Salas Barbadillo se identifica alguna vez *(Coronas del Parnaso)* pícaro con esportillero o mozo de la esportilla. En una sátira en verso de Eugenio de Salazar, pícaro equivale a escudero, al presentar la silueta de un médico que

«de un pícaro de corte se acompaña,
que no excusa la mula quien la lleve».

El término de pícaro de cocina fué muy general, hasta

Un ciego y su *lazarillo* (*Herrera*)

Col. Czernin, Viena y M.° Prov. de Sevilla

Un mendigo (*Murillo*)

Escenas de la vida picaresca del siglo XVII *(Velázquez)*

M.º *del Prado*

en documentos oficiales, como en el proceso famoso de Escobedo. En él se habla de «un pícaro de la cocina del Rey». En el *Arte de cocina* de Francisco Martínez Montiño se presenta a estos pinches o mozos de cocina como parásitos de la abundancia, sucios y repulsivos: «no hay cosa más asquerosa que pícaros rotos y sucios». «Los que son pícaros bellacos nunca son cocineros, antes andan en otras cosas muy malas.» Debe aludirse a la sisa, pequeños hurtos, tercerías, etc. El hecho es que Felipe II quiso acabar con ellos, pero no pudo. Con otra aureola, típicamente literaria de la purificación artística del estilo de Cervantes, se invoca a esta serie de parásitos en *La ilustre fregona:* «¡Oh, pícaros de cocina, sucios, gordos y lucios; pobres fingidos, tullidos falsos, cicateruelos de Zocodover y de la plaza de Madrid, vistosos oracioneros, esportilleros de Sevilla, mandilejos de la hampa, con toda la caterva innumerable que se encierra debajo de este nombre: *pícaro!*» Muchos de estos buscavidas se hallaban a las orillas de los ríos, a la hora del paseo, para ser alquilados eventualmente; ya en las márgenes del Ebro, en Zaragoza, como en el cuadro de Velázquez y Mazo; ya en las del Tajo, en Toledo; del Tormes, en Salamanca, o a la desembocadura del propio Tajo en Lisboa. Bartolomé de Villalba y Estaña, en *El pelegrino curioso y grandezas de España* — terminado en 1577 —, dice, refiriéndose a la capital portuguesa: «Dábale mucho gusto ver a la orilla del río tanta chusma de gente, tanto concurso de pícaros, bribones, negros...» Hasta en los sermones y vidas de santos se hablaba del pícaro, para referirse a las personas rotas, sucias o aventureras. Cristóbal de Fonseca, para describir el triste estado del hijo pródigo en su conversión, al volver a la casa paterna, dice de él que «venía hecho un picarón negro, cubierto de andrajos, flaco... asqueroso». Y al comentar la parábola de las bodas del Señor, y referirse al hombre que entra en ellas sin la vestidura nupcial, alude al «pícaro de las bodas, que se había entrado roto y desarrapado adonde nadie podía entrar sin vestidura de boda».

La picardía era, en gran parte, pues, fruto del parasitismo. Los desheredados, los segundones, los expósitos eran plantas dispuestas a desarrollarse en tal ambiente. Salillas dice que «en la picardía lo que se suda es el ingenio, y lo que se ejercita, el disimulo».

En Agustín de Rojas Villandrando (*Viaje entretenido*), al describirse roto y sucio, dice: «Viéndome tan pícaro, determiné servir a un pastelero».

Lope de Vega, en *El gran duque de Moscovia*, hace aparecer a un personaje «*tiznado, de pícaro*», en el sentido de pinche o pícaro de cocina: «Es este oficio ruin, un camaleón del viento», «una cosa viene a ser alcahuete y cocinero», dice, porque «guisa, junta y conforma, para que coma el que paga». Y hay en la misma obra y en boca del mismo (Rufino) este elogio de la vida picaresca:

«¡Ay, dichosa picardía!
¡Comer provechoso en pie!
¿Cuándo un pícaro se ve
que muere de perplejía?
¡Ah, dormir gustoso y llano,
sin cuidado y sin gobierno,
en la cocina el invierno
y en las parvas el verano!
Vida de rey fuera risa
con esta vida ligera,
si un pícaro se pusiera
cada día una camisa.
Por esto le tratan mal,
y causa al discreto enojos;
que aquesto de tener piojos
es temerario fiscal.»

En una de estas escenas Rufino entra «con una caldera de agua y recado para fregar». Se hace eco el autor del sentido de menosprecio con que se trataba a esta clase social, aun por los propios criados fijos de la casa: «¡Hola, pícaros!», les dice al llamarles un paje, al verlos «mal vestidos». Y a continuación traza una escena de claro valor costumbrista en que el pícaro de cocina y el paje pelean por comer ambos de un plato de manjar blanco. En cambio, en el entremés *del Mayordomo* de Quiñones de Benavente, el que da nombre a la obra llama despectivamente *pícaros* a los pajes. Análogamente a los inconvenientes de la vida de pícaro cita Cervantes los de los estudiantes — que muchas veces todo era una cosa —: «Si la sarna y la hambre no fuesen tan unas con los estudiantes, en las vidas no habría otra de más gusto y pasatiempo porque corren parejas en ella la virtud y el gusto, y se pasa la mocedad aprendiendo y *holgándose*» (*El coloquio de los perros*). En cuanto al *grado inferior* del orden picaresco tiene esta bella expresión el mayor novelista, en la misma obra: «Que las gracias y donaires de algunos no están en bien de todos: apode el truhán, juegue de manos y voltee el histrión, rebuzne el pícaro, imite el canto de los pájaros y los diversos gestos y acciones de los animales y los hombres el hombre bajo que se hubiese dado a ello, y no lo quiera hacer el hombre principal, a quien ninguna habilidad déstas le puede dar crédito, ni nombre honroso».

En el poema llamado *Vida del pícaro* (del siglo XVI) merecen destacarse algunos versos que dan idea de tal género de vida, y su atracción aun en los medios cortesanos:

«Tú, pícaro, de gradas haces sillas,
y sin respeto de la justa media,
a tu placer te sientas y arrodillas...

Dormís seguramente por rincones,
vistiéndoos una vez por todo el año,
ajenos de sufrir amos mandones...

¡Oh, vida picaril, trato picaño,
confiésoos un pecado, diera un dedo
por ser de los sentados en tu escaño!»

En esta composición, firmada por el capitán Longares de Angulo (que es atribuída, por considerar éste un sinónimo a Hurtado de Mendoza y a Liñán de Riaza), se invita al señor que duerme en lecho blando:

«Si quieres de tu sueño hacer provecho,
procura hacer del pícaro, que al punto
dormirás sosegado y satisfecho...

¿Qué gusto hay como andar desabrochado
con anchos y pardillos zaragüelles,
y no con veinte cintas atacado?...»

El *Lazarillo de Tormes,* al iniciar el género, aunque sin emplear nunca la palabra pícaro, dejó unos tipos inconfundibles. Su realismo hondo, su sencilla narración y la presentación de los tipos sociales de su tiempo, en el protagonista, el ciego, el cura y el escudero pobre, especialmente, dan a la novela un valor extraordinario. El ciego «en su oficio era un águila, ciento y tantas oraciones sabía de coro, un tono bajo reposado y muy sonable que hacía resonar la iglesia donde rezaba, un rostro humilde y devoto que con muy buen continente ponía cuando rezaba, sin hacer gestos ni visajes con boca ni ojos, como otros suelen hacer». Para sacar dinero se valía de mil habilidades y engaños: «Decía saber oraciones» diversas, venía a ser una especie de médico recetador de emplastos o conjuros para «muelas, desmayos, males de madre». «Con esto andaba todo el mundo tras él, especialmente mujeres que cuanto les decía creían». Con todo esto «ganaba más en un mes, que cien ciegos en un año». A su vez era miserable y avariento, y Lázaro, su mozo, tenía que agudizar su ingenio para no «finar de hambre». El diseño del ciego y su figura es algo perfectamente trazado, e inconfundible. La realidad del tipo hace que se piense en figuras de mendigos y vagabundos, que aun hoy se asemejan a la de este carácter racial intuído de mano maestra en el *Lazarillo:* «Él traía el pan y todas las otras cosas en un fardel de lienzo que por la boca se cerraba con una argolla de hierro y su candado y llave, y al meter de las cosas y sacarlas, era con tanta vigilancia y tan por contadero, que no bastara todo el mundo hacerle menos una migaja; mas yo tomaba aquella lacería que él me daba, la cual en menos de dos bocados era despachada; después que cerraba el candado y se descuidaba, pensando que yo estaba entendiendo en otras cosas, por un poco de costura que muchas veces del un lado del fardel descosía y tornaba a coser, sangraba el avariento fardel, sacando, no por tasa, pan, más buenos pedazos, torreznos y longaniza...» «Todo lo que podía sisar y hurtar traía en medias blancas [moneda menuda], y cuando le mandaban rezar y le daban blancas, como él carecía de vista, no había el que se la daba amagado con ella, cuando yo la tenía lanzada en la boca, y la media aparejada que, por presto que él echaba la mano, ya iba de mi cambio aniquilada en la mitad del precio justo.» Igualmente es imborrable la figura del avariento cura de aldea : «Cinco blancas de carne era su ordinario para comer y cenar ; verdad es que partía conmigo del caldo, que de la carne tan blanco el ojo, sino un poco de pan, y pluguiera a Dios que me demediara. Los sábados cómense en esta tierra (Maqueda, provincia de Toledo) cabezas de carnero, y enviábame por una que costaba tres maravedises ; aquélla le cocía, y comía los ojos y la lengua, y el cogote y sesos, y la carne que en las quijadas tenía, y dábame todos los huesos roídos, y dábamelos en el plato, diciendo : —Toma, come, triunfa, que para ti es el mundo ; mejor vida tienes que el papa». En la misa, «cuando al ofertorio estábamos, ninguna blanca en la concha caía que no era de él registrada ; el un ojo tenía en la gente y el otro en mis manos ; bailábanle los ojos en el casco, como si fueran de azogue ; cuantas blancas ofrecían tenía por cuenta, y, acabado el ofrecer, luego me quitaba la concheta y la ponía sobre el altar». Respecto a la ironía del clérigo, dice Bonilla que el autor del *Lazarillo* se parece «no a los erasmistas, cuya intención era más honda y apuntaba más lejos que la del narrador», sino a otros escritores anteriores, como el Arcipreste, Fernando de Rojas, o los poetas del *Cancionero de Burlas*. El capítulo referente al escudero pobre de Toledo es una obra maestra de humor y de visión, caricatural de una actitud social de la época. El detallismo narrativo se fija en todos los pormenores con el cuidado de un miniaturista. Lázaro va buscando amo, de puerta en puerta, y encuentra en una calle al dicho escudero «con razonable vestido, bien peinado, su paso y compás en orden». Al aceptarle como criado, van pasando por diversos lugares de la ciudad, entre ellos «las plazas do se vendía pan y otras provisiones», aunque sin comprar nada. A las once «se entró en la iglesia mayor, y yo tras él, y muy devota-

mente le vi oír misa, y los otros oficios divinos, hasta que
todo fué acabado y la gente ida. Entonces salimos de la
iglesia, y, a buen paso tendido, comenzamos a ir por una
calle abajo». «En este tiempo dió el reloj la una... y llegamos
a una casa ante la cual mi amo se paró, y yo con él, y
derribando el cabo de la capa sobre el lado izquierdo, sacó
una llave de la manga y abrió su puerta y entramos en
casa, la cual tenía la entrada obscura y lóbrega, de tal manera que ponía temor a los que en ella entraban, aunque
dentro della estaba un patio pequeño y razonables cámaras.
Desque fuimos entrados, quita de sí su capa, y, pregun-
tando si tenía las manos limpias, la sacudimos y doblamos,
y muy limpiamente soplando un poyo que allí estaba, la
puso en él, y, hecho esto, sentóse cabo de ella, preguntán-
dome muy por extenso de dónde era, y cómo había venido
a aquella ciudad...» La fina ironía de este «tratado» resalta
en todos sus detalles. El hambre y necesidad del escudero,
a la vez que su orgullo y *negra honra,* hacen de él un tipo
racial sumamente interesante, cuyo carácter, entre los mo-
dernos, ha glosado con su fina melancolía uno de los mejores
artistas del novecientos, «Azorín». La situación del pan y
de la «uña de vaca» — entre el escudero y Lázaro — son
páginas perfectas. La descripción de la primera mañana al
servicio del nuevo amo, y el tema de la espada del escudero
es de lo más bello y característico del capítulo: «La mañana
venida, levantámonos, y comienza a limpiar y sacudir sus
calzas y jubón, sayo y capa, y yo que le servía de pelillo
(es decir: como por cumplimiento); y vísteseme muy a su
placer de espacio; echéle aguamanos, peinóse y púsose su
espada en el talabarte, y al tiempo que la ponía, díjome:
—¡Oh, si supieses, mozo, qué pieza es ésta! No hay marco
de oro en el mundo por que yo la diese, mas así ninguna de
cuantas Antonio (famoso espadero que forjó la espada de
Isabel la Católica) hizo, no acertó a ponelle los aceros tan
prestos como ésta los tiene. Y sacólos de la vaina y tentóla
con los dedos, diciendo: —Vesla aquí, yo me obligo con
ella a cercenar un copo de lana». «Tornóla a meter, y ciñó-

sela, y un sartal de cuentas gruesas del talabarte, y con
un paso sosegado y el cuerpo derecho, haciendo con él y
con la cabeza muy gentiles meneos, echando el cabo de la
capa sobre el hombro y a veces so el brazo, y poniendo
la mano derecha en el costado, salió por la puerta, diciendo:
—Lázaro, mira por la casa, en tanto que voy a misa... Y sú-
bese por la calle arriba, con tan gentil semblante y continente que, quien no le conociera, pensara ser muy cercano
pariente al conde de Arcos...» El idealismo puro del escudero
es un precedente del de Don Quijote. Aquél, traspuesta la
miseria de su casa, va viviendo un mundo de ilusión, él
sólo, con su traje y con su espada, como si en otro mundo
de olvido dejara las miserias y necesidades de su vida material. Lázaro, al ir hacia el río, ve en una huerta a su amo
«en gran recuesta con dos rebozadas mujeres, al parecer de
las que en aquel lugar no hacen falta, antes muchas tienen
por estilo de irse a las mañanicas del verano a refrescarse
y almorzar... por aquellas frescas riberas... y... él estaba
entre ellas hecho un Macías, diciéndoles más dulzuras que
Ovidio escribió». No era este tipo insólito, sino corriente ya,
en la España del Emperador. Guevara cuenta en sus *Epístolas:* «Miento si no vi en la corte de césar, un caballero de
más de cuento de renta, el cual vi jamás tener caballo en
su caballeriza, ni lanza en su casa, ni aun se ceñía las más
veces espada, sino que traía una daga en la cinta, y pequeña, y por otra parte cuando contaba las hazañas de sus
padres parecía que descarrilaba leones». Análogo es el escudero de la farsa *Quem tem farelos* de Gil Vicente.

En más amplio horizonte que el *Lazarillo* se mueve el
Guzmán de Alfarache de Mateo Alemán, ya que el autor
trató de ampliar la vida de su pícaro a una plena «atalaya»
de toda la humanidad de su tiempo. La oriundez, nacimiento y crianza de Alemán, en Sevilla (en donde nació, el
mismo año, y casi por los mismos días que Cervantes en
Alcalá), le formaban en un ambiente a propósito del que
desarrollara en la novela de su madurez. De chico había
conocido a tipos que no estaban lejos del escudero del *La-*

zarillo: «Yo conocí en mi niñez a Montesdoca, soldado viejo, que lo había sido de Carlos V, el cual traía colgado del cinto un puñal de orejas, de los del tiempo de marras, tan vil y despuntado que apenas con buenas fuerzas lo hicieran entrar por un melón maduro, y debía estimarlo en más que un majuelo que había comprado en mucho precio; y todo el fundamento de su estimación era porque un bisabuelo suyo, de Utrera, lo había dado a su padre para ir en el campo del rey Don Fernando el Católico a la conquista del reino de Granada». Alemán, de su padre médico de la cárcel de Sevilla, sabía mucho del ambiente hampesco de la ciudad. Además él vivió lamentablemente en aquel lugar, al ser preso por deudas, estando en la Cárcel Real en 1580. A los 34 años se describía él mismo, alto de cuerpo, la nariz larga, barbitaheño oscuro. El retrato de la portada de varios de sus libros permite adivinar la expresión triste de sus ojos, la boca grande sensual, la frente espaciosa de hombre inteligente. Inhábil para los negocios terrenos, engañado, envidiado e incomprendido, no dejó de ofrecer su propia existencia algunas semejanzas con la de Cervantes. Alemán escribía, ya casi viejo: «Así habré de pasar el tiempo que viviere, siendo muy propio a los presentes andar perseguidos hasta la muerte». Acabó su vida en América. Como dice Rodríguez Marín, no es que su pícaro fuese Alemán, ni mucho menos, pero no es extraño que el autor «atribuyese a Guzmanillo su hechura, alguna particularidad de su misma persona, y no pocos pormenores de su propia vida, como por cariño y fineza paternal». Y agrega que en sus obras «están contenidos, como por vislumbres y entre ligera bruma, los principales acontecimientos de su turbulenta vida y las memorias de las tierras y ciudades que recorrió y donde vivió». Guzmán se nos presenta en la novela como «hijo de la viuda bienconsentido y mal dotrinado», en el que los sueños de la imaginación chocan con la realidad amarga y dura, llevando a un espíritu semi-inocente a aventurero, por el camino retorcido y oscuro del mal vivir, el engaño y el encanallamiento. Con amarga ex-

El chico de la vela (*El Greco*)

Pinacoteca de Munic y M.º de Nápoles

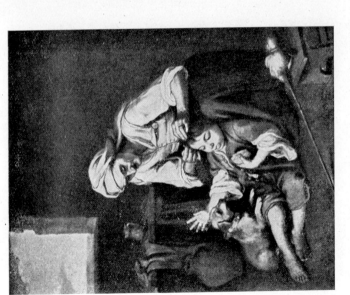

La abuela despiojando (*Murillo*)

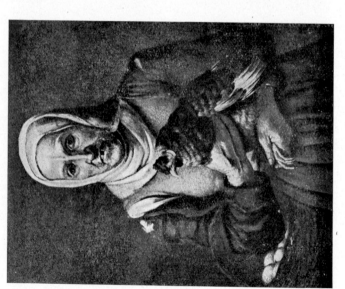

Tipos populares españoles (Escuela sevillana 1640, y *Murillo*)

Pinacoteca de Munic y M.ª del Prado

presión y bella metáfora nos dice el autor, en boca de su pícaro: «Pinto en la imaginación que es el pensar un bonito niño, corriendo por lo llano con un caballo de madera, con una rehilandera de papel en la mano; y el obrar un viejo cano, calvo, manco y cojo, que sube con muletas a escalar una muralla muy alta y bien defendida». Así surge su cuadro, en que Guzmán se ve «traspasado de hambre», y su comer son «podridas lentejas, cocosas habas, duro garbanzo y arratonado bizcocho». La necesidad es su «invencionera sutil». Busca Alemán, intencionadamente, para formar el carácter de su pícaro, un momento difícil de la vida española: esterilidad, hambre: «que si estaba mala la Andalucía, peor cuanto más adentro de Toledo», citando un curioso refrán, que se debió decir hacia entonces: «Líbrete Dios de la enfermedad que baja de Castilla y de hambre que sube del Andalucía». Llega a Madrid hecho un «gentil galeote, en calzas y en camisa», «muy sucio, roto y viejo», «asqueroso y desmantelado», pareciendo a cuantos le veían «algún pícaro ladroncillo». Así, en su figura adecuada llega a ser pícaro el personaje arquetípico del género. Alemán le hace confesarlo con su cinismo expresado en conciso y perfecto estilo castellano: «Comencé a tratar el oficio de la florida picardía. La vergüenza que tuve de volverme, perdíla por los caminos. Que, como vine a pie y pesaba tanto, no pude traerla o quizá me la llevaron en la capilla de la capa... nunca pudieron ser amigos la hambre y la vergüenza. Vi que lo pasado fué cortedad y tenerla entonces fuera necedad y erraba como mozo; mas yo la sacudí del dedo cual si fuera víbora que me hubiera picado». El cuadro en que describe sus compañías y primeras habilidades es un reflejo del fondo social de su época: «Juntéme con otros torzuelos de mi tamaño, diestros en la presa. Hacía como ellos en lo que podía; mas como no sabía los acontecimientos, ayudábales a trabajar, seguía sus pasos, andaba sus estaciones, con que allegaba mis blanquillas... En este tiempo me enseñé a jugar a la taba, al palmo y al hoyuelo». Continuó con los juegos de fullerías y ventaja. «No trocara esta vida

de pícaro por la mejor que tuvieron los pasados.» «Tomé
tiento a la corte. Íbaseme por horas sutilizando el ingenio...
Me fuí saboreando con el almíbar picaresco, de hilo me iba
por ello a cierraojos. ¡Qué linda cosa era y qué regalada!
Sin dedal, hilo ni aguja, tenaza, martillo ni barrena ni otro
algún instrumento, más de una sola capacha... tenía oficio
y beneficio. Era bocado sin hueso, lomo descargado, ocupación holgada y libre de todo género de pesadumbre.» Conforme la novela avanza se siente una sensación de desaliento,
que explica cómo se formó en parte la actitud picaresca de
la vida ; hay un cansancio de lo heroico, de lo difícil, del
exagerado concepto de la honra. Parecen ya, las grandes
empresas inmediatas — el *Guzmán* se publica en su I parte
en 1599 —, sueño de vanidad : «Deja, deja la hinchazón
desos gigantes». La alabanza de la «vida mediana» (cap. IV
del libro II de la I parte) no es la retórica horaciana del XVI,
sino algo que sabe a desengaño personal y nacional, a un
dolor de fatiga y casi de vejez. Frente a los desengaños y
golpes, si la mística era una evasión cara al cielo, el cinismo
picaresco era un mero recreo y liberación hacia abajo, hacia
la baja tierra de las miserias y las intrigas. El pícaro se
reía de todo, con máscara cínica, pero a veces ocultando un
fondo patético. No hay sonrisa ya en la invitación cínica
de este momento del *Guzmán,* tan bellamente expresado en
su habla : «Tuya es la mejor taberna donde gozas del mejor
vino, el bodegón donde comes el mejor bocado. Tienes en
la plaza el mejor asiento, en las fiestas el mejor lugar. En
el invierno, al sol ; en el verano, a la sombra. Pones mesa,
haces cama por la medida de tu gusto, como te lo pide, sin
que pagues dinero por el sitio ni alguno te lo vede, inquiete
ni contradiga ; remoto de pleitos, ajeno de demandas ; libre
de falsos testigos, sin recelo que te repartan y por temas te
empadronen ; descuidado que te pidan, seguro que te de-
creten, lejos de tomar fiado ni de ser admitido por fiador,
que no es pequeña gloria. Sin causa para ser ejecutado, sin
trato para ejecutar ; quitado de pleitos, contiendas y de-
bates ; últimamente satisfecho que nada te oprima ni te

quite el sueño haciéndote madrugar, pensando en lo que has de remediar». El «vanidad de vanidades» de este capítulo sabe amargamente a experiencia personal, de la vida dolorida y llena de injusticias y fracasos sufridos, del propio Alemán, pero a la vez a tónica de su sociedad y de su época. La aurora del *Barroco* llevaba en sí esta amargura sombría, en muchos de sus aspectos aunque no los únicos. Aun en el mundo nórdico, Rembrandt, el pintor, dejaba a través de los tonos sombríos de sus retratos una estela angustiada y desengañada del mismo «vanidad de vanidades».

Herrero García, en su *Nueva interpretación de la picaresca*, cree que ésta «es un producto seudoascético, hijo de las circunstancias peculiares del espíritu español, que hace de las confesiones autobiográficas de pecadores escarmentados un instrumento de corrección». Para él «la novela picaresca es un sermón con alteración de proporciones de los elementos que entran en su combinación». La acción de la novela es como «la parte pintoresca de los sermones». «Hay predicador que a veces pinta con tal donosura y humorismo un tipo de avaro, de jugador, de glotón o de pendenciero, que parece que estamos leyendo un trozo de novela picaresca.» Y a la inversa se hallan los «sermones» en las novelas. Así como el sermón tiene una parte doctrinal, propiamente tal, y otra de aplicación moral, con casos y ejemplos, en que entra la parte pintoresca, la novela picaresca desarrolla esta segunda parte o aspecto, pero conservando bastante de lo doctrinal entre su acción. Aunque la consecuencia de esta teoría es notoriamente exagerada, no deja de ser curioso su planteamiento, y tiene confirmación, hasta cierto punto, en las mismas novelas, sobre todo en la compleja concepción ideológica del *Guzmán*. Así, por ejemplo, cuando en torno a un sermón que oye Guzmanillo (parte I, lib. II, cap. 3) explana ideas ascéticas en un largo soliloquio, termina por decir: «Conozco mi exceso en lo hablado, que más es doctrina de predicador que de pícaro». El contraste, esencial al arte barroco, ayudaría, según creo, a explicar — estéticamente — estos anversos y reversos del sermón y la picaresca, sin llegar a extremarse la nota. En algunos casos la mayor semejanza entre los dos polos opuestos se debe a las condiciones del propio autor, como en el *Donado hablador* de Jerónimo de Alcalá, que escribió libros sacros. Volviendo la vista a la rica cantera picaresca, en lo costumbrista y en lo ideológico del *Guzmán* de Alemán advertiremos cómo, en su inmensa atalaya de la vida humana, la picaresca toma diversas formas, separándose o acercándose al prototipo del mozo de muchos amos, del vago y aventurero, del roto y anárquico vagabundo. Al servir Guzmán a un cocinero, parece que su cargo y misión no los considera realmente propios de un pícaro, y el comentario es significativo: «Entonces pude afirmar que, dejada la picardía, como reina de quien no se ha de hablar y con quien otra vida política no se puede comparar, pues a ella se rinden todas las lozanías del curioso método de bienpasar que el mundo soleniza, aquella era, aunque con algún cuidado, por extremo buena». Los detalles interesan para el costumbrismo de comidas y fogones de la época: «Parecióme, en cierto modo, volver a mi natural, en cuanto a la bucólica. Porque los bocados eran de otra calidad y gusto que los del bodegón, diferentemente guisados y sazonados. En esto me perdonen los de San Gil, Santo Domingo, Puerta del Sol, Plaza Mayor y calle de Toledo; aunque sus tajadas de hígado y torreznos fritos, malos eran de olvidar». Su modo de vida era bastante agradable: «Por cualquiera niñería que hiciera, todos me regalaban: uno me daba una tarja, otro un real, otro un juboncillo, ropilla o sayo viejo, con que cubría mis carnes». Este estado venía a ser de «sollastre o pícaro de cocina». Guzmán nos presenta lo que era la vida real de los tipos tan corrientes en la España de la época, y aun en todas partes. El natural inquieto llevaba a vicios por la ambición o deseo desordenado de mejorar. Tal ocurría con el juego, *terrible vicio,* comenta Alemán, porque «como todas las corrientes de las aguas van a parar a la mar, así no hay vicio que en jugador no se halle». Las mentiras, la falta de fidelidad a los amigos, el «no guardar ley a deudos», pasar por la deshonra propia y la de su casa, se dan en el tahur: «Jura sin necesidad y blasfema por poco interese... Si el dinero pierde, pierde la vergüenza para tenerlo, aunque sea con infamia. Vive jugando y muere jugando, en lugar de cirio bendito, la baraja de naipes en la mano...» Para sacar dinero para este vicio, andaba Guzmán por la casa, «los ojos como hachas encendidas», buscando de donde sisar o hurtar. Así aparecen los cuadros de costumbres y vicios. Es un aguafuerte perfecto el de la merienda de los borrachos: «Como mi amo trajese a casa otros amigos cofrades de Baco, pilotos de Guadalcanal y Coca, y quisiese darles una merienda, todos tocaban bien la tecla; pero mi amo señaladamente era extremadamente músico de un jarro. Sacóles entre algunas fiambreras, que siempre tenía proveídas, unas hebritas de tocino como sangre de un cordero. Ya de los envites hechos estaban todos a treinta con rey, alegres, ricos y contentos, y con la nueva ofrenda volvieron a brindarse, quedándose, y mi ama con ellos, que también lo menudeaba como el mejor danzante, que los pudiera desnudar en cueros: tales estaban ellos. La polvareda había sido mucha. Levantáronse los humos a lo alto de la chimenea. Los unos cayendo, los otros tropezando, dando cada uno traspiés, se fué como pudo, según me lo contó un vecino, y mis amos a la cama, dejándose abierta la casa, la mesa puesta y el vasillo de plata en que brindaron, rodando por el suelo y todo a beneficio de inventario». A su vez nos describe el autor cómo eran los mercados de carne y carnicerías de Madrid a fines del XVI: «Lo ordinario y siempre, nunca faltaban menudillos de aves y despojos de terneras, perdices, gallinas, que se perdían andando en el asador o perdigadas en el hervor de la olla, conejos desollados y mechados con sus garrochitas de tocino ribeteados, como gabán de Sayago, sin dejarles blanco del tamaño de una uña donde no llevasen clavada su saeta... Vendía también lenguas de vaca, cecina de jabalí, lomo en adobo, empanadas inglesas de venado, piezas de tocino con tres dedos de tabla en grueso». Nos habla también de los aldeanos dedicados a la ganadería en pequeño: «Luego se recogen a las aldeas o caserías, donde dan en criar cebones, gallinas y pollos, contando los huevos de cada día, haciendo dellos causa principal». Y sobre encargos de cosas de comida en Madrid, exclama: «¡Cuántas veces vi llevar y llevé tortas de manjar blanco, lechones, palominos, quesos de cien diferencias y provincias y otras infinitas cosas...!» En todo esto se ejercita la picardía: pequeñas estafas, sisas, engaños. La ociosidad es origen de la demasía del mundo picaresco: «campo franco de perdición... semilla de cizaña», por donde corre el «pícaro desendrajado». En torno al costumbrismo de caza y cocina, Alemán traza verdaderos cuadros de naturaleza muerta, émulos de los de la escuela flamenca coetánea: «Pido garabatos y sogas, púselas por unos corredores colgando al patio: allí ensarté los trofeos de la victoria. Era gloria de ver la varia plumajería del capón, de la perdiz, de la tórtola, de la gallina, del pavo, zorzales, pichones, codornices, pollos, palomas y gansos, que, sacando, por entre todo, las cabezas de los conejos, que parecían salir de los viveros. Colgué a otra parte perniles de tocino, piezas de ternera, venado, jabalí, carnero, lenguas, lechones y cabritos. Entapizóse el patio todo a la redonda en muy buenos clavos que puse, de manera que, mi fe os prometo, según lo que allí campeaba, me pareció haber traído de cinco partes las dos y faltaban por venir los siete Infantes de Lara, que no estaba con eso acabado...» Las sátiras son tan fuertes como estos excelentes cuadros descriptivos que revelan las grandes condiciones literarias y de estilo del autor del *Guzmán*. Los borrachos «andaban enfermos, roncos, enfadosos de aliento y trato, los ojos encarnizados, dando traspiés y reverencias, haciendo danzas con los cascabeles en la cabeza, echando contrapasos atrás y adelante, y, sobre toda humana desventura, hechos fiesta de muchachos, risa del pueblo y escarnio de todo». Y comenta, en relación con la *clase picaresca:* «Que los pícaros lo sean, ¡andar! Son pícaros y no me maravillo, pues cualquier bajeza les entalla y se hizo a su medida, como a escoria de los hombres. ¿Pero que los que se estiman en algo, los nobles, los poderosos, los que debían ser abstinentes, lo hagan? ¿Que el religioso se descomponga un grueso de un pelo con ello?...»

Sobre la vida picaresca sigue Alemán dándonos datos curiosos: «Teníamos en la plaza junto a Santa Cruz nuestra casa propia comprada y reparada con dinero ajeno. Allí, eran las juntas y fiestas, levantábame con el sol. Acudía con diligencia por aquellas tenderas y panaderos. Entraba en la carnicería. Hacía mi agosto las mañanas para todo el día. Dábanme parroquianos, que no tenían mozo, que les llevase la comida». Es por lo tanto un *ganapán* sin estar vinculado a señor determinado y ofreciéndose a recados y trabajos aislados, cobrando por ello y reservando su independencia. Habla Guzmán como si en el tiempo de esa su mocedad fuese menor ese número de pícaros que cuando escribe. «Entonces éramos pocos y andábamos de vagar; agora son muchos y todos tienen en qué ocuparse. Y no hay estado más dilatado que el de los pícaros, porque todos dan en serlo y se precian dello.» Formaban corrillos donde se hablaba hasta de la política de la época: «Últimamente allí se sabe todo, se trata en todo y son legisladores de todo, porque hablan todos por boca de Baco, teniendo a Ceres por ascendente, conversando de vientre lleno, y, si el mosto es nuevo, hierve la tinaja». Al servir a un capitán, antes de ir con un Tercio de tropas a Italia, las trazas del pícaro toman un aspecto especial de época: la necesidad en que se dejaba a veces a los hombres de guerra, hacía que éstos tuvieran que vivir a costa de los alojamientos y aun pequeños hurtos. Para esto utilizaban a soldadillos o pícaros a su servicio como Guzmán: «En cada alojamiento — dice — cogía una docena de boletas, que ninguna valía de doce reales abajo y algunas hubo que contribuyeron cincuenta. Mi entrada era franca en todas las posadas, sin estar en alguna segura de mis manos ni el agua del pozo. Jamás dejó mi señor de tener gallina, pollo, capón o palomino a comida y cena y pernil de tocino entero, cocido en vino cada domingo». Como Lázaro con el escudero, Guzmán lo hacía gustoso, al ver que su amo se veía en auténtica necesidad. «Mi capitán me lastimó con su pobreza, porque no sabía con qué remediarla.» También, como el escudero de Lázaro con su espada, tenía este capitán joyas, que no iba a vender ya que «honrábase con ellas». Guzmán refiere en qué forma resolvían — amo y criado — los casos en que les pillaban con *las manos en la masa:* «Si en algún asalto me cautivaba el huésped, siendo poco, pasaba por niñería, y si de consideración, el castigo era cogerme mi amo en presencia del que de mí se querellaba, y, haciéndome maniatar, con un zapato de suela delgada me daba mucho del zapateado: por ser hueco sonaba mucho y no me dolían». En *El donado hablador* se habla también de los soldados y sus habilidades para sacar comida a los aldeanos. Alonso sirvió también a un capitán «de soldado» unas veces «para las pagas», «otras de muchiller para servirle». Cuando entraban en una posada «no había gallina, por voladora que fuese, que pudiese escapar de nuestras manos». Cuenta diversas tretas para sacar a los avarientos aldeanos sus aves de corral y perniles puestos a cobro. En un caso cuenta una sangrienta rebelión de los aldeanos contra la gente de tropa, por estas demasías.

Otra de las habilidades proteaicas del pícaro era el ser truhán — especie de bufón — de algún magnate, como Guzmán lo fué del embajador de Francia: «No me señaló plaza ni oficio; generalmente le servía y generalmente me pagaba... Hablando claro, yo era su *gracioso;* aunque otras me llamaba truhán chocarrero». Estos truhanes servían puntualmente a los convidados *de cumplimiento* de sus señores; pero cuando había personas importunas o enfadosas les hacían mil burlas y diabluras, para que se fuesen. «A unos dejándolos sin beber, que parecía que los criábamos con melones de secano; a otros dándoles a beber poco y con tazas penadas, a otros muy aguado, a otros caliente. Los manjares que gustaban alzábamos el plato, servíamosles con salado, acedo y malsazonado. Buscábamos invención para que les hiciese malprovecho, por aventarlos de casa.» A este tipo de bufón picaresco corresponde Esteban González, ser-

vidor de Octavio Piccolomini, duque de Amalfi, que nos
dejó, con variaciones más o menos literarias, la vida de sus
aventuras y viajes. La «*Vida y hechos de Estebanillo González,* hombre de buen humor, compuesta por él mismo,
tiene mucho de autobiografía. Esteban pasó por los esce-
narios de la guerra de los treinta años, dejando, al lado de
los escorzos trágicos de la lucha, su mueca de bufón, ebrio
y cobarde, su gracia un tanto procaz y descarada, su aspecto
de parodia de lo heroico, en un momento en que la decadencia general hacía posible lo intenso de este procedimiento. Por mucho ingenio que utilizara Francesillo de Zúñiga
en tiempo del Emperador, sus burlas resultaban tontas y
frías al lado de la grandeza de los hechos. Ahora, sin negar
fatalidad, hombría y gestos de raza a los momentos heroicos,
se percibe una tendencia racial a la caricatura y a la parodia, como en Velázquez, al ver tratados en humor realista
los asuntos de la mitología y al ver alzarse los bufones y
enanos a un rango de humanidad que sublima la estética
del pincel al lado de las figuras severas de los reyes tocados
de rasgos enfermizos o débiles. «Yo iba a esta guerra tan
neutral — nos dice Estebanillo — que no me metía en di-
bujos, ni trataba de otra cosa sino de henchir mi barriga,
siendo mi ballestera el fogón, mi cuchara mi pica, y mi
cañón de crujía mi reverenda olla.» No le faltaba la vanidad
de lo externo, como al llevar la bandera del capitán de su
compañía en la ciudad de Palermo: «Llevando yo su bandera con más gravedad que Perico en la horca, porque es
muy propio de hombres humildes ensoberbecerse en vién-
dose levantados en cualquier puesto o dignidad». Y como
en la fábula esópica, y muy curioso como dato de la soberbia
externa del tiempo: «Persuadíame que todos los que quitaban el sombrero a la real insignia me lo quitaban a mí,
por lo cual hacía más piernas que un presumido de valiente,
y me ponía más hueco y pomposo que un pavón indiano».
Esteban es el tipo del pícaro aventurero y no del ladrón ni
del hombre encanallado: «Mi natural, aunque era picaril,
no se inclinaba a hurtos de importancia, sino a cosas ra-

teras...» Aunque a caso esto fuera debido a su ingénita cobardía. Hizo de «pícaro de cocina, que es punto menos que mochilero, y punto más que mandil». Es curioso que cuando en algún momento va a censurar algún hecho de su tiempo, lo deja a una leve insinuación, añadiendo: «Harto pudiera decir de esto, pero me dirán que quién me mete en esto ni en gobernar el mundo teniendo doctores la Iglesia». «Aquí me hacen cosquillas mil cosas que pudiera decir tocantes a lo que pueden las dádivas y a lo que mueve el interés, y lo presto que se convencen los interesados, y los daños que resultan por ellos, y las penas que merecen; pero como es fruta de otro banasto y no perteneciente a Estebanillo, no des voces, porque sé que sería darlas en desierto.» Estebanillo nos da muchos datos sobre la vida de los peregrinos, no todos movidos a romerías por pura devoción. Esteban, con unos compañeros que van a Santiago, se pone sus calabazas y vestido, pero no se anda con chiquitas cuando la necesidad le acucia: «En el camino vendimiábamos las viñas solitarias, y cogíamos las gallinas huérfanas, y con estas chanzas y otras salimos cargados de dineros y limosnas, de las cuales comíamos los canterones y rebanadas de pan blanco, y lo negro, quemado y mal cocido vendíamos en los hospitales, para sustento de gallinas y aumentación de alajú». Después, nos dice, «me desgradué de peregrino, y por no colgar los hábitos los di a guardar a la huéspeda de la posada... y con los dineros de mi pelegrinaje... (y otros) compré una cesta de cuchillos, rosarios, peines y alfileres y... transforméme de peregrino en buhonero». Estebanillo ofrece noticias de falsos mendigos, y enfermos fingidos para pedir, de ladrones y «rajabroqueles», de gitanos y salteadores. Con un labrador de Extremadura se concertó para «coger aceituna», recibiendo cada día medio tostón y de comer; se hizo peón de albañil en un convento de monjas de Santa Clara en Mérida: «Dábanme cada día tres reales de jornal, y por juzgarme no tener malicia, no consentía la priora que ninguno sino yo entrase en el convento a sacar la cal que estaba dentro de él, para que fuese trabajando.

Ocupaba en esto algunos ratos, y todas las veces que entraba en el dicho convento iba delante de mí la madre portera tocando una campanilla para que se escondiesen y retirasen las religiosas. Pero yo imagino que no estaban diestras en el son, pues antes parecía llamada que retirada, pues sin bastar cencerrear, todas, compadecidas de mi gran tra-

Figuras que ilustran una obra picaresca

bajo y de mi agudeza, en lugar de retirarse se acercaban a mí y me daban algunas limosnas, aconsejándome que me volviese a mi tierra y no anduviese tan perdido como estaba». Camino de Sevilla, Estebanillo nos deja huella de los usos y costumbres de la región andaluza. Con un aldeano de Alcalá del Río «comimos a mediodía un gazpacho que me resfrió las tripas, y a la noche un ajo blanco que me encalabrinó las entrañas». Describe un aguador de Sevilla, y él mismo hace este oficio: «comprando un cántaro y dos cristalinos vidrios», y vendiendo agua muy fría de un pozo. «Ibame todas las tardes al corral de las comedias, y todos los caballeros, por verme que era agudo y entretenido, me enviaban en achaque de dar de beber a las damas, a darlas recados amorosos».

Estebanillo, al desfilar por los diversos oficios, propios

más o menos directamente del ademán picaresco, fué charlatán de drogas y polvos, vendiendo «jaboncillos para las manos, palillos... para limpiar los dientes. Hacía los jaboncillos de jabón rallado, de harina de chochos y de aceite de espliego, y daba a entender que eran jaboncillos de Bolonia. Cogía raíces de malvas, cocíalas en vino... tostábalas en el horno y despachábalas por palillos de Moscovia... Puse mi mesa de montambanco, y ayudándome del oficio de charlatán, ensalzaba mis drogas, y encarecía la cura, y vendía caro, porque la persona que quisiere cargar en España para vaciar en otros reinos ha de vender sus mercancías por buhonerías de Dinamarca e invenciones de Basilicata y curiosidades del Cuzco, y naturalizarse el dueño por Grisón o Esguízaro, porque desestimando los españoles lo mucho bueno que encierra su patria, sólo dan estima a raterías extranjeras». Fué criado de una cómica, soldado de leva en Sevilla, y estuvo a punto de ser ahorcado en Barcelona. A pesar de percances como éste, Esteban hace la apología de la independencia y ocio de la vida picaresca en un pasaje típico por diversos aspectos — entre ellos el despego por lo heroico y lo caballeresco — de esta clase de gentes que iban invadiendo el ámbito hispánico en los comienzos del XVII: «Comía con sosiego, dormía con reposo, no me despertaban celos, no me molestaban deudores, no me pedían pan los hijos ni me enfadaban las criadas ; y así no se me daba tres pitos que bajase el turco, ni un clavo que subiese el persiano ni que se cayese la torre de Valladolid. Echaba mi barriga al sol, daba paga general a mis soldados y me reía de los puntos de honra y de los embelecos del pundonor, porque, a pagar de mi dinero, todas las demás son muertes y sola es vida la de pícaro». Así, lo mismo se hace soldado por dinero, que llega a caer tan bajo como ser «padre de la mancebía» : «Era, cuando me hallaba a solas con ellas, el Píramo de su aldea ; en habiendo visitas, era su criado ; en habiendo pendencias, su mozo de golpe, y en hacerlas los mandados, su mandil». En cuanto a la posición del pícaro frente al mundo heroico, es notable su descripción de la batalla de

Norlinguen, en que Estebanillo se esconde en un foso en los momentos difíciles, y cuando ve la victoria declarada por su bando sale dando gritos de: «¡Imperio, imperio!», importándole sólo celebrar el triunfo hispánico-austríaco con comilonas y borracheras.

La picaresca toma diversos aspectos según la actitud ante la vida de sus autores. *Estebanillo* interesa sumamente para la sociedad y la vida de su tiempo, por tratarse de un caso de auténtica autobiografía. Espinel, en el *Marcos de Obregón,* traza más un libro de memorias y aventuras que un cuadro auténtico de la picardía y el hampa. En *Alonso, mozo de muchos amos,* los tipos sociales son en parte eco de tradición literaria y en parte fruto de observación. Salas Barbadillo y Castillo Solórzano combinan el mundo picaresco con el cortesano. En *La pícara Justina* lo interesante son los motivos folklóricos, como las fiestas populares de León.

BIBLIOGRAFIA

F. W. CHANDLER, *La novela picaresca en España,* trad. de Martín Robles, Madrid, 1913. — FONGER DE HAAN, *An Outline of the History of the novela picaresca in Spain, disserpresented to the Board of University Studies of the Johns Hopkins University of Baltimore,* for the Degree of doctor of Philosophy, The Hague-New York, 1903. — ID., *Pícaros y ganapanes* (Homenaje a Menéndez Pelayo, II). — MIREYA SUÁREZ, *La novela picaresca y el pícaro en la literatura española,* Madrid, 1928. — J. D. M. FORD, *Possibles foreign sources of the spanish Novel of Roguery,* 1913. — RAFAEL SALILLAS, *El delincuente español. Hampa (Antropología picaresca),* Madrid, 1898. — MIGUEL HERRERO, *Nueva interpretación de la novela picaresca (Revista de Filología Española,* 1937). — Sobre el término «pícaro»: A. R. NYKL, *Pícaro (Revue Hispanique,* tomo LXXVII, 1929, p. 172 sigs.). — LEO SPITZER, *Español pícaro (Revista de Filología Española,* 1930). — B. SANVISENTI, *Pícaro (Bulletin Hispanique,* 1933). — SALILLAS, ob. citada. — H. PESEUX-RICHARD, *A propos du mot pícaro (Revue Hispanique,* 1933). — MOREL-FATIO, *Études sur l'Espagne,* París, 1895. — FOULCHÉ-DELBOSC, *Remarques sur Lazarillo de Tormes (Revue Hispanique,* 1900). — Textos del *Lazarillo:* Ed. Bonilla y San Martín, 1915 *(Clásicos de la Literatura española),* ed. Cejador, con introducción en *Clásicos Castellanos.* — FOULCHÉ-DELBOSC, *Bibliographie de Mateo Alemán* (1598-1615) *(Revue Hispanique,* 1918, p. 481-563). — *Discursos leídos ante la Real Academia Española en la recepción pública del Excmo. Sr. D. Francisco Rodríguez Marín,* Madrid, 1907 (vida de Mateo Alemán). — F. A. DE ICAZA, *Sucesos reales que parecen imaginados de Gutierre de Cetina, Juan de la Cueva y Mateo Alemán,* Madrid, 1919. — ALICE S. BUSHEE, *The Sucesos of Mateo Alemán* (*Revue Hispanique,* 1911; se refiere a los *Sucesos de Fray García Guerra,* que edita)). — Textos del *Guzmán:* Ed. por S. GILI GAYA, en *Clásicos Castellanos;* íd. por CEJADOR, en *Renacimiento;* íd. por P. HOLLE, en *Bibliotheca Romanica.* — M. GARCÍA BLANCO, *Mateo Alemán y la picaresca alemana* (para el infl. del género español, fuera del país). — GIOVANNI CALABRITTO, *I Romanzi picareschi di Mateo Alemán e Vicente Espinel,* Valletta, 1929. — MENÉNDEZ PELAYO, Introducción a la ed. del *Quijote* de Avellaneda, Barcelona, 1905. — Licenciado FRANCISCO LÓPEZ DE ÚBEDA, *La pícara Justina,* ed. *Sociedad de Bibliófilos madrileños,* tres vols., 1912; el III, con *Estudio crítico, glosario, notas y bibliografía* por JULIO PUYOL ALONSO. — BUENAVENTURA CARLOS ARIBAU, *Discurso sobre la novela española* (*Bibl. Aut. Españ.,* t. III. — FERNÁNDEZ DE NAVARRETE, *Bosquejo histórico sobre la Novela española* (*Bibl. Aut. Españ.,* t. XXXIII). — ROJAS CARRASCO, *La novela picaresca en la Literatura española,* Santiago, Chile, 1911. — Vide eds. y estudios del *Rinconete y Coloquio de los perros* de Cervantes, por RODRÍGUEZ MARÍN y AMEZÚA, respectivamente, citadas en la bibliografía del cap. anterior. — CERVANTES, *La ilustre fregona,* ed. crítica por F. Rodríguez Marín, Madrid, 1917. — Textos del *Marcos de Obregón,* de ESPINEL: ed. de Madrid, 1868, con prólogo de J. CUESTA y CKERNER, en que al fin del *Descanso,* III, 25, y III, 24, se da una mejor ordenación de lo narrado que la usualmente repetida; ed. con el prólogo *Vicente Espinel y su obra,* por J. PÉREZ DE GUZMÁN, Barcelona, *Biblioteca Arte y Letras,* 1881. — Id., ed. y notas de S. GILI GAYA, en *Clásicos Castellanos.* — Doctor CARLOS GARCÍA, *La desordenada codicia de los bienes ajenos,* Madrid, 1877, en *Libros de antaño,* t. VII. — *Vida del pícaro compuesta por gallardo estilo en tercia rima,* por el capitán LONGARES DE ANGULO, Valencia, 1601 (reimpresión en *Rimas de* PEDRO LIÑÁN DE RIAZA, Zaragoza, 1876). — *La vida de Estebanillo González, hombre de buen humor,* ed. y notas de JUAN MILLÉ Y GIMÉNEZ, *Clásicos Castellanos.* — WILLIS KNAPP JONES, *Estebanillo González* (*Revue Hispanique,* 1929). — *El Donado hablador,* en *Bibl. Aut. Españ.,* t. XVIII. *Españolas.* ed. Cotarelo, A. Valbuena Prat. *La novela picaresca,* Madrid, 1943.

CAPÍTULO VIII

LA VIDA DE LOS NIÑOS

¿Cómo era la vida infantil en la Edad de Oro? Si nos fijamos en la plástica, en el documento artístico de nuestros grandes pintores, se percibe una diferencia entre el niño noble, de estirpe real o de casa de magnates — triste, amuñecado bajo vestidos que parecen la miniatura de un grande de España —, y la sonrisa, el garbo, la gracia y el abandono exterior de los muchachos del pueblo. Tal vez esta impresión no tenga base suficiente efectiva ; pero así se desprende de observar los regios magnates infantiles de Sánchez Coello, de Pantoja, del mismo Velázquez, en relación con los niños episódicos — completamente ambiente y flor del pueblo levantino — en Ferrando de Llanos y Yáñez de la Almedina — retablo de la catedral de Valencia — y los más conocidos de Ribera y sobre todo de Murillo. Mendigos de picaresca sonrisa, muchachos comiendo melón o espulgándose, en contraste con el gesto hierático y la mirada melancólica de los pequeños príncipes y duques. Literariamente, poseemos documentos bien notables sobre la vida infantil, aunque no se den con la abundancia de otros motivos costumbristas. En Levante, donde Yáñez intuyó la vida sonriente de los niños entre flores y yerbas, o con curiosidad de juego ante la escalera del templo, en la *Presentación de la Virgen,* aparece una obra maravillosa de intimidad, exquisita de sensibilidad humana, despierta a todo lo que de anécdota real crea el mundo moderno en géneros de mayor empuje,

con la mínima ocasión de unos diálogos para aprender latín.
Vives ha conservado este documento de los niños españoles
del XVI. Y no es casual que fuera en tierras mediterráneas,
donde el catalán Boscán sintiera, en medio de los mundos
heroico y renacentista — caballeros y gigantes, y ninfas y
pastores —, el atisbo de la vida de hogar, de la esposa y de
los niños:

> «La mesa de muchachos rodeada,
> muchachos que nos hagan ser agüelos.»

Así este buen burgués de gusto renacentista, que apren-
diera de Navagiero la «maestría» del endecasílabo italiano,
nos deja ver este mundo de intimidad, de su quinta de los
alrededores de Barcelona, en que gozaba de los encantos
familiares, a la sombra de un haya, junto al río, sin olvidar
los negocios de la tierra, leyendo en compañía de doña Ana
Girón — su mujer distinguida y culta, valenciana y oriunda
de Aragón — textos de Homero, Virgilio y Cátulo, y acre-
centando los bienes de su patrimonio.

Luis Vives, cuya sensibilidad abierta al amor conyugal
y al cariño de las cosas menudas, ha descrito hoy Marañón
en un libro precioso *(Luis Vives: un español fuera de España)*, imprimió en Basilea (1538) su *Exercitatio linguae
latinae,* para los escolares de toda la Europa humanista.
Nüremberg, Colonia, Lyon, París, Zaragoza, Barcelona, Madrid, lo tuvieron como texto y lo reimprimieron. Los diálogos de estos temas descubrían — con un delicioso detallismo objetivo, con análisis propio de un artista más que
de un profesor — la vida de los niños españoles del XVI
Hasta el siglo XVIII no hubo una traducción castellana. En
el mismo XVI las hubo en francés, alemán y polaco — a doble
columna: texto latino y texto de la lengua moderna corres-
pondiente —. La versión castellana, aunque tardía, tiene
el jugo de habla de una obra clásica, y se debió al doctor
Cristóbal Coret y Peris, profesor de Latinidad y Elocuencia
en la catedral valenciana. Él empleó la palabra *Diálogos,*
en vez de *ejercicios,* que ha prevalecido (1723, 1729). Vives

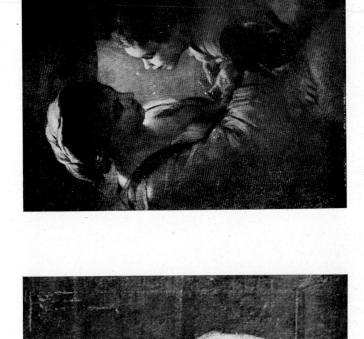

Motivo popular de madre e hijo (*Murillo*)

Convento de las Descalzas, Madrid y M.º Prov. de Sevilla

Niño cortesano (*Pantoja de la Cruz*)

El niño del pescado (*Murillo*)

M.º del Prado y Hospital de la Caridad de Sevilla

Los niños jugando a los dados (*Núñez de Villavicencio*)

dedicó la *Exercitatio* «a Felipe, hijo del césar Carlos Augusto, y heredero de su grande entendimiento», o sea el futuro Felipe II. Vives nos hace ver la vida española, en torno a la infancia, desde el despertar de los niños en la mañana brillante de sol. La criada Beatriz entra en la alcoba de los niños, abre las dos hojas de las ventanas: las de madera y las de vidrio, para que la luz de la mañana dé en los ojos de las criaturas. Una de ellas se restriega los ojos, soño-

Lavado de niño recién nacido, de un libro de 1544

lienta aún: «—No sé qué me hiere en los ojos; veo cual si los tuviese llenos de arena». «¡Eh, muchachos, grita la sirviente, ¿no vais a despertar hoy?» «¿Tan temprano?», gime, haragán, uno de los chicos; y el diálogo se anima en esta forma:

«BEATRIZ. — Tú, Manuel, ¿quieres mudarte de camisa?
MANUEL. — Hoy no, que ésta está bastante limpia; mañana me pondré otra. Dame el jubón.
BEATRIZ. — ¿Cuál? ¿El sencillo o el acolchado?
MANUEL. — El que quieras, me da igual. Dame el sencillo para que, si hoy juego a la pelota, esté más ligero.
BEATRIZ. — Siempre el mismo; antes piensas en el juego que en la escuela.»

Manuel pide las pretinas de cuero. Beatriz, por estar ellas rotas, le ofrece las de seda, «que así lo mandó tu ayo». Cuando le coge para vestirle, el muchacho, medio dormido y sin ganas de levantarse, protesta. «¿Tienes de paja o de manteca los brazos?», dice, malhumorada ya, la criada.

«MANUEL. — ¡Oh, qué agujetas me das, sin cabos y rotas!
BEATRIZ. — Acuérdate que ayer perdiste las enteras jugando a los dados.
MANUEL. — ¿Cómo lo sabes?
BEATRIZ. — Yo te acechaba por una rendija de la puerta cuando jugabas con Guzmanillo.
MANUEL. — Querida, no lo digas al ayo.
BEATRIZ. — Pues se lo diré la primera vez que me llamares fea, como sueles.
MANUEL. — ¿Y si te llamare ladrona?
BEATRIZ. — Lo que quieras, mas no fea.»

Pide Manuel los zapatos, y Beatriz pregunta que si los de capellada larga o los abiertos de capellada corta. Manuel prefiere los cerrados, porque ha llovido y hay lodo. Al pedir, después de calzado, el niño, «el ceñidor colorado de hilo», Beatriz le advierte: «Toma, cíñete a la francesa», y mientras se peina: «Péinate primero con las púas ralas, después con las espesas. Ponte el sombrero; no te lo eches al cogote ni a los ojos, como sueles». Y mientras lava a otro — más pequeño sin duda —: «Eusebio, trae el jarro y la jofaina. Levanta un poco la mano y vierte el agua despacio, por el pico; no de golpe, que se derrame. Lávate la suciedad de los artejos de los dedos; enjuágate la boca, gargariza, estrega bien las cejas y los párpados, así como las orejas; toma tu toalla y sécate». Los niños se arrodillan ante una imagen del Salvador y rezan el Padrenuestro y demás oraciones diarias, antes de salir del aposento.

En otro diálogo, hace Vives que sintamos toda la emoción de una escena de los niños ante sus padres. Uno de los pequeños dice que despertó a medianoche con dolor de cabeza. «¡Desdichada y mísera de mí! — lamenta la madre —. ¿Qué dices, qué parte te dolía, te duró mucho?» Al ver que ha sido cosa de poca importancia, se repone: «Vuelvo en mí, porque me habías casi muerto». Mientras preparan el desayuno al pequeño, viene un gracioso perrico, *Rucio,* haciendo fiestas con la cola y poniéndose en dos patas. El niño juega con él y le da trocitos de pan. Pensamos en el perrillo de la *Sagrada familia del Pajarito* de Murillo, con quien juega el Niño Jesús. Al salir para la escuela, lleva el muchacho el desayuno en la cestilla: «un pedazo de pan con manteca, y también higos secos o pasas... bien soleadas, y no de aquellas pegajosas que ensucian los dedos

La vuelta de la escuela

y los vestidos de los niños, salvo que quiera unas cerezas o unas ciruelas de fraile».

En las conversaciones de los chicos que van a la escuela, vemos apuntarse los caracteres infantiles. Uno va de mala gana y jugando; otro, mira gustoso las calles, las casas, señales que muestran por dónde debe ir y volver, si al fin lo hace solo; uno, cuenta que el día anterior su madre y su hermana fueron a la fiesta de la dedicación de una iglesia, y él se quedó guardando la casa; otro, en vez de llegarse al colegio, se entretiene en jugar a las tabas con el hijo de un zapatero. Otros van a la escuela porque no les azote el maestro. Unos alumnos, que han olvidado el lugar de la escuela, preguntan por el maestro a las mujeres del pueblo. Una se cree que se trata del zapatero remendón de junto a la *Taberna Verde,* o el pregonero de la calle del Gigante, el que alquila caballos. Otra al fin recuerda que el profesor es un viejo alto y corto de vista, que a veces va al mercado a comprar — humildemente — hortalizas, rábanos y cerezas. Un chico prefiere dar un rodeo, por no pasar por la casa del panadero, cuyo perro le mordió el otro día. Otro chico hurta un poco de fruta de un puesto del mercado. «—¡Vuelve las cerezas, ladronzuelo!», grita la verdulera. En el colegio, el alumno coge el abecedario con la mano izquierda y el puntero con la derecha para señalar las letras. Se pone en pie, y guarda el sombrero bajo el sobaco. El maestro va pronunciando despacio las letras y señalando al cartón ; el niño va repitiendo los nombres. Para que se acuerden de las cinco vocales dice el maestro que recuerden las letras (en la escritura de la época) de la palabra OUEIA (oveja), y explica lo que son las consonantes «porque no suenan si no se les junta vocal, así tienen un sonido imperfecto y manco : B, C, D, G, que sin la *e* suenan poco. De las sílabas se forman las voces o palabras, y de éstas nace el hablar de que todas las bestias carecen. Y tú no serás diferente de las bestias — sigue diciendo ante un discípulo torpón — si no aprendes a hablar bien. Despabílate y pon cuidado. Anda, siéntate con tus condiscípulos y aprende la lección que te he dicho».

A los niños muy pequeños les ponían en bolsitas colgando del cuello «reliquias de santos y *Agnus* de cera», para librarles de males y peligros, llegando a veces el confusionismo ignorante y supersticioso a un fetichismo que condenaba, con razón, Rodrigo Caro : «No se les ha de permitir que traigan unas cedulillas supersticiosas, como las que algunas embusteras inventan, con caracteres no conocidos y oraciones del *ánima sola,* que quien las rezare no morirá en agua ni fuego, ni de muerte súpita». Los primeros juguetes eran adufillos y sonajuelas. «Siendo ya mayorcitos los niños, tienen otros juguetes, como espadillas, hachuelas, manecillas.» «Tiene de imitación y de entretenimiento y juguete la afición y uso de los pajarillos, a que todos los niños se inclinan, y así no será razón negárselo a esta plá-

Escena de colegio en el siglo XVI

tica.» Lope de Vega nos cuenta cómo su hijo Carlos Félix (su *Carlillos*) jugaba con los pájaros, como el Niño Jesús que, deliciosamente hogareño, pintó Murillo en su más po-

173

pular y española — sabor del XVII — *Sagrada Familia* (Museo del Prado).

«Yo para vos los pajarillos nuevos,
diversos en el canto y los colores,
encerraba, gozoso de alegraros;
yo plantaba los fértiles renuevos
de los árboles verdes, yo las flores
en quien mejor pudiera contemplaros...»

Lope, en esta *Canción a la muerte de Carlos Félix*, el niño muerto, cuando «apenas salía a los aires claros del alba hermosa», se lo imagina jugando en el cielo con los ángeles como si fueran los pajarillos que en la tierra hicieran sus delicias:

«¡Oh, qué divinos pájaros agora,
Carlos, gozáis, que con pintadas alas
discurren por los campos celestiales,
en el jardín eterno que atesora
por cuadros ricos de doradas salas
más hermosos jacintos orientales...!»

Desde la cuna, las madres cantaban *cantarcillos* a los pequeñuelos, que al hablar y andar éstos repetían. Caro habla «de las reverendas madres de todos los cantares y de los cantares de todas las madres, que son *Nina, nina* y *Lala, lala,* cuyo uso es tan natural que no sabiendo qué cantar, o no sabiendo ellos mismos sin artificio ni cuidado, son tan bien contentadizas, que se contentan con cualesquiera tono, y no extrañan voz por mala que sea, condición muy propia de madres». Cuando los niños crecían, los *cantares* ofrecían perspectivas diversas: hasta podía estar un pensamiento moral, o lo que llama Rodríguez Marín *refranes del codiguillo infantil.* Juan de Mal-Lara recuerda el cantarcillo:

«Quien escupe a su cristiano,
bebe con la taza del diablo;
con la taza de alatón
el que le quiebra el corazón.»

Y así lo define: «Éste es cantar de niños, en un juego suyo muy conocido» — *su cristiano* significa aquí *su prójimo* —. Muchos motivos entre populares e infantiles se re-

LA VIDA DE LOS NIÑOS

cogen en obras teatrales como la *Farsa del Juego de cañas*
de Diego Sánchez de Badajoz. Recoge los temas folklóricos
— tan de gusto de los niños — de las fiestas del *Nacimiento.*
San Juan sale cantando «como quien apregona» ; los del
coro «folían y cantan con sus panderetas y atambor» ; «cantan el Pastor y la Serrana juntamente este villancico, bailando mano por mano», etc. En los *autos* primitivos y pre-
lopistas de Navidad — desde Gil Vicente a las mismas obras
del ciclo de Lope de Vega — lo tradicional popular genérico
y lo específico infantil se dan la mano. En otra pieza del
mismo Sánchez de Badajoz *(Farsa teologal),* se acota una
vez : «Aquí viene una negra, cantando y tañendo con su
pichel, al son del *villancico».* Gil Vicente recoge claros motivos infantiles con encantadora ingenuidad. Gómez Manrique, en el delicioso villancico con que acaba su preciosa
miniatura de la *Representación del Nacimiento de Nuestro
Señor,* advierte se cante al son del cantar de cuna : «¡ Callad,
hijo mío chiquito !» Sánchez de Badajoz, en el XVI, dice en
su *Farsa Moral* que el cantar al son de la vihuela se haga
al tono de *Como sois tan bonitico.* Gil Vicente, en su *Barca
do Purgatorio* (1518), hace decir a un niño, estrechándose
al seno de su madre, al ver al diablo : «Mae, o coco está allí».
Al final de la obra, los ángeles se llevan al cielo al pe-
queñuelo, cantando melodías de canción de cuna.

Tiene claro aspecto de cantar de muchachas el del *Auto
da sibila Casandra* del mismo Gil Vicente :

«¡ Qué sañosa está la niña !
¡ Ay, Dios, quién la hablaría !»

El villancico con que acaba este *auto* tiene ternura íntima de canción de cuna, al son del *ro, ro, ro.* Lope llevó
a sus temas *a lo divino* su emoción de padre y sus cantares
vividos al calor del hogar. Baste recordar la deliciosa *canción de cuna* que canta la Virgen para dormir al Niño-Dios :

«Pues andáis en las palmas,
ángeles santos ;
¡ que se duerme mi niño,
tened los ramos !»

Un cuadro de Murillo trata — con la misma emoción de lo maternal y lo infantil: la Virgen, el Niño durmiéndose, el cobijo y música de los ángeles — un asunto muy semejante, en que se abrazan, tiernamente, lo humano y lo divino. Ledesma adapta a fines religiosos deliciosos cantares y juegos infantiles, entre ellos el de la *pájara pinta:*

> «¿Dónde pica, la pájara pinta?
> ¿Dónde pica?
> —Ox, que no posa...»

Francisco Rodríguez Marín ha estudiado *Varios juegos infantiles del siglo XVI* (en «Bol. Real Academia Española», 1931). En un *Memorial* del siglo XVI hecho a base de juegos de niños (a la manera de la urdimbre de frases hechas en el *Cuento de cuentos* de Quevedo) se nombran diversos entretenimientos como el de *Pez pecigaña,* que la Academia, en la primera mitad del XVIII, definió (en el *Diccionario de Autoridades)* como «juego con que se divierten los muchachos, a quien se le dió este nombre porque lo hacen diciendo estas palabras y dándose unos pellizcos en las manos». Quevedo, en el *Buscón,* le llama de la *pizpirigaña,* que es «cosa de mostrar manos», y así también le llama Moreto *(La fuerza del natural).* Otros juegos eran: *«Acótome la china, que no me la quite el Rey de Castilla...»,* en que uno de los niños escondía una piedrecilla poniendo las manos tras la espalda, y decía esta frase, y según la contestación de uno de los del corrillo, se la cedía, quedando a salvo el primero, y los otros trataban de adivinarla. En la *Farsa de la Natividad* de Diego Sánchez de Badajoz, un clérigo, un fraile y un aldeano juegan a esta suerte, comentando la situación así Rodríguez Marín: «Aquí se trasluce claramente que el rústico, viendo que el clérigo *quiere echar la china,* se la arrebata y échala él, presentando cerradas entrambas manos al fraile, y como éste acierta a optar por la que está vacía, gana la vez». Es semejante a éste el juego de *pares o nones.* Alonso de Ledesma, en los *Juegos de Noches-Buenas a lo divino* (Barcelona, 1605), recoge con in-

genua sutileza muchos de estos entretenimientos, como, por
ejemplo, el de *Juan de las Cadenetas:*

> «—¡Ah, Fray Juan de las Cadenetas!
> —¿Qué mandáis, señor?
> —¿Cuántos panes hay en el arca?
> —Veinte y un quemados.
> —¿Quién los quemó?
> —Ese ladrón que está cabe vos.
> —Pues pase las penas que nunca pasó.»

Rodrigo Caro (en sus *Días geniales o lúdricos*) lo cita:
Juan de las Cadenas, ahí, y como semejante al de la *danza,*
que tiene el estribillo: *y ande la rueda,* en que «se engastan
y encadenan los muchachos y pasan a la redonda». El de
Ande la rueda, que Caro relaciona con la antigua *danza pí-
rrica,* lo explica así: «Júntanse muchos muchachos, y asidos
de las manos en rueda, y otros andan sueltos fuera, y todos
ellos andan velocísimamente alrededor, bailando y tirando
coces al que anda fuera, lo que dice uno y responden todos:
Ande la rueda, y coces en ella». Caro se complacía en ver
huellas de lejanísimos motivos en los juegos y bailes de
los niños de su tiempo: «Ahora vemos jugar a los muchachos todos estos juegos, si no estoy olvidado, porque los
que juegan a *coscojita* cuentan los saltos que dan o en largo
o en número a cuál da más saltos; y en un juego que llaman *Espada Lucía* es ceremonia necesaria que el que salta
en el otro ha de venir a *coscojita* o *a pie cojita.* Lo mismo
en otro juego que llaman *Palomita blanca, ahó,* si ya no es
el mismo, pero aquella particularidad de que uno huye con
ambos pies y otro lo sigue hasta alcanzarlo... es particular
costumbre de los que juegan a un juego que los muchachos
llaman *la Maruca».* En el llamado del *ladrillejo,* los niños
«toman un medio ladrillo, y en él asienta cada uno [una]
almendra hacia arriba, y luego al que le cupo la suerte de
tirar primero, tira, y si lleva de camino alguna o algunas,
las gana. Tras él van tirando los demás, cada uno como le
cupo la suerte; y el que no acierta con el tiro, pierde». En
el del *Dedillo,* ponían tres almendras tiesas y sobre ellas
otra, tendida, «y el que juega tira con el dedo a derribarla

tan sutilmente que no descomponga las tres: si lo hace así gana la cuaderna toda, y si no derriba la almendra sola, de una o dos veces, o si las descompone todas, pierde». Uno de los personajes de los *Días geniales* de Caro cuenta cómo veía a los muchachos en la puerta del Arenal de Sevilla, jugando con bolillas, a la manera del entretenimiento de las *tabas:* «Con ocho bolillas muy pequeñas, y el hoyo adonde concurren todas las bolillas juntas, como si dijésemos *en tropa,* está hecho en industria y sacado a plana en un medio del otro más pequeño donde han de entrar todas juntas». También eran muy corrientes los juegos del trompo, de los dados, de la pelota. En la huerta de la Alcoba, dentro del Alcázar real de Sevilla, se reunían muchos a jugar a la pelota, con raqueta. Algunos juegos de pelota de los chicos eran muy curiosos, como éste: «Tira la pelota el que la tiene al muro, y como va recogiéndola y volviéndola a tirar, va diciendo:

«Uno, dos, tres,
Martín Cortés,
en la cabeza me des.»

Cuando acaba de decir esto, recoge la pelota con la cabeza; si no la recoge o se le cae antes en el suelo, se pone por asno, la cabeza baja y llegada a la pared. El que ganó, que se llama Rey, se pone encima de él, caballero, y otro muchacho toma la pelota y hace otro tanto como el primero, hasta que pierde y se pone por asno, y el Rey desciende del primero y se sube en el segundo». «También juegan — sigue diciéndonos el *Melchor* de Rodrigo Caro — a contar todos los saltos que da la pelota, rechazándola a la pared, y a este juego llaman *las Bonitas:* al que en él pierde le dan palmadas o azotes.» En el *Mallo,* avientan una bola con mazos de madera «a quien más puede, con gran fuerza».

En la noche de San Juan, los mozuelos encendían grandes hogueras «por cima de las cuales saltan con mucha porfía y regocijo». Costumbre de los viejos tiempos romanos y aun prerromanos, y costumbre que sigue hoy. Son curiosas las supersticiones de los muchachos del pueblo en la Edad de

Oro. Hay «una general persuasión» que todos los muchachos tienen de un espectro, sombra o espantajo que llaman
la *Mala cosa,* la *Mula descabezada,* el *diablo cojuelo,* la
Fantasma y otros nombres semejantes: Los personajes de
los diálogos de Caro, aunque ríen de esta «tropa de trasgos,
reconocen que, de niños, también creyeron en supersticiones
semejantes. «En toda Sevilla y su comarca ven los muchachos a doña María de Padilla en un coche, ardiendo en
llamas de fuego»; «siempre... lleva consigo el *diablo cojuelo*». Los cuentos empezaban por la fórmula: «Érase que
se era, el bien que viniere para todos sea», con diversas va-
riantes, siendo curiosa ésta: «Érase que se era, el mal que
se vaya, el bien que se venga; el mal para los moros y el
bien para nosotros». Muchos de los cuentos infantiles de la
Edad de Oro son análogos en lo esencial a los que se repiten
hoy. Quiñones, en el *Entremés de la Malcontenta,* hace dia-
logar en esta forma:

«MALCONTENTA : ¿Sabes cuentos?
     QUITERIA :   Sí, señora.
MALCONTENTA : Pues dime uno sin *érase que se era,*
              dejémoslos allá, ni rey con hijos
              que piden bendición, caballo o armas.»

Caro recordaba muchas formas de juego de su niñez:
«Yo me acuerdo que siendo de esta edad, edifiqué en un
grande arenal de un camino, después de haber llovido, una
ciudad con sus murallas y plazas, compartimientos de barrios, calles y casas, y quedé más ufano que Rómulo con
su edificio». Este edificar casas, así como el correr en caballos de caña y jugar a los muñecos y muñecas, eran entretenimientos usuales.

Había diversas clases de columpios. Una modalidad muy
notable es la que refiere Rodrigo Caro: «Una máquina...
he visto... estos días en algunas fiestas públicas en nuestro
lugar» con «un madero fijo en el suelo y otro que por lo
alto de él se mueve velozmente, y, atravesado, otro madero,
de donde penden los columpios». «De manera arrebatan a
los que en ellos se ponen que, no teniéndose muy bien, los

hace volar muy lejos, y mientras andan allí asidos, subiendo y bajando, se entretienen ellos y entretienen a quien los mira, que son ordinariamente gran multitud de muchachos y gente de la primera tijera.» En general, se decía en la época: «el columpiarse y mecerse es uso de todo el año, y... es entretenimiento de mozuelas». La *filosofía moral* que acechaba, en el XVII, hasta los juegos y diversiones de mozos y mozas, hacía ver «que los columpios se inventaron para contemplar en su inestabilidad la de las cosas humanas, que ya suben y se encumbran, ya con ímpetu y presteza bajan, y lo que vimos levantado, en breve momento lo vemos caído y humillado ; o para que en los columpios se nos acordase de las primeras cunas en que nos mecieron».

Eran corrientes «los *títeres,* figurillas que imitan los hombres y mujeres, y parece que hablan y hacen todas las acciones que suelen los hombres, y tirando de un hilillo menean y tuercen la cerviz, mueven los ojos, acuden con las manos a cualquier ministerio, y finalmente cualquier figurilla de éstas parece que vive hermosamente».

Santa Teresa, de niña, nos cuenta cómo jugaba con sus hermanos a «ser ermitaños, y en una huerta que había en casa procurábamos, como podíamos, hacer ermitas, poniendo unas piedrecillas, que luego se nos caían, y así no hallábamos remedio en nada para nuestro deseo». Con su hermano Rodrigo leía vidas de santos, y era tanto su entusiasmo al ver los martirios «que por Dios los santos pasaban», que, ingenuamente, la futura santa, con sus hermanillos, salieron fuera de las murallas de Ávila, creyendo iban a tierras de moros a ofrecerse como mártires. Su tío les encontró y los volvió a casa. Sigue contándonos la santa motivos de su vida de niña: «Procuraba soledad para rezar mis devociones, que eran hartas, en especial el rosario, de que mi madre era muy devota, y así nos hacía serlo. Gustaba mucho, cuando jugaba con otras niñas, hacer monasterios, como que éramos monjas ; y yo me parece deseaba serlo, aunque no tanto como las cosas que he dicho». «Acuérdome que cuando murió mi madre quedé yo de edad de doce años poco menos ; como yo comencé a entender lo que había perdido, afligida, fuíme a una imagen de Nuestra Señora y supliquéla fuese mi madre, con muchas lágrimas.»

Cervantes, con gran emoción y verdad, ha sacado a la escena de *Los baños de Argel* el motivo de dos niños cristianos, españoles, cautivos en tierra de moros. Francisquito no hace más que jugar con el trompo, y Juanico, un poco mayor, le recuerda las oraciones que les enseñaron sus padres :

> «JUANICO :   Deja aquesta niñería
> del trompo, ¡por vida mía! ;
> y repasemos los dos
> las oraciones de Dios.
> FRANCISQUITO :   Bástame el Avemaría.
> JUANICO :   ¿Y el Padrenuestro?
> FRANCISQUITO :   También.
> JUANICO :   ¿Y el Credo?
> FRANCISQUITO :   Sélo de coro.
> JUANICO :   ¿Y la Salve?
> FRANCISQUITO :   Aunque me den
> dos trompos no seré moro.
> JUANICO :   ¡Qué niñería!
> FRANCISQUITO :   Pues bien :
> ¿piensas que me estoy burlando?
> JUANICO :   Estamos cosas tratando
> como si fuésemos hombres,
> ¿y es bien que el trompo aquí nombres?
> FRANCISQUITO :   ¿He de estar siempre llorando?»

«Tengo yo el Avemaría clavada en el corazón», dice el mismo Francisquito, y ambos se ofrecen al martirio, entre juego y heroísmo, acordándose — por mente de Cervantes, el alcalaíno — de los mártires-niños Santos Justo y Pastor.

Lope de Vega reveló desde muchacho su condición aventurera. Quiso salir de su casa y vivir a lo pícaro, y así nos cuenta Montalbán, en la *Fama póstuma,* que, después de haber muerto el padre de Lope, el muchacho, «ambicioso de ver mundo y salir de su patria, se juntó con un amigo suyo... llamado Hernando Muñoz, de su mismo genio, y concertaron el viaje, para cuyo intento cada uno se previno de lo necesario ; fuéronse a pie a Segovia, donde compraron un rocín en doce ducados... pasaron a La Bañeza, y últimamente a Astorga, arrepentidos ya de su resolución, por verse sin el regalo de su casa». Volvieron por el mismo camino, y, en Segovia, fueron a una platería a cambiar unos doblones y vender una cadena. El platero creyó se trataba de unos ladronzuelos y los denunció a la justicia. Pero el juez les tomó confesión y viendo que decían la verdad al defenderse, y viendo que «su culpa era mocedad y no delito... les dió libertad, y mandó que un alguacil los trujese a Madrid y los entregase a sus padres, con los doblones y la cadena; lo cual se ejecutó brevemente y a poca costa».

Góngora, en su famoso romance *Hermana Marica*, nos da un cuadro pleno y animado de la vida infantil en el día festivo:

«Hermana Marica,
mañana que es fiesta,
no irás tú a la amiga
ni iré yo a la escuela.
    Pondráste el corpiño
y la saya buena,
cabezón labrado,
toca y albanega;
    y a mí me pondrán
mi camisa nueva,
sayo de palmilla,
media de estameña;
    y, si hace bueno,
traeré la montera
que me dió, la Pascua,
mi señora abuela;
    y el estadal rojo,
con lo que le cuelga,
que trajo el vecino
cuando fué a la feria.
    Iremos a Misa,
veremos la iglesia;
dáranos un cuarto
mi tía la ollera.
    Compraremos de él
(que nadie lo sepa)
chochos y garbanzos
para la merienda.
    Y en la tardecica,
en nuestra plazuela,
jugaré yo al toro
y tú a las muñecas

con las dos hermanas
Juana y Magdalena,
y las dos primillas,
Marica y la tuerta;
    y si quiere madre
dar las castañetas,
podrás tanto de ello
bailar en la puerta.
    Y al son del adufe
cantará Andrehuela:
No me aprovecharon,
mi madre, las hierbas.
    Y yo, de papel,
haré una librea,
teñida con moras,
porque bien parezca,
    y una caperuza
con muchas almenas;
pondré por penacho
las dos plumas negras
    del rabo del gallo
que acullá, en la huerta,
anaranjeamos
las Carnestolendas.
    Y en la caña larga
pondré una bandera
con dos borlas blancas,
con sus trenzaderas;
    y en mi caballito
pondré una cabeza
de guadamecí,
dos hilos por riendas

Y entraré en la calle
haciendo corbetas
yo y otros del barrio,
que son más de treinta.
    Jugaremos cañas
junto a la plazuela,
porque Bartolilla
salga acá y nos vea...

Bartola, la hija
de la panadera,
la que suele darme
tortas con manteca,
    porque algunas veces
hacemos yo y ella
las bellaquerías
detrás de la puerta.»

Muchos de los juegos, costumbres, canciones y divertimientos de los niños españoles en la Edad de Oro se han esparcido por todos los ámbitos de la hispanidad, hasta nuestros días. Sofía Cárdenas, al investigar concienzudamente sobre el *folklore del niño cubano,* y María de Cadilla en su precioso recuento de los *Juegos y canciones infantiles* de Puerto Rico, nos dan unas señales, ejemplares, de estos maravillosos ecos en el mundo insular antillano.

Lope de Vega, en la comedia de *El santo niño de la Guardia,* recoge un momento interesante de la vida infantil, ante unos festejos de ciudad. Ante los gigantones de la procesión de la Virgen del Sagrario de Toledo, y las danzas y júbilos, se pierde el muchacho, que se va tras los cantantes y danzantes, y es entonces cuando es engañado por los judíos que se lo llevan para reproducir en él los tormentos de la Pasión de Cristo. El momento en que la madre desolada va buscando al hijo y se encuentra con una ciega que recita la oración del *Niño perdido,* está muy poética y dramáticamente realizado, muy a lo Lope. En ambiente cortesano, aparecen los niños para fines sentimentalmente dramáticos en *Reinar después de morir,* de Vélez de Guevara, y, para cumplir un cometido teológico, el niño, que *muere sin nacer,* y que representará el estado o postrimería del Limbo en el auto sacramental *El gran teatro del Mundo,* de Calderón.

La picaresca nos deja ver la vida del niño pobre. Lazarillo, al tener que servir su madre en un mesón, «iba a los huéspedes por vino y candelas» y otros semejantes recados, hasta que se le deja en la compañía del ciego. Estebanillo aprendió a leer, escribir y contar, pero ya desde la escuela tenía afición a las prácticas de su futuro oficio. «Compraba

183

polvos de romero y revolvíalos con cebadilla, y haciendo unos pequeños papeles, los vendía a real a todos los estudiantes novatos, dándoles a entender que eran polvos de la Anacardina, y que tomándolos por las narices tendrían feliz memoria, con lo cual tenía yo caudal para mis golosinas.» La mayor de sus hermanas le reprendía y castigaba : «Reíame yo de todos estos disparates y por un oído me entraba su represión y por otro me salía» ; aunque fueron tantas sus «rapacerías» que vinieron a echarle de los estudios. Entonces, aun niño, fué aprendiz de barbero, teniendo también que ayudar en la cocina y lavado. En su oficio tiene lugar el episodio de *la quema del bigote* de un valiente, narrado con verdadera gracia. Guzmán de Alfarache, en cambio, como ya dije en el capítulo de la picaresca, ofrece de niño otra modalidad : la del hijo mal criado y consentido, que por afán de aventura y no por necesidad se escapa de la casa de su madre, y se va a probar fortuna por esos mundos. En las figuras femeninas de la picaresca, la infancia se desarrolla de manera semejante. En *La niña de los embustes* de Castillo Solórzano, Teresica hace los mandados para los huéspedes del mesón con particular gracejo y agilidad : «Era un depósito de chanzonetas, un diluvio de chistes, con que gustaban de mí los huéspedes y me las pagaban a dineros, con que mis padres me traían lucida». Muerto su padre, va Teresa con su madre a bordar a «casa de dos hermanas viudas», aprendiendo el arte con gran destreza y siguiendo su carácter : «era yo tan inquieta con las demás muchachas, que siempre las estaba haciendo burlas», para lo cual es entonces cuando la ponen por mote «la niña de los embustes». Muerta también su madre, la recogen en su casa sus maestras de labor, desde los diez a los trece años.

Respecto a la vida de los niños de los magnates, el propio Luis Vives, en sus *Diálogos,* evoca el ambiente del príncipe Felipe, el futuro Felipe II, en unas páginas excelentemente evocadoras. «¿Qué hace Vuestra Alteza, Felipe?», le preguntan, y contesta *el príncipe niño:* «Leo y estudio, como veis». El interlocutor le advierte que no debe abusar de la

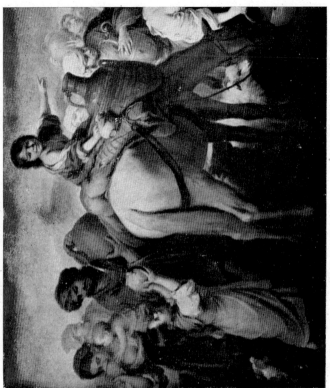

Tipos populares de mujeres y niños, según *Murillo*   *Hospital de la Caridad de Sevilla*

La lección de equitación del príncipe Baltasar Carlos *(Mazo)*

Col. Grosvenor. Londres

vida intelectual fatigando y extenuando su cuerpo. «¿Qué había de hacer?», pregunta el príncipe, y Moróbulo contesta: «Pues lo que hacen muchos príncipes, grandes, nobles o ricos. Montar a caballo, conversar con las damas de la emperatriz vuestra madre, danzar, jugar a los naipes o la pelota, saltar, correr». En los juegos, «jugaremos a uno en que se nombra un rey que manda y los demás obedecen», y se evoca así la lección de equitación: «Muchacho, di al caballerizo mayor que traiga aquí al caballo napolitano, el bravo y falso, para que Felipe lo monte». Y así sigue el diálogo:

«FELIPE. — No le quiero, en verdad, sino otro que sea manso, porque no tengo ni fuerza ni experiencia para regir a un animal tan duro de boca.

SOFÓBULO. — Y decid, Felipe, ¿pensáis que puede haber algún león tan fiero o algún caballo tan bravo y menos sufridor del freno que el pueblo, que la multitud de los hombres, donde se juntan todos los vicios, maldades, delitos e inquietudes ardientes y atizadas?... ¿ Véis en el río aquella barquilla? Es gran recreo navegar entre los prados y bajo los sauces ; entremos en la barquilla ; vos tomaréis el gobernalle y seréis el piloto.

FELIPE. — Sí, para que zozobremos y caigamos en el río, como le ocurrió ha poco a Pimentillo.

SOFÓCULO. — ¿ Ni aún a regir una barquilla en río tan pequeño y sereno os atrevéis, porque carecéis de destreza, y queréis, ignorante y sin experiencia, meteros en el mar, en las aguas revueltas, en las olas, en la borrasca de los pueblos? Os sucede lo que a Faetón, que no sabiendo usar de las riendas, con juvenil vehemencia pidió a su padre el carro para regirle, y ya sabéis la fábula.»

No debe por eso el príncipe descuidar los estudios. Debe hablar con los genios del pasado, con Platón, Aristóteles, Séneca, por medio de sus obras inmortales. A su vez el príncipe debe viajar y aprender del comercio directo con los hombres de su época.

Y así, en el sencillo diálogo de Vives, se señala la educación del príncipe que había de tener en su mano el momento más grande, y crítico también, del puesto de España en la Historia Universal.

BIBLIOGRAFIA

[RODRIGO] CARO, *Días geniales o hídricos* (en *Bibliófilos Andaluces*, 1.ª serie, XV, Sevilla, 1884). — F. RODRÍGUEZ MARÍN, *Varios juegos infantiles del siglo XVI (Bol. Real Academia Españ.*, 1931-1932). — A. PAZ Y MELIA, *Sales españolas o agudezas del ingenio nacional*, Madrid, 1890 *(Colección de Escritores Castellanos*, t. LXXX). — F. RODRÍGUEZ MARÍN, *Cantos populares españoles*, I. — BRAULIO VIGÓN, *Tradiciones populares de Asturias. Juegos y rimas infantiles...*, Villaviciosa, 1895. — SERGIO HERNÁNDEZ DE SOTO, *Juegos infantiles de Extremadura* (en *Biblioteca de las Tradiciones populares españolas*, Sevilla, 1884-86, tomo II). — FRANCISCO MASPONS Y LABRÓS, *Jochs de la Infancia*, Barcelona, 1874.— MIGUEL DE UNAMUNO, *Recuerdos de niñez y mocedad*, Madrid, 1908. — JOSÉ PÉREZ BALLESTEROS, *Cancionero popular gallego*, Madrid, 1886. — ALBERTO SEVILLA, *Cancionero popular murciano*, Murcia, 1921. — J. LEITE DE VASCONCELLOS, *Tradiçoes populares de Portugal*, Porto, 1882. — *Colección de entremeses*, ed. e introducción de E. COTARELO *(Nuev. Bibliot. Aut. Españoles*, tomos XVII y XVIII). — TEÓFILO BRAGA, *O povo portuguez nos sens costumes, crenças e tradiçoes*, Lisboa, 1886. — JUAN DE MAL-LARA, *La Philosophia vulgar*, Sevilla, 1568. — DIEGO SÁNCHEZ DE BADAJOZ, *Recopilación en metro* (Colección de *Libros de Antaño*, t. I). — JUAN RUFO, *Las seiscientas apotegmas*, Toledo, 1596. — EMILIO COTARELO Y MORI, *Ensayo histórico sobre la zarzuela... desde su origen... (Boletín Real Academia Española*, 1932). — GIL VICENTE, *Obras*, ed. de Hamburgo, tres tomos. — F. LLORCA, *Lo que cantan los niños*, Valencia, 1934. — SOFÍA CÁRDENAS, *El folklore del niño cubano (Archivo del folklore cubano*, II, Habana, 1926. — MARÍA CADILLA DE MARTÍNEZ, *Juegos y canciones infantiles de Puerto Rico*, San Juan, 1940.

CAPÍTULO IX

EL MUNDO HEROICO Y LA VIDA COTIDIANA DE CERVANTES

En las obras de Cervantes — cima y síntesis de la vida española en su tránsito del siglo XVI al XVII — se dan los más diversos aspectos sociales. Formado en el gusto literario un poco anterior a su generación entusiasta de los *Libros de Caballerías* de la época del Emperador y de la poesía de Garcilaso, atento al *género pastoril* y con una penetrante observación de los ambientes en que vivía, Cervantes deja en su obra un maravilloso documento social. No hay en los tipos, censurados por su baja moral, la desfiguración de la sátira o la caricatura: viven su propia vida en su medio adecuado, en el nimbo de la prosificación estética, como ocurre con los motivos aludidos a propósito de los cuadros picarescos de Sevilla. Aún en los géneros más propensos a la caricatura, como los *entremeses,* la vida cervantina, no se desvanece en monstruos desorbitados, sino que sigue en la gracia que arranca de la misma realidad, literariamente sublimada, como, por ejemplo, en los tipos del soldado roto y fanfarrón y el sacristán sagaz de *La guarda cuidadosa* o en las autoridades de Concejo de aldea en el humor genial de *El retablo de las maravillas.* El mundo heroico y la vida cotidiana aparecen en la obra de Cervantes, de la misma manera que se habían cruzado patéticamente en su propia existencia. Soldado en Lepanto, prisionero en Argel, concibiendo proyectos de fuga y salvación, no sólo para él, sino para sus compañeros, se convierte, a su regreso a España, en el hombre de fortuna escasa, recaudador de alcabalas, que pasa penurias, miserias y amarguras en Sevilla, Valladolid o Madrid. Por su obra desfilan los héroes de su etapa a lo Don Juan de Austria, y se refleja el brillo de las armas vencedoras de Lepanto, y también los pícaros y los trapisondistas, los escribanos y alguaciles, los jiferos y galeotes, los yangüeses y los cuadrilleros de la Santa Hermandad «Cervantes — dice Agustín G. de Amezúa — en su estudio sobre *El coloquio de los perros* — que por razones de familia o necesidades procesales de su oficio, tanto se rozó con alguaciles y escribanos, más singularmente con los últimos, túvoles siempre tan poco amor y estima, que no hay obra suya en que no dispare sus tiros a estos cuervos y pajarracos, sin que... llegara a perdonar aún a los mismos miembros de la curia eclesiástica que sale tan mal tratada como la secular.» En este último punto se piensa en detalles de los entremeses *La elección de los Alcaldes de Daganzo* y *El rufián viudo*; en la novela ejemplar *El licenciado vidriera,* y en pasajes de los libros III y IV del *Persiles.* Mateo Alemán censuraba los cohechos de los alguaciles y escribanos, y en los *Libros de Sala* de la época se tomaban precauciones contra los prevaricadores, como al mandar que los alguaciles y oficiales del crimen: «ni entren en las tabernas... ni coman ni beban en ellas de ninguna forma ni manera» (1613) o que «todos los tratantes en cosas de comer, taberneros, bodegoneros y mesoneros, dentro de seis días, declaren y manifiesten las cantidades de maravedises que les deben cualesquier alguaciles desta corte y oficiales del crimen, para efecto de hacérselos pagar... y de aquí en adelante no presten por sí ni por interpósitas personas ningunas cantidades de maravedises a los dichos alguaciles y oficiales del crimen en poca ni en ninguna cantidad» (1608). El episodio del alguacil y la Colindres, en el *Coloquio* es una sátira punzante, pero viva y real, de muchos sucesos de la época. En el comentario y salvedades de Cipión hay una notable *reticencia* cervantina que indica dónde estaban los males en la mayoría de los casos : «Sí, que decir mal de uno no es decirlo de todos ; sí, que muchos y muy muchos escribanos hay buenos, fieles y legales, y amigos de hacer placer sin daño de tercero ; sí, que no todos entretienen los pleitos, ni avisan a las partes, ni todos llevan más de sus derechos, ni todos van buscando e inquiriendo las vidas ajenas para ponerlas en tela de juicio, ni todos se aúnan con el juez para *háceme la barba y hacerte he el copete* (1), ni todos los alguaciles se conciertan con los vagamundos y fulleros, ni tienen todos las amigas de tu amo para sus embustes. Muchos y muy muchos hay hidalgos por naturaleza y de hidalgas condiciones ; muchos no son arrojados, insolentes ni mal criados, ni rateros, como los que andan por los mesones midiendo las espadas a los extranjeros, y hallándolas un pelo más de la marca, destruyen a sus dueños ; sí, que no todos como prenden sueltan, y son jueces y abogados cuando quieren».

En el episodio de los galeotes — del Quijote — uno de los presos afirma que va a las galeras por falta de unos ducados, con los que a su tiempo hubiera «untado» la pluma del escribano y «avivado el ingenio del procurador, de manera que hoy me viera en mitad de la plaza de Zocodover de Toledo y no en este camino atraillado como galgo». En general, el propósito cervantino es más el de *retratar* tipos para los fines de entretenimiento del género de sus novelas, que trazar sátiras exagerando los rasgos de los oficios y sus defectos. Cervantes ve, retrata, describe personajes y ambientes literarios, mientras que Mateo Alemán censura, insistiendo en los colores negros, en las fallas y tachas, y Quevedo deshumaniza en retorcida y caprichosa caricatura, aunque partiendo de motivos de la realidad. Tras él, Gracián, substituirá la sociedad por una inmensa alegoría, y las figuras de cada oficio o clase por abstracciones de meras virtudes y vicios.

(1) Refrán «con que se da a entender estar uno convenido secretamente con otro para lograr cada uno el fin que desea, sin encontrarse ni embarazarse en los medios de su consecución». (*Diccionario de Autoridades*.)

En Cervantes está la clave de lo literario documental, de toda la Edad de Oro, precisamente por hallarse él en el cruce de los dos siglos, y mirando al pasado y adivinando aspectos del futuro, como lo está de todas las formas literarias y de la doble estética esencial de los siglos XVI y XVII.

En la obra de Cervantes, y, centralmente en el *Quijote*,

Escena galante en un libro del siglo XVI, (Valladolid)

se halla el doble plano de lo que fué la propia vida del autor: el mundo heroico y lo cotidiano de la vida y de la sociedad de la segunda mitad del XVI y primeros años del XVII.

De la misma manera que Don Quijote, mientras no se hable de asuntos de caballerías, se mueve en la más amable realidad de cada día, Cervantes se halla en un realismo objetivista, dentro de la creación literaria más lograda, mientras no surgen los dos mundos idealizantes: el de la aventura heroica y la retórica de un renacentista que miraba mucho a la generación del Emperador. No es causal que sea la obra

básica de nuestro autor la de los hechos y desventuras de
Don Quijote, como también las bromas y la diversión del
libro inmortal. El *Quijote* hay que tomarlo como es, libro
alegre y dolorido a la vez, humorista y burlesco, amargo y
brillante; con refranes y retórica, con modulaciones de estilo, con el más vivo y continuo sentimiento de la naturaleza
y del paisaje que puede ofrecer cualquier autor de su tiempo.
De la misma manera que se reflejan las modas novelescas
y líricas en torno a las dos grandes figuras de la obra, se
recogen las costumbres y usos sociales, en torno a la vida
excepcional y desorbitada de los dos buscadores de aventuras y de ínsulas.

Don Quijote era «un hidalgo» de aldea, «de los de lanza en
astillero, adarga antigua, rocín flaco y galgo corredor». Su
edad «frisaba con los cincuenta años — al comienzo de la
narración» y «era de complexión recia, seco de carnes, enjuto de rostro, gran madrugador y amigo de la caza». Sancho encarna la cordura iletrada, en tipo socarrón y a la vez
ingenuo e infantil, de pueblo castellano. Su instinto le lleva
a acertar en su buen sentido, como al adivinar la capacidad
del arrojo de su amo, si no fuera descarriado, por los espe-
jismos de su locura, como al aconsejarle, dentro de su primaria manera de ver las cosas, que en vez de aventuras de
caballerías «sería mejor (salvo el mejor parecer de vuestra
merced) que nos fuésemos a servir a algún emperador o a
otro príncipe grande que tenga alguna guerra, en cuyo servicio vuestra merced muestre el valor de su persona, sus
grandes fuerzas y mayor entendimiento». La evasión de
Don Quijote, al contestarle, demuestra lo anárquico, y muy
ibérico, del fondo de su condición. Antes, a propósito de la
aventura victoriosa con el vizcaíno, aunque con una *ferida,*
mostraba Sancho su buen sentido: «La verdad sea... que
yo no he leído ninguna historia jamás, porque ni sé leer ni
escribir; mas lo que osaré apostar es que más atrevido amo
que vuestra merced, yo no he servido en todos los días de
mi vida, y quiera Dios que estos atrevimientos no se pa-
guen donde tengo dicho. Lo que le ruego a vuestra majestad

es que se cure, que le va mucha sangre de esa oreja, que aquí traigo hilas, y un poco de ungüento blanco en las alforjas». A través de todo el libro, este doble plano de lo heroico descomunal y fantasioso, y del sentido de la realidad, con sus detalles objetivos más insignificantes, contribuye a dar la visión completa de una España, a la vez llena de quimeras y de practicismo, de ensueños y de realidades, de idealismo y de apegamiento al terruño y al pan de cada día. En el orden religioso, el a la vez idealismo místico y gran sentido organizador y práctico de Santa Teresa, es una prueba histórica de esta doble posibilidad del carácter castellano.

Vamos a señalar unos cuantos motivos del costumbrismo de su sociedad en Cervantes.

COMIDA DE LA ÉPOCA. — La comida de Don Quijote, en su aldea, esto es, cuando era sencillamente Alonso Quijano, consistía en «una olla de algo más vaca que carnero, salpicón las más noches, *duelos y quebrantos* los sábados, lentejas los viernes y algún palomino, de añadidura, los domingos». *Vaca y carnero olla de caballero,* decía el refrán, que cita Covarrubias. El *salpicón de vaca,* según Martínez Montiño, cocinero del Rey *(Arte de cocina, pastelería...),* se condimentaba con un poco de *tocino de pernil cocido,* picado y mezclado con la vaca, sobre el que se echaba pimienta, sal, vinagre y cebolla picada. A Sancho, en su ínsula, le dieron de cena «un salpicón de vaca con cebolla». Sobre los *duelos y quebrantos* se *quebraron* la cabeza los eruditos y comentadores del *Quijote,* y, sin embargo, la cosa era bien sencilla. Rodríguez Marín, el maestro del cervantismo costumbrista español, probó, con diversas citas, que los *duelos y quebrantos* eran un nombre popular dado a los *huevos y torreznos* (los *eggs and bacon* típicos, aun hoy, del *breakfast* inglés): Calderón da la clave en una comedia:

> «...Para una cuitada,
> triste, mísera viuda,
> huevos y torreznos bastan
> *que son duelos y quebrantos.*»

Grabados del siglo XVIII, interpretación deformada del *Quijote*

Bibl. Nacional

Ilustraciones del *Quijote*, ya del siglo XVIII

Bibl. Nacional

En la venta en que fué armado caballero, dieron a Don Quijote, por ser viernes, y por tanto, día de abstinencia, «unas raciones de un pescado que en Castilla llaman *abadejo, y* en Andalucía *bacalao,* y en otras partes *curadillo* y en otras *truchuela*». En la mísera venta (que hace pensar en la próxima a Sevilla en que a Guzmanillo dieron unos huevos semiempollados), la comida era mala y peor presentada. «Mal remojado y peor cocido» el bacalao, y el pan «negro y mugriento». Los cabreros del discurso de *Don Quijote* sobre la *Edad de Oro,* amén de su comida caliente, a base de tasajos de cabra, que hervían al fuego en un caldero, tomaban bellotas y un «queso más duro que si fuera hecho de argamasa». Lejos de aldeas y ciudades, el sustento tenía que ser sencillo y pobre. Los cabreros de Sierra Morena, que cuentan las locuras de *Cardenio,* solían llevar pan y queso; y Sancho, en el capítulo X de la Primera Parte, ofrece, en el campo a *Don Quijote* «una cebolla, y un poco de *queso* y no sé cuantos mendrugos de pan». Y, ante los cabreros y su amo, Sancho confiesa en el capítulo siguiente que «mucho mejor me sabe lo que como en mi rincón sin melindros ni respetos, aunque sea pan y cebolla, que los gallipavos de otras mesas donde me sea forzoso mascar despacio, beber poco, limpiarme a menudo, no estornudar ni toser si me viene gana...» En un famoso soneto de Quevedo, se afirma esta misma anárquica libertad, a costa del mal comer:

«Mejor me sabe en un cantón la sopa
y el vino con la mosca y la zurrapa.»

Otras veces — en la tierra de los contrastes —, Cervantes recoge la abundancia y prodigalidad en el comer. El episodio de Berganza, con su amo del *Matadero,* rebosa la abundancia de carne que había en Sevilla. En cuanto a las *grandes comilonas* en las fiestas, es típico el episodio de las *Bodas de Camacho* en el *Quijote.* «Lo primero que se le ofreció a la vista de Sancho fué, espetado en un asador de un olmo entero, un entero novillo, y en el fuego donde se había de asar ardía un mediano monte de leña, y seis ollas que alre-

193

dedor de la hoguera estaban, no se habían hecho en la común turquesa de las demás ollas, porque eran seis medias tinajas, que cada una cabía un rastro de carne: así embebían y encerraban en sí carneros enteros, sin echarse de ver, como si fueran palominos; las liebres ya sin pellejo, y las gallinas sin pluma, que estaban colgadas por los árboles para sepultarlas en las ollas, no tenían número; los pájaros y caza de diversos géneros eran infinitos, colgados de los árboles para que el aire los enfriase. Contó Sancho más de sesenta zaques de más de a dos arrobas cada uno, y todos llenos, según después pareció, de generosos vinos; así había rimeros de pan blanquísimo, como los suele haber de montones de trigo en las eras; los quesos puestos como ladrillos enrejados, formaban una muralla, y dos calderas de aceite, mayores que las de un tinte, servían de freír cosas de masa, que con dos valientes palas las sacaban fritas y las zambullían en otra caldera de preparada miel, que allí junto estaba». Cincuenta cocineros, narra Cervantes, «todos limpios», eran necesarios en tan *pantagruélica* comida, en la cual, en el vientre del novillo — como pintoresco y significativo detalle — estaban doce lechoncillos, para darle sabor, y las especies, compradas por arrobas, ocupaban una gran arca. Sirve este episodio para no presentar, unilateralmente, el hambre, la mala comida o la escasez, a través del cuadro social del *Quijote*. En este aspecto, como en tantos otros, Cervantes presenta a España como es: desigual, mísera y abundante, pródiga y parca, glotona y ayunadora. Ver sólo uno de los aspectos, como el triste y trágico, olvidando lo risueño y optimista, es dar un Quijote manco y a medias. En todo lo costumbrista como en lo ideológico de la obra se da un doble aspecto, como dice el autor de su protagonista en *El rufián dichoso*:

«Que en él lo triste con lo alegre cabe.»

UNA MERIENDA ENTRE GENTE RUFIANESCA. — Cervantes en el acto I de la obra aludida *El Rufián dichoso*, describe en esta forma la comida que preparan a Cristóbal de Lugo, sus amigas apicaradas de la Sevilla de fines del XVI : (Lagartija es el criado, *gracioso,* de Lugo) :

«LAGARTIJA : La Salmerona y la Pava,
la Mendoza y la Librija,
que es cada cual por sí brava,
gananciosa y buena hija,
te suplican que esta tarde,
allá, cuando el sol no arde,
y hiere en rayo sencillo,
en el famoso Alamillo
hagas de tu vista alarde.

LUGO : ¿Hay regodeo?
LAGARTIJA :   *Hay merienda*
que las más famosas cenas
ante ella cogen la rienda :
cazuelas de berengenas
serán penúltima ofrenda.
    Hay el conejo empanado,
por mil partes traspasado
con saetas de tocino ;
blanco el pan, aloque el vino,
y hay turrón alicantado.
    Cada cual para esto roba,
blancas, vistosas y nuevas,
una y otra rica coba :
dales limones Las Cuevas,
y naranjas el Alcoba.
    Daráles en un instante
el pescador arrogante
más que le hay del norte al sur
el gordo y sabroso albur
y la anguila resbalante.
    El sábalo vivo, vivo,
colear en la caldera,
o saltar en fuego esquivo,
verás en mejor manera
que te lo pinto y describo.
    El pintado camarón
con el partido limón
y bien molida pimienta,
verás cómo el gusto aumenta
y le saca de harón.»

EL PEQUEÑO MUNDO DE LAS VENTAS. — Cervantes reúne diversas clases de personas, ambientes y aspectos en las ventas o mesones que describe, que pudiéramos decir que cabe estudiar un *pequeño mundo* o *síntesis de la sociedad de la época* en cada uno de estos lugares. Fernández de Ribera haría de una de estas ventas, alegoría de toda la sociedad: *El mesón del mundo,* como reza su novela entre picaresca y social. Calderón trazaría una segunda escena entre costumbrista y alegórica de un auto sacramental, *El Gran mercado del mundo,* sobre la *Posada de la culpa,* en que la *La lascivia* es la moza de mesón y el mozo el tipo popular de *Pedro de Urdemalas.* Cervantes con sólo hacer vivir el *mundo abreviado* de una venta, ofrece diversos matices, sumamente complejos e interesantes. Desde luego, la venta ofrece a la fantasía caballeresca de Don Quijote la ilusión del castillo. La primera que aparece en el libro, donde el protagonista es armado caballero, deja un contraste entre la realidad y el idealismo poético del héroe loco: «Luego que vió la venta se la representó que era un castillo con sus cuatro torres y chapiteles de luciente plata, sin faltarle puente levadizo y honda cava, con todos aquellos adherentes que semejantes castillos se pintan». Así las mozas de partido se transfiguran en la mente de Don Quijote en doncellas y graciosas damas, el ventero en castellano; el porquero que toca el cuerno para recoger la piara, en enano que avisa la llegada del caballero; el silbato del castrador, en suave instrumento músico; el abadejo en truchas, y el pan seco y moreno en candeal. Pero la segunda venta, la de Maritornes, que tan importante papel tiene en la primera parte del *Quijote,* es donde principalmente puede observarse este cuadro en pequeño de toda una sociedad. Sin llegar a la idealización de Don Quijote, vemos cómo van penetrando en la venta diversas personas que corresponden no sólo a diferentes estados sociales, sino a opuestas actitudes ante la vida: Don Fernando y Dorotea, Cardenio y Luscinda, el cautivo y Zoraida, el oidor y su hija, y el joven disfrazado de «mozo de mulas», llevan sus aventuras y sus idealizaciones, su retórica y sus amores, sus hechos de guerra y recuerdos de cautiverio, al estrecho recinto con su velón y su mesa redonda, su pobreza exterior que se va transfigurando ante las narraciones estilizadas de sus nuevos moradores. Casi lo de menos son ya las fantasías de la Reina Micomicona, o los cueros de vino atacados como a descomunales gigantes. Todo es allí aventura en realidad, y el humor de Cervantes traza el prodigioso cuadro de confusión y golpes — como en desenfrenada fantasía — en la lucha por el *yelmo de Mambrino,* o bacía que su barbero reclama, casi como la albarda o jaez, tan irónicamente debatida. Maritornes, en los diversos episodios de las dos visitas a la venta, en su realismo tosco hasta lo grosero, feo y más bajamente sensual, pero sin excluir, en la humana concepción de Cervantes, notas de bondad, como al atender a Sancho tras el manteamiento, es una figura inconfundible (1). Lo mismo, la ventera y la hija, y el ventero, y los cuadrilleros de la Santa Hermandad. El propio ventero era cuadrillero también, y los textos literarios de la época hablan de propósitos turbios en muchos de esos casos. Un ventero cuenta en *El pasajero* de Cristóbal Suárez de Figueroa, cómo se hizo del oficio: «Era la venta de un Veinticuatro de la ciudad, mi conocido. Habléle sobre el negocio; vino en él de buena gana, y no sólo quitó del alquiler antiguo, sino que me negoció un salvoconducto para robar más a placer. Este fué un título de Hermandad que se me despachó con todos sus acostumbrados requisitos y circunstancias». En general, una institución tan rígida y severa como la Santa Hermandad había, en muchos casos, degenerado en tal forma a fines del siglo XVI, que Mateo Alemán podía decir en el *Guzmán de Alfarache,* que «los *santos cuadrilleros* es gente nefanda y desalmada, y muchos por muy poco jurarían contra ti lo que no hiciste ni ellos vieron, más del dinero que por testificar falso llevaron, si ya no fué jarro de vino el que les dieron». La venta del *Quijote, campo de Agramante* unas veces, centro de miserias y malicias otras, reposo espiritual en que se oyen las narraciones de hechos heroicos y exóticos o se lee una *novela ejemplar* a la italiana, como *El curioso impertinente,* ofrece todos los ambientes de la sociedad de la época. Describe Cervantes con

---

(1) Otros rasgos de ella son una crueldad entre socarrona y primaria, como en la aventura del ventanillo en que dejan atada una mano a Don Quijote, que desde fuera «rondaba el castillo».

todo detalle a las personas que ven penetrando en este *mundo abreviado* de su *venta*. El oidor «en el traje mostró luego el oficio y cargo que tenía, porque la ropa luenga, con las mangas arrocadas que vestía» certificaban lo que era. Su hija, como de dieciséis años, iba «vestida de camino», bizarra, hermosa y gallarda. Padre e hija venían en un coche, rodeado de algunos hombres de a caballo. Iba él, de oidor a las Indias, a la Audiencia de Méjico. En cuanto al cautivo, mucho de lo que cuenta es autobiográfico de Cervantes. El propio autor asomaba, así com oel pintor en los grandes lienzos del Veronés y Ticiano, a su compendioso y breve mundo.

El mundo heroico. — Cervantes dejó en sus obras ecos vivísimos de su historia de soldado, en el triunfo, en la herida, en la cautividad. En el *Prólogo* de las *Novelas ejemplares,* al trazar su autorretrato literario — en el que, por cierto, al aludir al que le hizo Jáuregui, con el que pudiera el lector «grabarme y esculpirme en la primera hoja de este libro», es lo más probable que se refiriera a un grabado, ya que el gran artista dejó su más famosa galería en las ilustraciones al «Apocalipsis», y no a una pintura — deja así su figura del mundo heroico, en que Don Juan de Austria era el verdadero heredero del brazo diestro, fulgurante, del Emperador: Cervantes «fué soldado muchos años, y cinco y medio cautivo, donde aprendió a tener paciencia en las adversidades. Perdió en la batalla naval de Lepanto la mano izquierda de un arcabuzazo, herida que, aunque parece fea, él la tiene por hermosa, por haberla cobrado en la más memorable y alta ocasión que vieron los pasados siglos, ni esperan ver los venideros, militando debajo de las vencedoras banderas del hijo del rayo de la guerra, Carlos V, de feliz memoria». Y al principio del *Viaje del Parnaso,* Mercurio dice a nuestro poeta:

«Que en fin has respondido a ser soldado
antiguo y valeroso, cual lo muestra
la mano de que estás estropeado.

Bien sé que en la Naval dura palestra
perdiste el movimiento de la mano
izquierda, para gloria de la diestra...»

En la epístola a Mateo Vázquez, escrita en el cautiverio de Argel, evoca Cervantes con todo brillo y entusiasmo, la gran batalla Naval, de cuya presencia, participación y herida estaba, con razón, tan orgulloso:

«Diez años ha que tiendo y mudo el paso,
en servicio del gran Filipo nuestro,
ya con descanso, ya cansado y laso (1),

y en el dichoso día en que siniestro
tanto fué el hado a la enemiga armada,
cuanto a la nuestra favorable y diestro,

de temor y de esfuerzo acompañada,
presente estuvo mi persona al hecho,
más de esperanza que de hierro armada.

Vi el formado escuadrón roto y deshecho,
y de bárbara gente y de cristiana
rojo en mil partes de Neptuno el lecho...

El son confuso, el espantable estruendo,
los gestos de los tristes miserables
que entre el fuego y el agua iban muriendo...

Con alta voz, de vencedora muestra,
rompiendo al aire claro, al son mostraba
ser vencedora la cristiana diestra.

A esta dulce razón yo, triste, estaba
con la una mano de la espada asida,
y sangre de la otra derramaba...»

En la relación del cautivo del Quijote se alude a Lepanto («yo me hallé en aquella felicísima jornada... aquel día que fué para la cristiandad tan dichoso, porque en él se desengañó el mundo y todas las naciones del error en que estaban, creyendo que los turcos eran invencibles por la mar, en aquel día, digo, donde quedó el orgullo y soberbia otomana quebrantada...»), y al contarse las miserias y aventuras del cautiverio de Argel ya con toda claridad, como en el per-

(1) Se supone la carta en verso, escrita en 1577, y por lo tanto sus servicios militares datan de 1567; la batalla de Lepanto se dió en 1571. Cervantes se hallaba, pues, en pleno cautiverio. Fué rescatado en 1580.

sonaje del mismo apellido en la comedia del Trato de Argel, habla el narrador de «un soldado español llamado tal de Saavedra, que dice hubo «hecho cosas que quedarán en la memoria de aquellas gentes por muchos años». «Y si no diera porque el tiempo no da lugar, yo dijera ahora algo de lo que este soldado hizo, que fuera parte para entretenerse y admiraros harto mejor que con el cuento de mi historia». En el prólogo a la Segunda Parte del Quijote, al contestar a las insolencias de Avellaneda, Cervantes dice con cierta amargura: «Lo que no he podido dejar de sentir es que me note de viejo y de manco, como si hubiera sido en mi mano haber detenido el tiempo que no pasase por mí, o si mi manquedad hubiera nacido en alguna taberna y no en la más alta ocasión que vieron los siglos pasados, los presentes, ni esperan ver los venideros. Si mis heridas no resplandecen en los ojos de quien las mira, son estimadas a lo menos en la estimación de los que saben dónde se cobraron; que el soldado más bien parece muerto en la batalla, que libre en la fuga; y es esto en mí de manera, que si ahora me propusieran y facilitaran un imposible, quisiera antes haberme hallado en aquella facción prodigiosa, que sano ahora de mis heridas, sin haberme hallado en ella».

Cervantes, que cantó a la Armada que se envió contra Inglaterra, y lamentó después su derrota, y que consumió en la vida media sus ímpetus heroicos de juventud, es una alta representación de la vida española en el momento de su crisis, entre el mundo heroico y los comienzos de la decadencia: leguleyismo, picaresca, retorcimiento expresivo, frivolidad cortesana. Cervantes evoca siempre «la más alta ocasión que vieran los siglos pasados...» con orgullo y nostalgia; su mundo siente el dolor de una grandeza que comienza a pasar, y no es casual el modo en que concibe la locura de Don Quijote: los sueños caballerescos de una edad que es imposible resucitar... el consumirse su esfuerzo por ventas y caminos, por luchar, no con gigantes y héroes, sino con yangüeses, galeotes y hábiles socarrones como el cura y el barbero de su lugar. Todo el doble mundo de la aventura

Una cocina de gente humilde de la época cervantina *(Velázquez)*

La vendedora de fruta *(Velázquez)*

Col. Coock y M.º de Prado

Damas y galanes junto al río *(Velázquez)*

Reunión de caballeros *(Velázquez)*

M.º del Prado

y nostalgia heroica, y del valor realista de lo cotidiano, intuído con la más poderosa plenitud literaria, se halla en la obra de Cervantes, esencial para explicarnos, no sólo el doble plano literario que se junta en los albores del XVII — retórica y concisión, Renacimiento y Barroco, formas novelescas y poéticas del XVI y anuncios de los nuevos géneros de predominio secentista — sino toda la crisis y evolución de una sociedad y un modo de vivir — las armas, las letras, la moral, la conversación, el tono, en el momento crucial de nuestra Edad de Oro.

BIBLIOGRAFIA

Véanse las ed. del *Quijote,* con notas, de CLEMENCÍN, CORTEJÓN y RODRÍGUEZ MARÍN. — L. RIUS, *Bibliografía crítica de las obras de Cervantes,* Madrid, tres vols., 1895-1904. — J. GIVANEL Y MAS, *Catàleg de la Collecció cervàntica formada per I. Bonsoms,* Barcelona, tres vols., 116-25. — *Reseña de los estudios publicados con motivo del tercer centenario de la muerte de Cervantes,* en *Revista de Filología Española,* 1917. — *Obras completas* de Cervantes, ed. SCHEVILL y BONILLA Y SAN MARTÍN, Madrid, 1914 ; sigs. hasta 1922. — *Obras completas,* íd., ed. Aguilar. — Los estudios de RODRÍGUEZ MARÍN y AMEZÚA sobre determinadas obras de Cervantes, citadas en cap. VI. — MOREL-FATIO, *Le Don Quijote envisagé comme peinture de la société... (Études sur l'Espagne,* t. I, 1895. — J. PUYOL Y ALONSO, *Estado social que refleja el Quijote,* Madrid, 1905. — J. HAZAÑAS Y LA RÚA, *Los rufianes de Cervantes,* Sevilla, 1906. — P. SAVJ-LÓPEZ, *Cervantes,* Nápoles, 1913. — F. A. DE ICAZA, *Las novelas ejemplares de Cervantes,* Madrid, 1915. — A. COTARELO Y VALLEDOR, *El teatro de Cervantes,* Madrid, 1915. — N. ALONSO CORTÉS, *Casos cervantinos que tocan a Valladolid,* Madrid, 1916. — A. BONILLA Y SAN MARTÍN, *Cervantes y su obra,* Madrid, 1916. — J. JUDERÍAS, *La idea del Quijote en España y su evolución,* 1916 *(La Lectura).* — F. CABALLERO, *Pericia geográfica de Cervantes...,* Madrid, 1918. — R. MENÉNDEZ PIDAL, *Un aspecto en la elaboración del Quijote,* Madrid, 1921. — A. FARINELLI, *El último sueño romántico de Cervantes (Boletín de la Real Academia Española,* 1922). — CESARE DE LOLLIS, *Cervantes reazionario,* Roma, 1924. — AMÉRICO CASTRO, *El pensamiento de Cervantes,* Madrid, 1925. — R. DE MAEZTU, *Don Quijote, Don Juan y la Celestina,* Madrid, 1926. — F. RODRÍGUEZ MARÍN, *Las supersticiones en el Quijote,* Madrid, 1926. — E. CAMERON, *Woman in Don Quixote (Hispania,* California, 1926). — J. MILLÉ Y JIMÉNEZ, *Sobre la génesis del Quijote,* Barcelona, 1930. — P. HAZARD, *Don Quixotte* de *Cervantes, étude et analyse,* París, 1931. — H. ROSENKRANZ, *El Greco and Cervantes in the Rhythm of Experience,* Londres, 1932. — R. SCHE-

VILL, *The Education and Culture of Cervantes (Hispanic Review,* 1933). — RICARDO ROJAS, *Cervantes,* Buenos Aires, 1935. — SALVADOR DE MADARIAGA, *Guía del lector del Quijote,* Madrid, 1926. — JOSEPH BICKERMANN, *Don Quijote y Fausto: los héroes y las obras,* trad. con prólogo del P. Félix García, Barcelona, 1932. — M. DE UNAMUNO, *Vida de Don Quijote y Sancho,* tercera ed. Renacimiento, 1928. — A. VALBUENA PRAT, *Cervantes escritor católico,* en *El sentido católico en la literatura española,* Zaragoza, 1940.

CAPÍTULO X

LA VIDA DE ALDEA EN EL TEATRO
DE LOPE DE VEGA

BAILES, CANTOS Y VIDA DE ALDEA. — Lope en su deliciosa comedia *El Aldegüela,* sobre un hijo bastardo del Duque de Alba, que transcurre en el Barco de Ávila, entre el puerto de Santiago del Collado y la Sierra de Gredos, y *trazado* en *villanesco,* hay cantores y danzas de lo más típico:

> «Molinera hermosa y bella,
> ya ha salido el sol sin vos;
> pero no me ayude Dios
> si no me parece bella.»

Para hacer vivir el ambiente, sale Benito «molinero» por una ventanilla, para continuar el cantar, duermen los mozos en los pajares, y el viejo dice a María:

> «Limpia el avantal, Marica,
> que va cubierto de harina.»

A un enamoradizo, le dicen: «Molióte la molinera». Y cantan éstos otra letra, del mismo carácter:

> «Linda molinera,
> moler os vi yo,
> y era la harina
> carbón junto a vos.»

Ahí mismo surge otro nuevo y bello cantar de aldeanos:

> «Salteáronme los ojos
> de la mozuela.
> Diles más que pedían,
> ¿de qué se quejan?...»

Forman corro los villanos, mientras que los corderos «en compactos escuadrones, retozan del agua al son». Se sientan aldeanos y aldeanas «a la puerta de la ermita»: uno de ellos está cansado de tanto bailar, y otros tratan de casamientos. Marica «nació en ese arroyo que está donde se ve aquel molino». Y de nuevo sigue el baile y el cantar:

> «Serranas del Aldegüela,
> las mañanicas de abril
> al valle salen alegres
> porque se empieza a reír.
> Cuál hace verdes guirnaldas
> de trébol y toronjil,
> y cuál coge maravillas,
> cárdeno lirio y jazmín.
> Los zagales que las siguen
> por el natural jardín
> dulces canciones le cantan,
> y tocan, bailando, ansí:
> *Flores cogen las zagalejas, mas ¿para qué?*
> *que ni lucen ni huelen ni tienen color,*
> *con mejillas y boca de grana y clavel.*»

El poeta nos hace vivir las rivalidades y emulaciones de unos pueblos con otros:

> «Esta fiesta se autorice,
> que no nos ha de vencer
> Santiago del Collado
> en la fiesta y alegría...»

Y aun en el diálogo, aparecen los cantares:

> «Parecéis, molinero, amor,
> y sois moledor.»

Se percibe el verano intenso de Castilla, aun en tierras de la sierra: «Mire que es cruel la siesta. Quítese del sol.» Benito expone cuáles son sus riquezas: «Seis costales, un jumento... cuatro cochinos...

> «y en mi aposento
> dos o tres haldas de harina,
> dos colchones y un jergón,
> tres ollas y un artesón
> con una oveja en cecina.
> María tiene dos patenas
> que su madre la dejó
> estas fiestas las sacó:
> viejas son, pero son buenas.»

En *La tragedia del Rey Don Sebastián,* Lope describe y pone en acción la fiesta y romería de la Virgen de la Cabeza. Van en carros con guitarras y sonajas, con regocijo y estrépito. Cantan:

> «A la Virgen bella
> rosas y flores,
> de Jaén y Andújar
> los labradores...»

CARRETERO : ¡Arre aquí que se adelanta!
                ¡Arre, mula de la hermosa!
JEGNE : No canta mal.
CARRETERO :   Muy bien canta.
JEGNE : ¡Bravo carro!
ZAYDE :   ¡Linda cosa!
JEGNE : Lo que se alegran me espanta.
        ¿Son pretales éstos?
ZAYDE :   Son
cascabeles de las mulas.»

Suena el atambor junto a la ermita y se hacen representaciones de moros y cristianos. «Salgan con gran fiesta, a armar una tienda, mujeres y hombres con guitarras y adufes, bailando como se usa en Andalucía, en la fiesta de la Virgen de la Cabeza.» «Siéntense a merendar y beber. Otro por otra parte, con la misma música, a plantar otra tienda enfrente, y diga una mujer:

> «¡La Virgen de la Cabeza!»

«Respondan todos»:

> «¡Quién como ella!»

Después de burlas, juegos de esgrima, moros, cristianos y frailes, como apoteosis de la fiesta: «Tocándose campanas y chirimías, venga por un palenque, si le hubiere, y sino por la puerta del vestuario y entre por la otra, la procesión, con velas y labradoras y detrás las andas en que vaya la Virgen: llevarán algunos estandartes y una danza de gitanos o zapateadores.»

En el modelo de Calderón, *El Alcalde de Zalamea,* de Lope, vivimos la sencilla vida de la aldea. En las diluídas

escenas de Lope, que superó en intensa condensación la re-
creación calderoniana, hay, con todo, bellezas de otro orden
y ambientes naturalísimos. En Lope, Pedro Crespo, está
poniendo una esquila al collar de un buey; pide su capa y
su vara, y quiere evitar que metan mano o sisen «en la carne, vino y pan», el escribano y los regidores. Entre los que
le piden justicia, va un hombre que compró «un copete y
un baquero», dejando un jarro con dinero en prenda; un
«tendero con *Horas* y rosario al cuello». También nos hace
vivir las fiestas del pueblo: toque de atabales, y van todos de
azul y amarillo, y las mulas llevan covertores «hasta los
tobillos». Al decir el alcalde que no se encuentra bien, las
hijas quieren sahumarle con romero bendito. Todas las ex-
presiones son propias de la vida de aldea: «No me moverán
de aquí cien bueyes.» «Si la mohosa no me la arrancan del
brazo, ¡por Dios que han de conocer quién es el gañán!»
«De la agua vertida dicen no toda cogida.» «Es el ternerillo
que hemos de matar mañana.» «Son los lechones, que está
aquí cerca el chiquero.»

En *San Diego de Alcalá* hay mucho ambiente popular:
procesión y danzas, labradoras, fiestas con pandero y sonajas:

> «Préstame unas castañuelas,
> desposada. Así te goces,
> que entre relinchos y voces
> se conozcan.»

La ermita de la Virgen de la Esperanza está bien aderezada. El ermitaño le dice a Diego, el muchacho labrador y
futuro santo:

> «Mira que es hora
> de venir la procesión;
> y pues en esta ocasión
> mayo los campos enflora,
> corta lirios y retamas,
> corta rosas y alhelíes,
> que de esmaltes carmesíes
> bordan esas verdes ramas,
> y adereza cruz y altar
> y echa hinojo por el suelo.

> DIEGO : Las flores quiero coger
> mientras subís a tañer,
> pues ya véis la procesión.»

En la procesión llevan a la Virgen en andas con muchas flores, y Diego va echando rosas delante de la imagen:

> «DIEGO : Salto, bailo de placer,
> haciendo son con las palmas :
> Que os quiero y os amo tanto
> que he de cantar y tañer.»

Y así es la danza y el canto en todo el teatro de Lope — divino y humano —. Canto y danza por puro amor. Y por pura afición.

> «Comer, bailar y rascar,
> Marcia, todo es comenzar.»

dice Bato en *Los prados de León,* cuyo baile ante la fuente es hermano del salto del puro pensamiento de amor, que lleva las almas tras sí, y que bellamente expresa el personaje llamado Silverio:

> «¡Oh, Lucindo, daba al viento
> las alas del pensamiento,
> que va volando sin mí.»

Así, solos, sin dominio ni límite, parece como si todos los personajes de Lope fueran iniciando un aire de danza, para no parar nunca. Tal vez la danza sea el motivo que más podría resolver en un término e idea la resultante de la acción vertiginosa y poética de las comedias de Lope. Y danza, sobre todo, de aldea. La danza de Peribáñez, de El galán de la Membrilla, la de El villano en su rincón, y El aldehuela, sin excluir la cortesana evocadora de ciudades y de cortes, que viene a ser como el artificio en que se repita, hecha fórmula, la espontánea vivacidad, el aire sano, natural y esencialmente español de los bailes de los segadores y las lugareñas, de los vareadores y celebrantes de vendimias y cosechas.

Y como complemento de las danzas espontáneas y artificiosas: de aldea y de corte, las extravagantes y pintorescas, las exóticas y forasteras: las de negros, o de indios, o alguna caricatura como la de vizcaínos, si bien con el aire auténtico del zorzico vasco, de *Los ramilletes de Madrid.*

DANZAS Y CANTOS DE BODAS. — Hay una cantidad de temas y modalidades. En *La Maya,* de Lope, se canta esta «letra»:

> «Dió el novio a la desposada,
> corales y zarcillos y patenas de plata.»

Las aldeanas iban a estas fiestas, como las describe el mismo Lope al frente del *Auto de los Cantares,* «con sus capirotes, sayuelos y basquiñas, y delantales y cayados». Eran típicos el *baile de la zarzuela:*

> «Yo me iba, madre,
> al monte una tarde...»

O el de la gallarda:

> «Corren caballos aprisa,
> ¡tápala, tapa, tápala, tapa!
> Corrido va el toro,
> el hombre se escapa
> porque dios que le mira
> le echó la capa.
> ¡Tápala, tapa, tápala, tapa!»

O un cantar de ronda de enamorados:

> «¡Si queréis que os ronde la puerta,
> alma mía de mi corazón,
> seguidme despierta,
> tenedme afición;
> veréis cómo arranco
> un álamo blanco,
> y en vuestro servicio
> le pongo en el quicio:
> que vuestros amores míos son.»

En una fiesta de bodas, entre pescadores (en *El vaso de elección* del mismo Lope), sacan «un árbol que es el tálamo», y salen aldeanos y aldeanas con variedad de colores en los trajes y cantan y bailan:

Escenas de costumbrismo piscatorio. De la obra *Civitates orbis terrarum*, dibujada por *Hoefnaegel*. 1564

Danzas de aldea. — Corro y danza popular

De la obra *Civitates orbis terrarum,*
dibujada por *Hoefnaegel* en 1564

MÚSICOS : Tálamo de amor,
¡cuán bien que parecéis hoy!
UNO SOLO : No parece el alba,
no parece el sol,
no parece el mayo,
la mitad que vos.
Siempre a vuestros ojos
cante el ruiseñor
canciones de amores
y de celos no.
Vuestras ramas vista
en cada ocasión
el mayo de fruta
y el abril de flor.
MÚSICOS : Tálamo de amor,
¡cuán bien que parecéis hoy!

En *Peribáñez,* Lope comienza su obra con fiestas de boda, en ciudad y aldea. Salen Peribáñez y Casilda de novios, la madrina, el cura, labradores, labradoras y músicos. Se emplea la fórmula usual de felicitación a los desposados: «Largos años os gocéis». Casilda al ser requebrada por el esposo oye las ofertas de productos más naturales en la villa de Ocaña.

«Toda esta villa de Ocaña
poner quisiera a tus pies...
El olivar más cargado
de aceitunas, me parece
menos hermoso, y el prado
que por el mayo florece
sólo del alba pisado.
No hay camuesa que se afeite
que no te rinda ventaja,
ni rubio y dorado aceite
conservado en la tinaja,
que me cause más deleite.
Ni el vino blanco imagino
de cuarenta años, tan fino
como tu boca olorosa;
que como al señor la rosa
le huele al villano el vino.»

En el canto de los músicos, en que bailan los labradores y labradoras, campos, fuentes y ríos, alisos y almendros, lirios y tomillos, fulgen y aromatizan desde los versos rápidos de la letra para cantar, mientras el poeta nos hace vivir, en-

tre la gaita y el ruido, el correr de novillos para celebrar
la fiesta. Entre el baile, aparece la típica folía de las danzas
de bodas:

> «Y a los nuevos desposados,
> deles Dios su bendición;
> parabién les den los prados,
> que ya para en uno son.»

Casilda, al responder antes a las ofertas y galanteos de
su esposo, ha aludido al tamboril de la fiesta de San Juan,
a la verbena y arrayán, adufes y salterio, al

> «hornazo en pascua de flores,
> con sus picos y sus huevos»,

al mazapán que se come en las fiestas de los bautizos.

En *Fuente Ovejuna,* tras el canto de «¡Vivan muchos
años los desposados! ¡Vivan muchos años!», en el cantar
de bodas se introduce un romance que alude a los hechos
famosos en la aldea del tirano y enamoradizo comendador:

> «Al val de Fuente Ovejuna,
> la niña en cabellos baja;
> el caballero la sigue
> de la cruz de Calatrava.
>
> Entre las ramas se esconde,
> de vergonzosa o turbada;
> fingiendo que no le ha visto,
> pone delante las ramas.»

Tras lo cual una voz sola, entona una variante de seguidillas:

> «¿Para qué te escondes,
> niña gallarda?
> Que mis linces deseos,
> paredes pasan...»

En *Los novios de Hornachuelos,* sea de Lope o de Vélez,
aparece, para la escena de las bodas, «Marina, de villana simple, con zapato de vaca y cabello corto y enharinada la cabeza» y Berrueco «a lo gracioso», «dadas las manos al re-

vés», acompañados de los alcaldes. La gente adinerada del pueblo va «con basquiñas de seda y grana». Abre paso a la comitiva como un *guión* o estandarte,

> «Antón, el tamborilero,
> tocándoles las folías...»
> «El barbero y el albéitar,
> preciados de guitarristas
> pidieron al sacristán
> les hiciese una letrilla.»

Sobre la cabeza lleva la novia un alto copete que parece *campanario*. Tocan chirimías, y van todos a la ermita. «El cura salió, con capa (pluvial) a recibillos». El sacristán pone a los novios el yugo «de volante y cintas». Hace de organista el sastre de la aldea:

> «En el órgano entretanto
> rajas el sastre se hacía
> hilvanando una *sonata*
> mal tocada y bien cosida.»

Tras la música, los *villanos, relinchan* de música y bailes. Cantan una letra de bodas muy popular — análoga a la *Maya:*

> «Esta novia se lleva la flor,
> que las otras no.»

Muchas de estas fiestas de boda, no tenían nada que envidiar a las refinadas elegancias cortesanas: «No han de igualar de esta fiesta, de la Corte los Saraos», dicen en *La juventud de San Isidro,* en la escena del casamiento. «Hoy ha de haber castañeta»:

> «Toca, que pienso romper
> en este zapateado
> las suelas que en el mercado
> puse a los blancos ayer.»

Se cantaban y bailaban temas de motivos guerreros como el de *Moros y cristianos,* llamado de los *Almoravides:*

> «¡A ellos, Santiago a ellos,
> al arma, al arma, al arma!
> ¡Guerra, guerra a sangre y fuego,
> que así mueren los buenos caballeros!»

Esta danza y canto era de localización netamente madrileña:

> «Los almoravides
> reyes de Toledo
> con tres mil moriscos
> a Madrid vinieron...»

Aludiese al oso del escudo de Madrid; y, bellamente, se evocaba a la celestial patrona, protectora de los cristianos:

> «La Virgen de Atocha,
> en dorados cercos
> hechas sol las nubes
> pareció sobre ellos.»

Y en las felicitaciones a los novios abundaban frases como éstas: «¡Dios os dé un hijo, a cuyas bodas bailemos!» Respecto a las danzas *con acción*, Rodrigo Caro (*Días geniales o lúdricos*) cita algunas que «hemos visto este año (¿1626?) en los teatros y coliseos de Sevilla» en que «el músico que tocaba la vigüela iba cantando la historia, y el bailarín danzando las piezas de él: así se bailó *El caballero de Olmedo* y la *Fábula de Píramo y Tisbe,* y a ésta traza otras». Refiriéndose a los *bailes lascivos,* dice que parece que el diablo los ha desenterrado del Infierno y se lamenta de que «lo que aún en la república de los gentiles no se pudo sufrir por insolente, se mira con aplauso y gusto de los cristianos, no sintiendo el estrago de las costumbres y las lascivias y deshonestidades que suavemente bebe la juventud con ponzoña dulce, que por lo menos mata al alma: y no sólo un baile, sino tantos que parece que faltan nombres y sobran deshonestidades: tal fué la *Zarabanda,* la *Chacona,* la *Carretería,* la *Topona, Juan Redondo, Rastrojo, Gorrona, Pipirronda, Guiriguirigai,* y otra gran tropa de este género, que los ministros de la ociosidad, *músicos, poetas y representantes,* inventan cada día sin castigo». En cambio, reconoce Caro que hay otra *danza de honesta saltación,* como las que «en las fiestas del *Corpus Christi* en todas las ciudades de España se usan, con rico adorno de vestidos».

BAILE DE SEGADORES Y OTROS DE ALDEANOS. — Sirva de ejemplo éste de *El labrador del Tormes,* publicada como de Lope en la Nueva ed. de la Real Academia, aunque el estilo, por lo menos, si es de él, está muy alterado :

«MÚSICOS : Garridica yo sí, morena,
es la segaderuela ;
más almas que espigas,
el valle sustenta :
han muerto sus ojos
con luces de estrellas.
     ¡Ay de los que miran
aunque águila sea,
pues su atrevimiento
llora y paga en pena !
     Garridica yo sí, morena,
es la segaderuela.»

Con el son del canto, «todo hombre aturdido va», comenta un personaje, y más «si ha dormido en los vapores del gazpacho», comida propia de tierras de Salamanca, así como de Extremadura y Andalucía.

Más sabor de Lope tiene la *villanesca* asturiana de *Más valéis vos,Antona, que la corte toda,* en cuyo título vive ya la contraposición de la aldea a la corte, tan de gusto de la Edad de Oro. En ella cantan y bailan esta típica danza :

«Cuando baila Antona,
me repica, me bulle, me brinca la boda.
     Cuando Antona, siempre igual,
con flores al verde Abril,
toca en dedos de marfil
castañuelas de nogal.
     Cuando en sudor de cristal
corales la bañan toda,
me repica, me bulle, me brinca la boda.
     Cuando baila Antona,
me repica, me bulle, me brinca la boda.»

De siega es el canto de *Más vale salto de mata que ruego de buenos* (de la juventud de Lope — 1588 a 90) ;

«Alabanzas al Señor,
que la siega es acabada...»
«Esta sí que es siega famosa,
ésta sí, que las otras no.»

Se describe a los segadores de Gerona, «coronados de los trigos, que en esas parvas se ven».

> «Y plega a Dios que de modo
> otro año lo veais crecer,
> que no pudiendo con hoces,
> con guadañas lo seguéis.»
> «Rompan los aires sutiles
> las cañas de tres en tres,
> y llegue el trigo en las trojes
> a la más alta pared.»

EL CAMPO Y LOS TRIGALES. — Lope nos hace vivir el campo, y sus faenas, las mieses, la labranza, el paisaje de trigales de Castilla:

> «¡Oh, bendiga Dios el trigo
> y qué fuertes cañas tiene!»

La arena ardiente; el placer de la sombra; los labradores, tendidos, apurando las botas de vino añejo, fatigados, a la siesta, de haber madrugado mucho; para volver después «a derribar trigo al suelo». Todo el paisaje queda imbuído en unos pocos versos, con hondura lírica y color local:

> «Aquí parece que suena
> más fresco el aire, que coge
> la regalada marea
> del agua de Manzanares
> que estos álamos alegra.»

BAUTIZOS Y TORRIJAS. — En esta misma comedia (*La niñez de San Isidro*) nos hace vivir el autor el costumbrismo de aldea, en los nacimientos y bautizos:

> BATO : Yo me zampo en la cocina,
> que pienso que Antona y Juana
> andan haciendo torrijas.
> ANTÓN : Serán para la parida.
> BATO : Todos también parte alcanzan.
> ¡Oh, cómo huele el aceite!
> ANTÓN : Aquí suena la cuchara
> con que se baten 'os huevos.
> BATO : Parece que se levanta
> la espuma, y que con el pan
> se embebe, Antón, y se baja.
> Tragando estoy las torrijas...

214

«Sale Bato con el plato de torrijas», y todos se las disputan :

> BATO : ¡ Viva muchos años Juana
> que tal plato de torrijas
> me ha dado !
> ANTÓN : ¡ Bien te las zampɪs !
> DOMINGA : ¡ Dame la más empapada !
> BATO : Tomará la más enjuta.

Y el sacristán les dice, que en la iglesia, acabado el bautizo, «comerán el mazapán». Y en la comitiva del bateo, no falta «una danza de espadas».

ORACIONES Y DEVOCIONES POPULARES. — Llegaban a veces a los linderos de lo supersticioso. Lope en *Los muertos vivos*, hace decir a Gila :

> «¡ Válgate la emparedada
> que era oración de mi agüela,
> de San Cristóbal la muela
> y de San Blas la quijada.»

AMORES ALDEANOS. — En caricatura es un rico y pintoresco cuadro de época el de la descripción de Gila en *Los muertos vivos*:

> «Cierto día,
> Dios y en buena hora sea,
> iba yo desde mi aldea
> por agua a una fuente fría,
> en la ocasión que Doristo
> la aceituna vareaba...»

BIBLIOGRAFIA

Véanse las ed. de teatro de Lope, de la Real Academia Española (con observaciones preliminares de Menéndez Pelayo) y la Nueva Edición de la misma Real Academia, por COTARELO, GARCÍA SORIANO, etc. ; *Obras sueltas*, ed. SANCHA ; ed. y estudios por J. F. MONTESINOS, de *El cuerdo loco, La corona merecida, El marqués de las Navas, Pedro Carbonero,* en *Teatro antiguo español* ; íd. de *Santiago el Verde,* en la misma colección. Ed. de *Peribáñez, por* A. BONILLA Y SAN MARTÍN («Clásicos de la Literatura española»). Madrid, 1916 ; ed. de *El villano en su rincón,* por Joaquín de Entrambasaguas («Bibliotecas populares Cervantes») ;

ídem de *Fuenteovejuna*, por A. V. en íd. — RICARDO DEL ARCO Y GA-
RAY, *La sociedad española en las obras dramáticas de Lope de Vega,*
Madrid, 1942. — PFANDL, *Cultura y costumbres del pueblo español de
los siglos* XVI *y* XVII, trad. F. García, Barcelona, 1929 ; *Cancionero musical y poético del siglo* XVII, recogido por Claudio de la Sablonara,
edición J. Aroca, Madrid, 1916. — JULIO CEJADOR, *La verdadera poesía
castellana,* cinco vols., 1921-24. — J. F. GILLET, *Notes en the language
of the rustics in the drama of XVIth century* (*Homenajes a Menéndez
Pidal,* I.), etc.

Escenas de la vida cortesana en el siglo XVII, según *Velázquez*

M.º del Prado

Escenas cortesanas del siglo XVII *(Velázquez)*

M.° del Prado

Capítulo XI

ALGUNOS TIPOS Y COSTUMBRES DEL SIGLO XVII

Ante la riqueza y abundancia de motivos costumbristas del siglo XVII, que han tenido reflejos literarios de mérito, escogemos solamente unos cuantos ejemplos que dejen adivinar perfiles típicos de la sociedad de los tres últimos Austrias, especialmente de los reinados de Felipe III y Felipe IV. Aunque algunas obras escogidas suponen la acción — comedias, por ejemplo —, en otras épocas — los caracteres y ambientes, como era corriente en su tiempo, se refieren a su momento presente.

Tipos de la época. El sacristán. — En *San Isidro Labrador de Madrid,* de Lope, aparece «un sacristán» que recorre la Iglesia, con una vela, y cuyas lamentaciones parecen hermanas de las de *Lazarillo* cuando era monago o acólito del clérigo de Masqueda :

> «Sacristán : ¡Buenos andamos a fe!
> No hay un entierro en un año.
> Parece que a reino extraño
> la muerte a vivir se fué...
> Ya que peste u otros tales
> no vienen a coyunturas,
> todos aciertan las curas,
> todos entienden los males.
> Después que soy sacristán
> solamente les da tos.
> Bien medraremos, por Dios,
> con cuatro ochavos y un pan.»

Pinta Lope en él la despreocupación por las cosas piadosas, típica en el sacristán. Ante el mozo Isidro, que frecuenta la Iglesia y pregunta si hay misa de madrugada, el sacristán comenta:

> «Este que royendo santos
> antes que amanece el día,
> no deja en Santa María
> pilares, losas y cantos
> detrás de donde no esté...»

Uno de los tipos más graciosos de sacristán es el de *La Buena Guarda* (comedia sobre la abadesa sustituída por la Virgen). Este Hermano Carrizo, sacristán, con su sobrepelliz, riñe a unas damas, que sólo van al templo a ser vistas, y apenas llegan a misa, por lo tarde. Pero al quedarse solo, oye las músicas y fiestas del Carnaval, y tras complacerse en ellos, alza su sotana, y quiere ir tras las máscaras por la calle, y cómicamente queda avergonzado al ver que le sorprende el mayordomo del convento.

TRAJE DE CABALLEROS. — Con gracia aldeana, pone Lope en boca de Inés *la villana de Getafe,* la descripción de un galán, que halló en Madrid, en la calle, no lejos de «adonde — al santo flechado — hacen una torre, esto es, del San Sebastián de Atocha»:

> «Estaba en su puerta
> un hidalgo noble;
> sombrerito bajo,
> cuya falda entonces
> de dosel servía
> a los dos bigotes;
> el cuello, parejo,
> haciendo arreboles;
> de blanco y azul
> los puños disformes,
> que de servilletas
> sirven cuando come;
> lienzo de narices,
> nuevas invenciones;
> y rostros y manos
> en que se los pone,
> parecen tres caras
> con cuellos conformes.»

Su calza era «a lo nuevo: con zapato doble», y llevando «la espada a lo bravo». Y con *chamelote de aguas,* por capote, afarrado, con tres guarniciones, en felpa. Es muy bello el juego ingenioso con los colores del traje de galán, en relación con la dama de que está enamorado, en boca de Floriano, en *El dómine Lucas* del mismo Lope:

> «Otros, para ver sus damas,
> sacan libreas costosas,
> en las cubiertas, vistosas:
> manifestando sus llamas.
> Ponen morado de amor
> y nácar de crueldad,
> carmesí de voluntad
> y pajizo de temor.
> Y yo, con tanta firmeza,
> pongo, a la luz de mi espejo,
> un vestido negro y viejo,
> porque es vieja mi tristeza.»

Motivo éste — negro, vieja tristeza — que en *espíritu azoriniano,* me lleva a hacer pensar en el color, el traje y la expresión melancólica de los retratos de los caballeros del Greco. A éstos, como a Floriano de esta comedia de Lope, no se les podrá quitar, el «dolorido sentir» de los versos de Garcilaso y de la glosa — en el 98 — de Martínez Ruíz.

MODAS DE LAS DAMAS. — Sobre las modas femeninas, se dice en la comedia de Lope, *La nueva victoria de Don Gonzalo de Córdoba* (que se refiere a un descendiente del Gran Capitán, hermano del Duque de Serna):

> «Que las mujeres han dado,
> digo algunas, en querer
> vestirse por modo extraño;
> han hecho hacer de algodón,
> como las flamencas, aros,
> el talle por las rodillas,
> el chapín de vara de alto,
> con que cuando se desnudan,
> de más cáscaras y trapos
> que un palmito de Valencia,
> sale un espíritu flaco.»

Quiñones de Benavente en sus entremeses de *El guardainfante* (primera y segunda parte) ridiculiza esta prenda de vestir: «Echan una maroma al vestiario, y sale atada de ella Josefina Román, muy hueca». «¿Es mujer?», se preguntan todos, y uno afirma que es

> «la tarasca,
> que ya sale por el Corpus
> medio sierpe y medio dama».

Ella va sacando de su *guardainfante*, ballenas, paja, esteras, etc. Y Josefa canta (bailando a la vez):

> «Lo que se usa, señor alcaldito,
> gracioso y bonito,
> dice el refrancito
> que nunca se excusa;
> y por sólo hacer lo que vemos,
> las hembras traemos,
> aunque reventemos
> tanta garatusa, tusa, tusa...»

Para sacarla a escena han tenido que derribar un tabique. Y en otro entremés *(La Melindrosa)*, Lobato llama a Marisabidilla:

> «Trampa con guardainfante,
> treta con alma, chanza de portante,
> enredo con basquiña,
> embuste de dos pelos, fondo en niña...»

Ridiculizando la ampulosidad de los trajes de época, Quiñones hace que la protagonista de este entremés diga a su sastre que su ropa tenga una manga en la que quepa un talego de cien ducados.

ARREOS DE VIAJE. — Lope, en *La villana de Getafe* (al comienzo), define así,

> «*el caminante ajüar:*
> maleta, portamanteo,
> rocín, fieltro y guardasol».

Y en *Los yerros por amor*, se dice sobre los enseres de viaje:

> «MONZÓN: Poned cojín y maleta,
>   que ya salgo.
> LOPE: ¿Qué hay, Monzón?
> MONZÓN: Que ha llegado un postillón,
>   con su azote y su corneta...»

EL DÍA DE FIESTA. — Esta loa, llamada *En alabanza del domingo*, recoge estos motivos de los días de fiesta:

«Nosotros deseamos los domingos,
porque en domingo viene mucha gente,
y siempre las *comedias* en domingo
representamos todos con más gusto,
porque en domingo hay siempre más dineros.
Los galanes desean los domingos
para ver a sus damas en la iglesia,
o sin el almohadilla a la ventana.»

Zabaleta ha tratado estos motivos en su *Día de fiesta por la mañana* y *Día de fiesta por la tarde,* de sobra conocidos.

DESAFÍOS Y DEVOCIÓN. — En la interesantísima vida de Don Diego Duque de Estrada (primera parte del libro intitulado *Comentarios del desengañado de sí mesmo, prueba de todos estados y elección del mejor de ellos,* o sea *Vida* del mesmo autor que lo es Don Diego Duque de Estrada — 1607-1614, etc.), se cuenta cómo en Palermo tuvo un lance con un valentón que le desafió. Al decirle Estrada : «Váyase con Dios, que tiene gana de morir», él respondió : «Tengo muchos deseos de probar esos milagros que cuentan de V. Md., que si no los veo, no los creo». «Amohinéme, y le dije : —Pues venga para que los pueda contar, y sea sin alboroto. Salimos por la puerta del cuartel que está junto a la de la ciudad. Íbame él contando sus valentías, y diciendo que a hombres de mi tierra había él dado muchas cuchilladas y quitado la espada. Yo le decía : —Huélgome mucho de reñir con hombre tan valiente. Quiso sacar la espada a vista de la ciudad, pero yo no le di cuerda para sacalla durante media legua, hasta que llegando a tocarme en un amigo, y faltándome la paciencia, le dije : —¡ Pícaro, mientes, que don Juan es hombre que te matará a palos ! Y sin arrojar la capa y el sombrero, cosa acostumbrada, terciándola, saqué la espada y daga, haciendo de él harto poco caso por su mucho blasonar, cosa muy propia de gallinas para hacerse temer. Sacó su espada con mucho orgullo y me embistió, pero con tan poca fortuna, que le pasé la garganta con la espada, de parte a parte, y al sacársela le di una cuchillada en la mano izquierda... Yo estaba tan enojado del mal que había dicho de mi paisano, que embestí con él para acabar de matarle ; pero al tiempo que iba a tirarle otra

221

estocada, dijo, poniendo la punta de la espada en tierra:
—No me mates, por la Virgen del Carmen. Yo entonces,
quedándome en la mesma figura, digo postura de brazo y
cuerpo, me detuve diciendo: —¡Voto a Cristo, topaste con
mi abogada, que, si dices otra Virgen, te mato! Rara necedad, pero graciosa; pues todas las advocaciones y títulos de
todas las imágenes de Nuestra Señora representan una;
pero habiendo desde mi niñez tenido tanta devoción a esta
invocación del Carmen, de quien he recibido infinitas veces
la vida ya perdida, por su intercesión, parece que así como
su sagrado nombre me consuela, cuando en mis necesidades
la llamo, así cuando oigo su bendito nombre me encoge y
hiela para no ofenderla. Con la espada en la forma dicha,
mi adversario dijo: —Yo soy muerto. A que le respondí:
—Ni eres muerto, ni te quiero matar, porque quiero que
primero, ya que has visto mis milagros, que no creías, te
cures y los cuentes; y, en sanando, te acabaré de matar.
Y con la misma galantería, envainé, y me fuí a la iglesia
de la Magdalena de franciscanos.» Aparte de todos los aspectos de valentonería desgarrada, individualismo anárquico
y semejanza con situaciones de la comedia de la época, en
lo que hace al sentimiento instintivo religioso, coincide con
situaciones como la de *La devoción de la Cruz* de Calderón,
en que Eusebio, al pedirle *confesión* su rival herido de muerte, Lisardo, *por la cruz en que Cristo murió,* el valiente
vencedor, en vez de rematarle, le lleva a cuestas al templo
más cercano. Respecto a la invocación a la Virgen en *Los
favores del mundo* de Alarcón, hay una situación semejante.

MADRID Y EL TRASLADO DE CORTE (1600-1601). — Es interesante el cuadro de Madrid en tales momentos que traza
Baltasar Porreño en sus *Dichos y hechos del... Rey Don
Phelipe III, el Bueno:* «En esta villa (en Madrid) estaba Su
Majestad, gozando de las comodidades de su Real Palacio y
de las muchas que fuera de su casa y cerca de ella tenía
a la vista: la alegre casa de campo con su parque y las
demás delicias que allí se ven; al un lado de Madrid, el entretenido Aranjuez, gozado en la primavera; al otro, el fresco

sitio de San Lorenzo el Real, a propósito para pasar el rigor del estío, con los entretenimientos que hay alrededor de él... Todo esto pudiera estorbar la ejecución de la mudanza de la gran Corte... a otro lugar, que por este tiempo se comenzó a tratar y se efectuó el año de 1601». Porreño interpreta el traslado como debido a que Felipe III atendiera a «grandes conveniencias y bienes universales del pueblo y de todo el Reino», aunque perdiera «la parte de su gusto y entretenimiento». «Veía resbalarse en este pueblo de Madrid innumerable gente y pecados atroces: parecíale que era bien repartir el útil y provecho de la grandeza de la Corte con otro digno lugar y reino que era el de Castilla, y ciudad de Valladolid...» Pinelo, en sus *Anales de Madrid,* consideró el traslado como acción de muchos inconvenientes y malos efectos, «los excesivos gastos, la suspensión de los negocios y la misma novedad por ser tan universal, fué causa de innumerables daños».

Lope, en *El Arenal de Sevilla,* por boca de Lucinda, habla del traslado de la Corte:

«Mudó el tercero Filipo
su corte, casa y criados
a Valladolid; y fué
mudar también necesario
de allí la Chancillería,
con quien también se mudaron
mi ventura y muchos pleitos
de que me resultan tantos.
Ennoblecióse la villa,
y, como en tiempos pasados,
vino a estar con mayor lustre;
que floreciendo sus pagos,
poblóse con extranjeros
venidos por varios casos...»

El Concejo de la Villa de Madrid había dirigido al Rey un memorial tratando de disuadirle del traslado. En él, entre otras cosas curiosas, se dice: «Es cosa llana y notoria a todo el mundo ser sin comparación esta villa de más buena y sana constelación que cuantos lugares hay en estos reinos y aun en todo lo descubierto, por estar su sitio en alto, ocasionado a que se ventile por buenos y saludables aires, y

tener en sí mesmo aguas delgadas y sabrosas, sereno cielo
y muy enjuto y buen suelo, templada clima respeto al mucho calor de Andalucía y gran frialdad de Castilla la Vieja,
por estar su sitio en medio destas dos provincias y tener también sabrosos y saludables mantenimientos de su rica y abundante comarca». Frente a esta entusiasta defensa del sitio
y ciudad de Madrid, se advertía al Rey que, por el contrario,
Valladolid está «en sitio húmedo y bajo, entre dos ríos que
muchas veces la inundan y causan dañosas nieblas y aires
gruesos y malsanos, siendo de ivierno muy fría y húmeda
con exceso y de verano caliente y húmeda en demasía, de
que proviene la corrución de todas las cosas». Madrid, en
cambio, es «fría y seca con moderación, de invierno, y caliente y seca con la misma, de verano, no faltando jamás
aires que la regalen y refresquen en este tiempo». Fué tan
impopular el traslado, que hasta se llegó a gritar pública-
mente contra el Rey. Cuenta Cabrera de Córdoba en sus
Relaciones... que Felipe III, al saber que los alcaldes de
Corte habían preso una mujer por clamar contra Su Majestad, dijo «que en Madrid les echaban maldiciones porque
se iban, y allá (en Valladolid) porque les aposentaban; que
como no viniesen las del Cielo no había que hacer caso, y
que la soltasen, *que tenía razón*». Esta anécdota demuestra
cómo el traslado de Corte, en el fondo, disgustaba al mismo
Rey, y que lo hacía impelido por su favorito, el duque de
Lerma. Cabrera lo afirma descubiertamente: «No obstante
se tiene creído que la mudanza de Corte tendrá efecto para
la primavera a Valladolid... porque muestra desearlo mucho
el duque de Lerma, que basta para que se haya de hacer...»
El pueblo de Madrid, que tras las maldiciones, como dice
Sáinz de Robles, en su interesante libro *Por qué es Madrid
capital de España,* se dió a las «pullas y decires de mucha
sal y pimienta», terminó por acogerse al favor del Cielo.
«En estos días — describe Sepúlveda — se hacían en Madrid grandísimas procesiones con disciplinas y otras muchas
plegarias, suplicando a Nuestro Señor estorbase la pasada
de la Corte.»

224

Visita de Felipe III al palacio del Duque de Lerma

Col. Marqués de Torrecilla

La Plaza Mayor de Madrid, en 1618

Col. Ortiz Cañavate

Una vez trasladada la Corte, Madrid pasó un breve colapso de decadencia, de la que hace un cuadro muy vivo — quizá exagerado — Agustín de Rojas, madrileño, en *El buen repúblico* (1611) : «Afligióseme el alma de ver tanta tristeza, tanta soledad, tanta miseria, tanta desventura, y todo nacido por una mudanza... No le conocía ; miraba las calles, y dábanme lástima ; miraba las casas con sobrescritos en sus partes como cartas...» León Pinelo dice que Madrid «quedó de modo que no sólo daban las casas principales de balde a quien las habitase, sino que pagaban inquilinos para que las tuviesen limpias y evitar así su ruina y menoscabo». Durante la estancia en Valladolid, dice el mismo Pinelo que «no podían los Reyes perder el cariño a esta villa (Madrid.. » Madrid hizo todo lo posible por volver a traer al monarca a la villa, y al fin — tras epidemias en Valladolid — lo consiguió ofreciendo 250.000 ducados. Así lo refiere Pinelo : «Envió (Madrid) a su corregidor, acompañado de cuatro regidores que diesen calor a la resolución, y para facilitar ofreció ayudar la costa de la vuelta con 250.000 ducados, que pareció eran bastantes para mudar a esta villa la Casa Real. Aceptó S. M. el servicio». Así, a comienzos de 1606, los Reyes hicieron de nuevo su entrada en Madrid. Desde entonces el Madrid cortesano típico del siglo que comenzaba adquirió cada vez más su carácter inconfundible de lujo, frivolidad, elegancia y fondo decorativo, típico de toda la cultura hispana de los dos siguientes reinados (Felipe IV y Carlos II) especialmente, aunque muchos motivos se daban ya en los años de Felipe III, el que *se llevó y se trajo* la Corte.

Madrid vino a ganar con la *ida y vuelta* de la Corte. Donosamente lo explica Lope en un diálogo de *La villana de Getafe:*

> «ELENA : ¿Qué te parece Madrid,
> ya que en velle te inquiëtas?
> INÉS : Que lo que a las alcahuetas
> le ha sucedido, advertid :
> que no ganan de comer
> hasta haberlas azotado,
> que habiéndolas afrentado
> las han dado a conocer.

> No menos Madrid ha sido,
> pues el haberse aumentado,
> nace de haberse dejado
> porque sea más conocido.»

Y del gran afán de construir nuevas calles y casas, se dice, a continuación :

«INÉS : ¡ Lindas calles !
FULGENCIO :   Que te admires
es justo, casas de fama
se labran.
INÉS :   Si el vulgo llama
los ángeles albañiles,
de los que tiene y muy bien,
Madrid se puede alabar,
pues que por todo el lugar
tantos ángeles se ven.»

En *Los yerros por amor* se describe a Madrid, que

«en un llano,
al salir del sol, descansa ;
fértil de viñas y huertos,
rico de abundantes cazas,
lugar que, como amanece
en otras partes el alba
y se ven aguas y flores,
en él, *amanecen casas.*
Éstas *crecen* ya de suerte
que para edificios faltan
los árboles a las sierras,
las piedras a las montañas.»

Cosecha, dice, de casas, y nuevas, como «para entretener al mundo : tantos vienen, tantos hablan».

EL CARNAVAL. — En el *Entremés del Abadejillo* de Quiñones de Benavente, se dialoga así sobre el jolgorio y costumbres de estas fiestas :

«ESTEFANÍA : No hay más alegre tiempo en todo el año
que las Carnestolendas.
CATALINA :   Es picaño ;
todo grita y porrazos,
mazas, tizne, salvado y naranjazos,
con mucho huevo huero.
FRANCISCA : También es caballero :
carrerita, paseo,

el agua convertida en galanteo ;
pues hay galán que remojar se deja
embobado a los hierros de una reja...

ESTEFANÍA : También es propio tiempo de señores,
confituras, azahar, huevos de olores,
balas, y no de acero.

CATALINA : Él es señor, picaño y caballero,
pues para todas gentes
tiene entretenimientos diferentes.

JUANA : Llámole al tiempo yo en Carnestolendas
mar de comidas, golfo de meriendas.
Flandes de los lechones,
general avenida de roscones,
sanguinolento estrago de morcillas,
plaga de quesadillas.
Convalecencia en que mujeres y hombres
tantas ganas sacamos
que hasta las herraduras nos tragamos ;
campo formado, en que pelea la gula,
ya asada, ya cocida, ya fiambre,
y en fin un *cierra España* de la hambre,
adonde los alegres tragantones
sin poder la templanza resistillo
pasan tantas gallinas a cuchillo,
sin perdonar mujeres, niños, viejos,
que son pavas, perdices y conejos.»

Poseemos diversos textos de estas costumbres. Sobre «el agua convertida en galanteo», puede observarse esta cita de Zabaleta en *El día de fiesta por la tarde (El domingo de Carnestolendas):* «Suben tres o cuatro caballeretes mozos, y reciben de una ventana baja, donde están las mujeres hermosas, una de aquellas cargas que da la hostilidad burlesca de aquella tarde. Mójanlos con festiva agua. Ellos miran los enemigos y huélganse de verlos. ¡ Oh, hermosura ! ¡ Aun ofendiendo, muchas veces amable ! Tratan de su venganza, y arrojan dentro de la pieza muchas bombas de agua olorosa hechas de cáscaras de huevo». Madame d'Aulnoy consigna esta misma broma : «Casi no hay persona alguna que en esta época no lleve un centenar de huevos rellenos con agua de Córdoba o de azahar, y, al pasar las carrozas, se las tiran a la cara». Francisco Santos consigna diversas burlas y diversiones del Carnaval.

Calderón en *Dicha y desdicha del nombre,* ha escenificado las fiestas cortesanas del Carnaval :

«Mira : un capote, un sombrero,
un hacha, una mascarilla,
mezclándote a la cuadrilla
de cualquier disfraz, primero
lo hace todo...»

A veces, para celebrar estas fiestas, había representaciones, como la que se hizo un *Domingo de Carnestolendas,* de Luis Vélez de Guevara, que «representóla Olmedo, y la vistió con mucha propiedad, añadiéndole — ¡no es nada! — aquel portento del tablado, retirado desengaño de *Amarilis,* misteriosa *loa* del referido ingenio, y *bailes,* como de Benavente, con que la noche fué igual al día». *Amarilis* es la comedianta María de Córdoba, que entonces estaba retirada del teatro. El año de dicho Carnaval fué el de 1637. Hubo también, en esos días, una *academia jocosa* en el Buen Retiro, delante de Felipe IV y su Corte. Entre sus *ordenanzas* y *cédulas,* había esta : «A un poeta *bailinista* nuevo se le han perdido dos seguidillas y unas mudanzas de cruzado. Quien las hubiera hallado las vuelva, porque no le ha quedado borrador, o sacará una *paulina* de Luis de Benavente, que es *pontífice de los bailes y entremeses*».

Zabaleta dice que «tanto es lo que comen los hombres aquellos tres días (de Carnaval), que los ayunos subsecuentes más son medicamento suave que mortificación». Castillo Solórzano dedica a las fiestas y reuniones de los días de Carnaval su miscelánea de novelas *Tiempo de regocijo y Carnestolendas de Madrid* (1627), en que las narraciones y los versos se enlazan en el «tiempo en que las Carnestolendas dan amplias licencias a mayores divertimientos en los juegos, en los banquetes, saraos y regocijos, no perdiendo la gente en estos entretenimientos el poco tiempo que hay hasta el futuro Miércoles de Ceniza». Se reúnen varias damas y caballeros, cada día en una casa, «en el tiempo en que las Carnestolendas nos permiten menos composturas y más licencia para divertirnos», prefiriendo los entretenimientos y diversiones del *espíritu* al bullicio callejero : «Olvidando por este año estas hermosas damas la impertinente ocupación que permite la recibida costumbre de las burlas que hacen con el agua, arrojándola con sus instrumentos desde las ventanas a los que pasan por las calles a pie o a caballo, con que veo pocos gustosos de tales favores». Se entretienen con recitados y lecturas de novelas, juegos y bailes, o algún entremés. He aquí algunos datos de una «máscara danzada» : «Salieron doce con lucidos vestidos de diferentes tabíes, guarnecidos con mucha plata, y hachas blancas en las manos, y al son de un harpa, una tiorba y una vihuela de arco hicieron su máscara, danzada muy diestramente». Durante las lecturas y representaciones, ocupaban «sus asientos las damas en un largo estrado, y los caballeros en las sillas más cercanas a él, procurando que les alcanzase parte del calor del fuego, que tenían dos grandes braseros de plata, y de la fragancia que daban dos bien aderezados pomos que en ellos había. Dieron principio a la fiesta doce diestros músicos, que estaban divididos en dos coros, cantando al son de varios y sonoros instrumentos una letra «con dulces y regaladas voces». El «discreto auditorio» se goza en una estilización del Carnaval cortesano cantándose motivos como este :

> «Entre los sauces
> y entre las flores
> va el viento a mi niña durmiendo
> y dícela amores...»

En otro juego de disfraces salieron doce bailarines con otras tantas damas, vestidos «de cuatro en cuatro, de españoles, indios y franceses, con hachetas blancas». Hicieron «enredosos lazos», y se remató la fiesta «con castañetas en un gracioso baile».

Tirso, ya en 1635, publica *Deleitar aprovechando,* en cuya miscelánea, también, hay un retiro de damas y galanes madrileños los días de Carnaval. Pero en Tirso tiene toda la obra un aspecto de «fiestas de desagravios», y en vez de comedias y temas profanos desean entretenerse con provecho para sus almas : con novelas de vidas de santos, autos sacramentales y consideraciones ascéticas. No falta algún motivo profano como las décimas de la historia de Píramo y Tisbe, pero lo esencial es la versión «a lo divino» del tema de diversión de las Carnestolendas.

En la otra obra citada, el *Tiempo de regocijo* de Castillo, el final deja una leve inquietud del mundo diverso que asoma, tras las fiestas y danzas: «En esto ya en los más conventos de la Corte avisaban las campanas que se tocaba a maitines, ser ya la media noche, con lo cual todos se recogieron a sus posadas cuidadosos de cumplir el día siguiente con la ceremonia de la ceniza».

LA FIESTA DE LOS TOROS. — Sobre este tema, del que hay amplias repercusiones en sugestivos textos literarios de la Edad de Oro, versa el interesante trabajo de José María de Cossío *Los toros en la poesía castellana* (dos vols., Estudio y Antología), al cual, por ser obra de especialista y fino observador de matices, remito al lector que desee ampliar este aspecto. Sólo quiero, como ejemplo, señalar alguno que no esté registrado en dicha obra, como ocurre con el gallardo motivo de una de las comedias de la trilogía de los Pizarros (*La lealtad contra la envidia*) de Tirso de Molina:

«Tocan dentro chirimías y trompetas como en la plaza cuando hay toros, silbos y grita, y salen Obregón y Cañizares:

> OBREGÓN : Acogerse, que el toril
> está abierto, y las trompetas
> hacen señal...
> CAÑIZARES : Aquel andamio es mi muro...
> (Grita como que sueltan al toro.)
> UNO (*dentro*): ¡Bravo animal!
> OTROS (*dentro*):   ¡Guárdate, hombre!
> OBREGÓN : Pedidle a la oreja el nombre
> si os preciáis de toreador.
> Dos rayos lleva en los cuernos
> y cuatro alas en los pies.
> CAÑIZARES : Barrendero valiente es :
> ¡por Dios que los más traviesos
> le van despejando el coso!
> OBREGÓN : A todos tiembla la barba.
> CAÑIZARES : ¡Fuego de Dios, cómo escarba
> y cómo bufa el barroso!
> ....
> UNO (*dentro*): ¡Corre, corre, que te alcanza!...

230

OBREGÓN : ¡Qué bien la capa le echó
el que se le atravesó!
CAÑIZARES : En ella toma venganza...

....

Aguardemos, que hay rejón.
(Dentro suenan pasos de caballo con pretal.)
OBREGÓN : Alentado caballero,
¡qué buen aire, qué bizarro!
CAÑIZARES : Este es Fernando Pizarro.
(Suena el pretal, como que se pasea.)
OBREGÓN : Ya ha dado a la plaza vuelta
y hacia el toro se encamina.
CAÑIZARES : ¡Qué bien al bruto examina!
¡Qué airoso que el brazo suelta
caído con el rejón!...
Repara con el aseo
que paso a paso se va
al toro.
OBREGÓN :   ¡Qué atenta está
la plaza!...
                    Ya el bruto
le encara, escarbando el suelo,
y hacia atrás tomado el vuelo,
airado, diestro y astuto,
previene la ejecución
del golpe.
CAÑIZARES :   Y el don Fernando
la nuca le va buscando
con el hierro del rejón.
(Ruido del caballo y del pretal, como que acomete.)
OBREGÓN : ¡Oh, quiera Dios que le acierte!
CAÑIZARES : ¡Ya le embiste!
OBREGÓN :   Con él cierra.
UNO (dentro): ¡Válgate Dios!
CAÑIZARES :   Cayó en tierra
el toro.
UNO (dentro):   ¡Extremada suerte!
(Chirimías.)
CAÑIZARES : Pienso que al caballo hirió.
OBREGÓN : No pudo, que le sacó
veloz con la mano izquierda,
y la presa hizo en vacío
la bestia.
CAÑIZARES :   Patas arriba,
aplaude a quien le derriba.
OBREGÓN : Todos celebran su brío...
Lance airoso, golpe bello!
CAÑIZARES : ¡Vítores le da la plaza!...»

Se trata de una de las más bellas y gallardas muestras
de la interpretación de la fiesta de toros en nuestra litera-

tura, con tal plasticidad y animación, que nos hace vivir un lance de rejón, con todos sus detalles, que parece que estamos viendo a los caballeros en plaza al estilo llamado hoy portugués — sus ceremonias, sus paseos, sonoridad de cascabeles, aire gallardo, rapidez y agilidad en la suerte.

Los autores dramáticos más vitales tienen predisposición para incorporar a la escena los lances del toreo. Así Lope, en brillantes ejemplos de *El caballero de Olmedo* (escena inicial del tercer acto), cuya plasticidad puede producir impresionantes efectos en escena, si se atiende bien a las voces del interior de la plaza y al movimiento de las personas que salen y entran (como se realizó al interpretar la comedia en el departamento hispánico de la Universidad de Cambridge, en 1935) ; o en el vivo y pintoresco del comienzo de *El dómine Lucas,* demuestra su aptitud para tales efectos teatrales, sea cual fuere su posición personal ante la fiesta. Así se comentan unas suertes en *El dómine Lucas:*

> «FABRICIO : ¡Qué soberbias cuchilladas
> que le daba al toro!...
> ROSARDO : ¡Gallardos brazos !
> FABRICIO :
>   ¡ Soberbios,
> pues cada vez que le herían
> poca resistencia hacían
> cuero, carne, hueso y nervios...
> ROSARDO : ¿No es éste aquel venturoso?...
> FABRICIO : ¿Pues, en qué le conociste ?
> ROSARDO : En la capa con el oro,
> que mil veces sobre el toro
> con el blanco acero viste.»

En cambio, los autores intelectuales como Calderón presentan escasas alusiones a la fiesta de toros en escena. Algunas, que hay, son meros incisos, como al decirse por el gracioso de Eco y Narciso :

> «Mujer hay que se enamora
> de un toreador...»

Sería curioso notar las opiniones españolas en contra de las fiestas de toros. Juan Mayo las llamaba «aborrecible y lastimoso espectáculo» ; su aspecto le parecía «inhumano»

Fiesta de toros en Valladolid (1557) Dibujo de J. C. Vermayen (*Barbalonga*)

Corrida regia en la Plaza Mayor de Madrid (1680)

a Bartolomé Leonardo de Argensola. Alejo de Venegas, en la *Agonía del tránsito de la muerte,* discurre con arrebatada elocuencia: «A los que dieron facultad de correr toros les pone delante todos los males que de allí procedieron, como son cuchilladas, que por maravilla faltan, meriendas y colaciones hechas a mala parte. Allí se traman los adulterios, de allí nacen las competencias, allende de los juramentos que pasan de cuenta y puñadas de muchachos que son muy anejas al correr de los toros; demás de los que no vuelven a casa porque fueron tributarios del coso». Aunque en muchos lugares Lope sintió la gallardía y belleza de las bravas *suertes,* como en la escena de los toros en la plaza de Medina de *El caballero de Olmedo,* en que sentimos las oleadas de entusiasmo del público y el juego de valentía y caballerosidad de Don Alonso, no dejó de recoger esta otra opinión de considerar «fiesta temeraria» al coso, como en *Los Vargas de Castilla,* donde dice Don Tello:

> «No te falta
> razón, que esta fiesta bruta
> sólo ha quedado en España;
> y no hay nación que una cosa
> tan fiera y tan inhumana,
> si no es España, consienta.»

Salas Barbadillo llega a otro aspecto negativo curioso: el de considerarla aburrida: «La fiesta, para mí, en todos tiempos cansada; tanto que si en algo dejo de ser español, es en no deleitarme con semejante regocijo». A Alfonso de Valdés, en cambio, no le parecía *mal que el vulgo* se recree en correr toros. En las censuras, ocupa un lugar destacado la famosa *Epístola al Condeduque* de Quevedo. El satírico cree que la fiesta del coso es contagio moro y una afición de decadencia:

> «Hagan paces las capas con el toro.»

MERIENDA EN EL MESÓN. — Así la describe el lacayo Mendoza en *Más vale salto de mata que ruego de buenos:*

233

«Al momento
tomaré la posesión
de un bodegón... Deseo
una lonja de tocino. —
Salada está ; venga luego
vino blanco, vino tinto. —
Haga la cuenta. —Seis reales,
y hágale buen provecho...»

CANASTILLA DE FRUTAS. — En *Los muertos vivos,* Doristo ofrece a su señora esta muestra de frutas diversas en su cesta :

«Este oficio es del aurora
cuando muestra el rostro helado.
    La fruta entonces lo está,
y linda cosa es cogella
porque al alba, la flor bella,
nueva hermosura le da.
    Lleva aqueste canastillo
roja guinda y verde pera ;
la cermeña como cera
y el no maduro membrillo.
    Lleva la almendra vestida
de mezcla, y la nuez de verde,
serba que la fuerza pierde,
cereza en sangre teñida.
    Roja manzana y traslado
de vuestra boca y mejillas,
y destas verdes orillas
agraz verdoso y morado.»

SOLEDAD, EN EL JARDÍN, ENTRE FLORES. — En la misma comedia, y en boca de Rosaliano, este motivo lleno a la vez de sentido del paisaje y de íntimo lirismo :

«Todo aquel día pasé
retirado yo en mí mismo
bien que a ratos discurriendo,
que mis secretos testigos,
fuentes, árboles y flores,
salvias, violetas, lantiscos,
retamas, rosas, mosquetas,
jazmines, claveles, lirios,
eran a quien yo decía :
¿habéis por ventura visto
algún hombre más dichoso
en la orilla de los ríos?
Respondedme, hermosas plantas.
Habladme, cristales limpios.»

LA CARNE DE CERDO. — Sobre las variedades a base de carne de cerdo es curiosa una loa *En alabanza del puerco,* de Agustín de Rojas, en que se enumeran:

> «La morcilla el adobado,
> testuz y cuajar relleno,
> el pie ahumado, la salchicha,
> la cecina, el pestorejo.
> La longaniza, el pernil,
> que las paredes y techos
> mejor componen y adornan
> que brocado y terciopelo.»

La fiesta en las aldeas para la *matanza* se menciona también:

> «Pues jamás faltó en la casa
> más rica de todo el pueblo,
> regocijo en aquel día
> que tenían *puerco muerto.*
> ¿Qué atabales, qué trompetas,
> qué flautas o qué instrumentos
> eran de más alegría,
> para niños, mozos, viejos?»

BIBLIOGRAFIA

M. A. S. HUME, *Spain its Greatness and Decay,* Cabridge, 1898. — NARCISO A. CORTÉS, *La corte de Felipe III en Valladolid,* 1908. — J. DUNLOP, *Memoire of Spain during the Reign of Philip IV and Charles II,* Edimburgo, 1834. — ANTONIO CÁNOVAS DEL CASTILLO *Estudios del reinado de Felipe IV,* Madrid, 1888-89. — J. JUDERÍAS, *Carlos II y su corte,* Madrid, 1912. — J. DELEITE Y PIÑUELA, *Estado de la sociedad española en tiempo de Felipe IV (Revista contemporánea,* 1901-02). — Idem, *La España de Felipe IV,* Madrid, ed. Voluntad, 1928. — M. HERRERO-GARCÍA, *Ideas de los españoles del siglo XVII,* ed. Voluntad, 1928. — A. DE CASTRO ROSSI, *Discurso acerca de las costumbres públicas y privadas de los españoles en el siglo XVII, fundado en el estudio de las comedias de Calderón,* Madrid, 1881; F. O. REEDS, *Spanish Usages and Customs in the XVIIth Century as noted in the Works of Lope de Vega (Philological Quartely,* 1922). — J. SEMPERE Y GUARINOS, *Historia del luxo y de las leyes suntiarias de España,* Madrid, 1788. — F. DANVILA, *Trajes y armas de los españoles,* Madrid, 1878. — FEDERICO CARLOS SÁINZ DE ROBLES, *Por qué es Madrid capital de España,* 1940. — JOSÉ M.ª DE COSSIO, *Los toros de la poesía castellana,* tomo I, *Estudio,* tomo II, *Antología,* Compañía Iberoamericana de Publicaciones, 1931. —

Juan de Zabaleta, *El Día de fiesta por la mañana y por la tarde*, con una advertencia preliminar, Barcelona, *Biblioteca Clásica Española*, 1885. — Idem, *El día de fiesta por la mañana*, nueva edición con bibliografía y notas de G. L. Doty (*Romanische Forschungen*, 1928). — K. Vossler, *Lope de Vega und sein Zeitalter*, Munich, 1932. — Joaquín de Entrambasaguas, *Lope de Vega y los preceptistas aristotélicos (una guerra literaria del Siglo de Oro)*, Madrid, 1932. — A. Morel-Fatio, *L'Espagne au XVIe et XVIIe siècles*, Heilbronn, 1878. — J. Juderías, *Quevedo, la época, el hombre, las doctrinas*, Madrid, 1923, etc.

Capítulo XII

MOTIVOS DEL MADRID CORTESANO DEL XVII

«Tiene Madrid, como pocas ciudades del mundo — afirma, con razón, M. Herrero-García —, la inestimable prerrogativa de haber servido de escenario a una literatura tan amplia y de valor artístico tan subido como el de la literatura clásica española, la cual ha consagrado en versos y situaciones dramáticas inmortales los nombres de sus calles y plazas, sus templos, fuentes, edificios, instituciones, festividades típicas y efemérides gloriosas.» En su estudio *El Madrid de Calderón* reúne multitud de datos — en los textos que publica y notas con que los amplía — sobre estos detalles, algunos muy curiosos. El teatro, especialmente en su modalidad *de capa y espada,* y la *novela cortesana* son los dos grandes géneros de creación en que Madrid aparece multitud de veces como fondo, debiendo añadirse el tipo mixto de obras entre lo narrativo y lo costumbrista, como las de Santos y Zabaleta. Deleito y Piñuela ha trazado un cuadro organizado de la sociedad de la Corte en sus trabajos sobre *La vida madrileña en tiempo de Felipe IV* y *El Madrid de Felipe «el Grande».* «Toros y cañas en la plaza Mayor — sintetiza Deleito —, cabalgatas carnavalescas, certámenes literarios, representaciones teatrales en los corrales públicos de la Pacheca y de la Cruz, en la cámara de Palacio, en los salones señoriales y hasta en los locutorios monásticos, los autos sacramentales del Corpus, las romerías orgiásticas del Trapillo y de Santiago el Verde en la primavera, las rúas

237

diarias de carrozas en el Prado y la calle Mayor, las merendonas en la Huerta de Juan Fernández, la burlona murmuración en los *mentideros* — el de los cómicos en la calle del León, el patio de Palacio y las *Gradas* de San Felipe el Real —: tal era la vida de animación y estruendo que dejó en los fastos matritenses efemérides pintorescas.»

TEMPLOS FAMOSOS Y FRÍVOLOS AMBIENTES CORTESANOS. — La *Iglesia de la Victoria*, que se hallaba en la Puerta del Sol, era el templo cortesano por excelencia donde acudían a Misa magnates, galanes y grandes señoras. Lo que diríamos hoy la *iglesia de moda*, como se desprende de un pintoresco texto de Tirso en su animada comedia *La celosa de sí misma*:

```
«DON MELCHOR :  ¿Qué iglesia es ésta?
     VENTURA :                        Se llama
                 la Vitoria, y toda dama
                 de silla, coche y estrado,
                 la cursa.
 DON MELCHOR :            ¡Bravas personas
                 entran!
     VENTURA :            Todos son galanes,
                 espolines, gorgoranes,
                 y mazas de aquestas monas.»
```

Y ante aquel concurso de gente que va a misa de «un fraile vitorio», exclama el recién llegado forastero:

```
«¡Oh, Madrid, hermoso abismo
 de hermosura y de valor!»
```

Y todo el ambiente de frivolidad en torno a los motivos de devoción revive en otra escena poco más adelante de la misma obra, entre el mismo señor y su lacayo — la capilla de la Soledad, a que se alude, estaba en el pórtico del templo de la Victoria —:

```
«DON MELCHOR :  ¿Has oído misa tú?
     VENTURA :   ¿Soy yo turco? Siendo hoy fiesta,
                 ¿sin misa había de quedarme?
 DON MELCHOR :   ¿Dónde la viste?
     VENTURA :                      A la puerta
                 desta devota capilla
                 de la Soledad, y en ella
                 a un fraile, que, esgrimidor,
```

```
                    juntó el pomo a la contera.
                    ¡En qué santiamén la dijo!
                    ¡Oh, quién hacerle pudiera
                    secretario de la cifra,
                    o capellán de estafetas!
                    Entraste tú hasta las gradas,
                    al olor de la belleza
                    de damas, tus gomecillos,
                    que, como ciego, te llevan;
                    mas yo, que huyo de apreturas,
                    quedéme a la popa de ellas,
                    que es rancho de los Guzmanes
                    en naves, coches e iglesias.
Don Melchor:   ¡Ay, Venturilla, cuál salgo!
   Ventura:    Saldrás con el alma llena
                    de devoción desta imagen,
                    que enternece su tristeza.
                    Es de las más celebradas
                    de la corte.
Don Melchor:                    ¡Ojalá fuera
                    divina mi devoción,
                    y la imagen causa della!
                    Devoto salgo, Ventura,
                    pero a lo humano. ¡Ay, qué bella
                    imagen vi! Si es imagen
                    quien a sí se representa.
                    ¡Ay, si de la Soledad
                    esta hermosa imagen fuera,
                    y no de la *compañía*
                    porque ninguna tuviera!»
```

Al ir describiendo la dama que le enamoró, y sus actitudes durante la misa, hay un juego encantador entre lo devoto del tema y la frivolidad amorosa en torno a él. Todas las observaciones de la blanca mano de la dama al santiguarse, al darse golpes de pecho, están expresadas con toques culteranos de refinada poesía y delicada malicia típica del ingenio de Tirso. En dicha iglesia o en su atrio tenían lugar citas amorosas, como se indica, por ejemplo, en *El caballero* de Moreto, en que la criada Leonor, envuelta en su manto, da este recado al galán Don Félix, en su propia posada, de parte de su señora:

```
          «Doña Luisa
     os suplica que, mañana,
     os lleguéis a la Vitoria,
     que allí a las diez os espera,
     porque el hablaros la importa.»
```

Otras veces, es la costumbre, aun hoy usual, de esperar la salida de las damas de la iglesia, después de misa o algún otro culto importante:

«DON FERNANDO : Calla, que ya se ha acabado
el sermón, y van saliendo
las mujeres de la iglesia...
Ya veo
a la dama que esperaba.»

Aquí, la comedia es *El parecido en la Corte* (del mismo Moreto) y el templo a que se alude el Oratorio del Caballero de Gracia. Una de las escenas más típicas de *La verdad sospechosa* de Alarcón, entre galán y damas, tiene lugar en el claustro de la Magdalena. En *La traición vengada* de Moreto dicen de unas damas:

«Estarán en San Martín,
porque es de su fiesta el día,
que hoy muestra la bizarría
todo humano serafín.»

Tirso describe una situación análoga a la antes citada en otra comedia típicamente madrileña: *Por el sótano y el torno*. Don Duarte sigue a sus damas hasta la iglesia del Buen Suceso — que se hallaba entonces a la entrada de la que hoy se llama calle de Espoz y Mina, en la Puerta del Sol. Ellas entran por las gradas de la fuente. Él, por la «puerta frontera de la Vitoria»:

«Hincáronse de rodillas
después del altar mayor,
delante de aquel traslado
del Alba que humanó a Dios.
Imitélas hasta en esto,
ellas norte, el imán yo,
más curioso que devoto,
pero amor ya es devoción.»

Para el frívolo galán que sólo le importa la presencia de las damas, resulta importuna una misa larga, a la inversa de la «misa en guarismo» de que habla el mismo Tirso en otros lugares (además del pasado de *La celosa*, en *La villana de Vallecias* y en la prosa de *Los cigarrales de Toledo*):

> «Salió un clérigo al altar,
> y a fuer de predicador,
> nos dió a probar una misa,
> en puntos como sermón.»

Al salir de la iglesia, él sigue a las damas, «sombra de sus pasos».

Y en *No hay peor sordo...* dos galanes expresan este mismo sentido profano y frívolo de sus visitas a los templos:

> «No por costumbre devotas,
> mas por amantes cautelas,
> curso la iglesia mayor.
> —Siempre en imágenes vivas
> ocupáis fiestas votivas.»

En *La buena guarda* de Lope, el gracioso sacristán Carrizo dice a unas damas que van a la iglesia a presumir:

> «¿Qué misa a buscar venís
> a las dos, pues no a mirar
> salís el divino altar,
> que a ser miradas salís?»

FUENTES DE MADRID. — Jerónimo de Quintana decía en su *Historia de... Madrid,* de 1629: «Las fuentes son sin número; y no trato de las nuevamente acrecentadas... sino de las antiguas para que no se pierda la memoria de ellas; de las cuales algunas son de agua preciosa y singular, como son las de Lavapiés, las de Leganitos... Las del Prado de San Jerónimo, y entre ellas las del *Caño Dorado,* del *Olivillo* y de la *Sierpe...* y las de nueve tazas grandes de piedra que hay en él, causando maravilla a los que ven el altura a que sube el agua de ellas». Sigue nombrando otras muchas, entre ellas «la del *Humilladero* de Nuestra Señora de Atocha», «las fuentes del *Peral*», «la de los *Caños Viejos,* que las mudaron más abajo de su antiguo puesto en la calle nueva de la Puente Segoviana», «la de *San Isidro,* que el mismo Santo hizo de la otra parte del río en la cabeza de una cuesta», la de los Recoletos», etc. En multitud de obras literarias, principalmente entremeses y comedias, hay testimonios y *fondos* de dichas fuentes — de los que Herrero-

García recoge muchas citas en un estudio particular —. En *Los empeños del mentir* de Antonio Hurtado de Mendoza habla de las varias fuentes a lo largo del Prado en tono jocoso:

> «TEODORO : ¿Qué dirás deste Prado airoso y limpio?
> MARCELO : Que en dos hileras de álamos y sauces,
> con las llagas que le hacen tantas fuentes
> es verde procesión de penitentes.»

Una bella escena de Lope (en *El desposorio encubierto*) tiene lugar ante la fuente del *Caño Dorado,* del Prado:

> AURELIO : Sentáos, por mi vida, aquí;
> vaya Arsindo, y de esta fuente
> coja el cristal transparente.
> FELICIANO : ¿Trae en qué la coja?
> AURELIO :   Sí;
> que aquí en la manga he traído
> un búcaro.
> FAUSTINO :   Es extremado.
> FELICIANO : Traila del *Caño Dorado.*
> AURELIO : ¡Qué linda agua!
> FAUSTINO :   No ha salido
> de la tierra cosa igual.
> FELICIANO : Mejor la de Leganitos
> que ésta, dicen infinitos.
> FAUSTINO : Si lo dicen, dicen mal,
> que está pesado con ella,
> y basta que sean iguales.
> ARSINDO : Ya traigo aquí sus cristales.
> FAUSTINO : ¡Bella fuente!
> FELICIANO :   ¡Hermosa y bella!»

Al personificar al Prado, Quiñones de Benavente, en el *Entremés del casamiento de la calle Mayor con el Prado Viejo,* hace aparecer a «Salinas, que es el Prado, con un justillo verde y un álamo por muletilla, y *una fuente* en la cabeza». El álamo se refiere al del famoso «arroyo del alamillo», junto al cual había una fuente también — la fuente del Alamillo —, a la que, según Herrero, se refiere Góngora en el bello romance:

> «A la fuente va del Olmo,
> la rosa de Leganés,
> Inesica la hortelana,
> ya casi al anochecer.»

En *El acero de Madrid,* de Lope, el gracioso, al pedir celos a una criada, pone como testigo a «la fuente del Abanico», en el Prado: «Mira si es harto corriente». La *de la Sierpe* se había acrecentado, desde las bodas de Felipe III, en 1599, con doña Margarita de Austria, con «una fuente artificial de mucha curiosidad, vista y adorno», según dice Pinelo en sus *Anales,* y este mismo cronista refiere un caso notable de la de San Isidro, en 1575: «Este año dieron unos moriscos aguadores en ir por agua a la fuente de San Isidro, y traerla a vender a Madrid; pero a pocos días que lo usaron, se secó la fuente; o fuese por la maldad de la gente que andaba en esto, o porque no se servía Dios de que se vendiese ni pusiese en precio aquella santa agua. Vedóseles esta acción, y luego la fuente volvió a correr, como corre hoy sin faltar, aunque sea en años de mucha seca». Esta fuente de San Isidro fué un tema obligado en la Justa Poética de la canonización del Santo patrono de Madrid, componiendo décimas a sus aguas diversos ingenios, entre ellos Lope, Jáuregui, Antonio Hurtado de Mendoza y Guillén de Castro. En la del *Engaño,* en la Casa de Campo, adornaban un Neptuno de mármol, con dos nichos con dos ninfas a sus lados. Lope habla de ella en el poema *La mañana de San Juan en Madrid:*

«Yace Neptuno en mármol fabricado
escultura valiente, que pudiera
dejar a Praxiteles admirado
y a cuantos celebró la edad primera;
en una cueva, alrededor bañado
de blanda lluvia, que surtiendo afuera
a las damas, que miran, importuna,
y el fingido jazmín limpió de alguna.»

Hay un curioso *Baile de la Fuente del Desengaño,* que ha reimpreso Herrero.

EL PRADO. — Tuvo la máxima fama entre los paseos de Madrid. Salas Barbadillo le dedicó un entremés: *El Prado de Madrid y baile de la Capona,* en que se dice:

«ROBLEDO: Este es el Prado, éste es el hermoso
mayorazgo de abril.

> ROSALES :   ¡ Buen mayorazgo,
> cuya renta se gasta siempre en flores !...

Y se alude a sus famosas fuentes :

«ROSALES : Sin duda que padece mil achaques
pues le hacen tantas fuentes cada día.
ROBLEDO : Tales fuentes salud las considero
de quien fué el cirujano el fontanero.
Fuentes de plata son estas corrientes.»

El paseo de coches, al atardecer, era famoso en la sociedad de la época, y dejó multitud de reflejos en las comedias, novelas y cuadros de costumbres. En el aludido entremés se dice : «Por allí viene un coche, veinte, ciento, mil...»

«que en este Prado es justo que repares
no entran con unidad, sino a millares.
Este prado es común a los casados,
deleite es de maridos y mujeres :
igualmente dos sexos le recrean,
porque ellos pacen y ellas se pasean...
¡ Brindis a la salud de tanto coche !»

Los amoríos y citas en el Prado eran famosos. En dicho entremés se dice :

«Estafeta es de gustos y de amores
que hace en el Prado bodas de repente.»

A su vez se evoca a los que venden *Agua de nieve,* y a las diversas gentes del Paseo :

«DOÑA JULIA : ¡Jesús, y cuánta gente viene en tropa !
Tres clérigos a mula, y en un coche
dos viudas. ¡ Oh, viudez lozana y verde !
Tales vienen, que a ellas comparado,
ellas las verdes son y el seco el Prado !
DOÑA TOMASA : Bailemos.
DOÑA JULIA :   ¿ Y qué baile ?
DOÑA TOMASA :   Las *folías...*
ROBLEDO : La *capona* será baile ligero,
que el baile que es capón vendrá con plumas.»

Y quedan asociados : el baile, la alegría, las fuentes y los álamos al Prado de noche.

Las Puertas. — En el *Baile de las Puertas de Madrid*, del siglo XVII, y que se ha atribuído a Calderón y Moreto (publicado por Herrero-García), se ofrecen diversos datos. Se nombra en él la Puerta de Alcalá, que «junto al Retiro estoy — haciendo mi penitencia», a la que alude (en 1659) González de Villalobos en un romance acerca de la entrada en Madrid:

> «Fué la puerta de Alcalá
> la puerta del Regocijo»;

la de Santa Bárbara, la Puerta del Sol, la Puerta Cerrada, la de la Vega, asociada a la Virgen de la Almudena, a la que Lope rezaba así:

> «Pues desta puerta guardáis
> de Madrid, Señora, el muro,
> que bien estará seguro,
> pues Vos en su ampara estáis»,

y sobre cuyo tema versa un auto de *moros y cristianos* de Calderón *(El cubo de la Almudena);* la Puerta *de Moros,* de los tiempos del *Rey Perico;* la famosa de Guadalajara, asociada a las platerías, sobre la cual hay una notable cita de Lope en *Al pasar del arroyo:*

> «—¿No nos dices de la puerta
> de Guadalajara?
> —Hicieron
> en ella un arco de seda,
> y los insignes plateros
> una calle toda de oro
> ostentación de sus pechos»,

— aludiéndose a los engalanamientos con motivo de la entrada de la Reina Isabel de Borbón, esposa de Felipe IV, en 1615 —. Sigue en el *Baile:*

> «La Puerta soy de Toledo
> en quien está la braveza,
> porque tengo el Matadero
> ya tomado por mi cuenta.»

Siguen enumerándose las de Fuencarral, de Segovia, de Lavapiés, de los Agustinos; la de Atocha, la de las Maravillas.

El Mentidero. — Se llamaba así al atrio y gradas de la iglesia de San Felipe el Real, que se hallaba al comienzo de la calle Mayor. Dicho atrio, «dosel de las covachuelas de San Felipe» — como le llama Francisco Santos —, albergaba una serie de tiendecillas, frente a las cuales se discutía sobre lo divino y lo humano, por los ociosos y *paseantes* de la Corte, y especialmente por los soldados y pretendientes : soldados, viejos y valerosos, que esperaban en la Corte algún premio a sus servicios ; otros, los *mílites,* que remedaban el habla y contar de proezas de aquéllos, los arbitristas, *boquirrubios* y todo género de gente de mero ademán y falta de ocupación. «Los mílites — cuenta Liñán y Verdugo en su *Guía y avisos de forasteros que vienen a la Corte* (1620) — son género de gente de razonable hábito, que aunque vistan de negro, traen medias de color, jubón de gamuza, plumas en el sombrero, plateado y guarnecido el aderezo de espada y daga, bigotes robustos, aspecto terrible, que pisan por la calle Mayor como en campaña a compás de la caja ; acuden a las lonjas, saben nuevas, tienen avisos de los intentos del Turco, las revoluciones de los Países Bajos, el estado de las cosas de Italia ; descubren nuevas Indias, y, últimamente, a la una del día, comen, si se lo dan.» A este *Mentidero* de los soldados aludía Cervantes al despedirse simbólicamente de Madrid, en su *Viaje del Parnaso:*

«¡Adiós de San Felipe el gran paseo,
donde si baja o sube el Turco galgo,
como en gaceta de Venecia leo.»

«¿Por qué das nombre de *mentidero* — pregunta Onofre en el *Día y noche de Madrid* de Francisco Santos, a su compañero Juanillo — a un lugar sagrado ?» «Yo — contesta éste — no trato al lugar con indecencia : a los que mienten en él, siendo sagrado lugar, es sólo a los que llamo *mentidores,* pues profanándole, le hacen *mentidero,* que entre ellos se dicen más mentiras que entre sastres y mujeres.» Moreto, en *De fuera vendrá...,* hace vivir, escénicamente, aquel lugar :

«Alférez : ...Que yo con estas Gradas me consuelo
de San Felipe, donde mi contento
es ver luego creído lo que miento.
Lisardo : ¡Que no sepáis salir de aquestas gradas!
Alférez : Amigo, aquí se ven los camaradas.
Estas losas me tienen hechizado;
que en todo el mundo tierra no he encontrado
tan fértil de mentiras.
Lisardo :   ¿De qué suerte?
Alférez : Crecen tan bien aquí, que la más fuerte
sembrarla por la noche me sucede,
y a la mañana ya segarse puede.
Lisardo : De vuestro humor, por Dios, me estoy riendo.
Alférez : Por la mañana yo al irme vistiendo
pienso una mentirilla de mi mano,
vengo luego, y aquí la siembro en grano;
y crece tanto, que de allí a dos horas
hallo quien con tal fuerza la prosiga
que a contármela vuelva con espiga.
Aquí del Rey más saben que en palacio;
del Turco, esto se finge más de espacio,
porque le hacen la armada por diciembre,
y viene a España a fines de setiembre.»

Lope de Vega (*El desposorio encubierto*) inserta este diálogo sobre este famoso lugar madrileño:

«Lupercio : ¿Adónde bueno?
Leandro :   A palacio.
para venir a las once
a San Felipe, despacio,
donde está un hombre hecho un bronce
leyendo su cartapacio;
que en topando con amigos
luego allí en discursos grandes
contamos, como hay testigos,
las casas de Italia y Flandes.»

Rojas Zorrilla, animadamente, evoca a un capitán del Mentidero (en *Sin honra no hay amistad*):

«Va a San Felipe a coger
mentiras para su año;
como es capitán de honor
le escuchan más aplaudido;
luego que bien ha mentido
se viene a comer mejor.»

Como, además de los *mentidores,* estaban allí los *pretendientes* y *mendigos,* Calderón, en la simbología de su *Loa en*

247

metáfora de la piadosa hermandad del Refugio discurriendo por calles y templos de Madrid (1662), imagina a San Agustín «inficionado de un contagio» — la doctrina maniquea —, como un enfermo que pide limosna «asistiendo en las Gradas de San Felipe». No dejaba de haber hurtos en aquel lugar, debido a la confusión de tanta concurrencia, en especial de noche, como el caso que Barrionuevo cuenta en sus *Avisos,* de un tal Retana, a quien robaron ahí sus alforjas llenas de mil curiosidades y riquezas, que había traído de Hungría.

ACADEMIAS LITERARIAS. — Don Diego Duque de Estrada, en su *Vida,* tan curiosa como desgarrada, así evoca, con bastante justeza, el panorama poético de la Corte en tiempo de Felipe III: «Admitiéronme en la *Academia* del conde de Saldaña, adonde asistían los más floridos y sutiles ingenios de España: Lope Félix de Vega Carpio, fénix de nuestra España, piélago de poesía, y de quien han llenado sus vasos nuestros cisnes españoles, porque aunque le hayan adornado Góngora con lo crítico y lo retórico. Mira de Mesena con lo pomposo [Bartolomé Argensola, rector de], *Villahermosa* con lo elegante, como también Lupercio, su hermano, que vedó el gracejo, Villamediana con lo satírico, y los demás con rosas y flores, todo esto es escogido de esta singular y caudalosa fuente, pues de muchos que van a tomar de un mar, no porque adornen sus cántaros con varias flores y guirnaldas, dejan de ser las aguas de aquel mar, aunque disfrazadas de varias formas. Tal ha sido nuestro Lope, a quien se debe el haber ampliado, enriquecido, ornado y recamado nuestra lengua castellana con tan varios colores y conceptos, sucediendo a los demás lo que a Juanelo, príncipe de las artes, con el huevo sobre la fábrica del artificio, que callo por ser tan vulgar».

SANTIAGO EL VERDE. — «La galantería de esa fiesta — dice Brunel en su *Voyage d'Espagne* — consiste principalmente en la afluencia de mujeres que se preparan para mostrarse allí deslumbradoras: para eso llevan sus más hermosos vestidos, y no olvidan ni el bermellón ni el albayalde, en los que buscan todos sus atractivos. Se las ve en diversas posturas en las carrozas de sus enamorados. Unas no se muestran allí sino a medias, y aparecen, o medio tapadas o con las cortinas bajas o hacen ostentación de sus vestidos y de su belleza. Las que no tienen galanes que puedan o quieran darles carrozas, se mantienen en dirección de la romería, y bordean las calles o caminos que a ellas conducen.» La fiesta o romería se celebraba el día 1.º de mayo — fiesta de Santiago el Menor — y el lugar adecuado era el soto de Manzanares. Lope de Vega dedicó a esta fiesta una de sus lozanas, frescas y ágiles comedias costumbristas: *Santiago el Verde*.

EL AMOR Y EL INTERÉS. — Sobre lo interesado del amor, en el ambiente «de capa y espada» de la Corte madrileña, son característicos los versos irónicos de Lope en *De cosario a cosario:*

> «Si yo pintara el Amor
> en la Corte, no le hiciera
> desnudo, sino abrigado
> y con bolsas por flechas.
>   Pintárale con sus botas,
> su fieltro y capa aguadera :
> porque el Amor, en Madrid,
> siempre ha de andar con espuelas.»

Y a su vez refleja lo refinado y lujoso del mundo de los lindos, en relación con las damas que se enamoraban de lo extraño y lo nuevo:

> «Cuando yo salgo reñido
> con celos o con sospechas,
> o voy a Atocha o al Prado,
> a Palacio o a Comedia,
> veo tanto mozo ilustre,
> tanto copete y guedejas,
> tanto calzón, tanta liga,
> tanto *cambray,* tanta seda...
> ....
> ...digo : ¿quién hay que vea
> tanto lindo, que no escoja
> y olvide por cosas nuevas?»

Las calles de Madrid ofrecían cuanto quisiera el galán bisoño, el indiano rico, para ofrecer a las interesadas damas:

249

> Teodoro : Si de la calle Mayor
> no hay en las tiendas, señora,
> para serviros, ahora,
> joyas de tanto valor,
> Puerta de Guadalajara
> y *Platería* os darán
> lo que Lucindo, galán,
> en su promesa declara.»

Es en la misma comedia de Lope, y Lucindo ofrece a Celia unos *guantes de ámbar*. Alarcón, en *La verdad sospechosa*, traza igualmente una escena de ofrecimiento de presentes de joyas, de don García a Jacinta y Lucrecia, en la misma famosa calle de las *Platerías*, junto a la Puerta del Sol. En el auto de Lope, *De los dos Ingenios*, el Genio del Mal habla así de la *Platería*:

> «Aquella es la Platería
> del oro de mocedad :
> aquí venden brevedad,
> hermosura y gallardía.
> Aquí están los mercaderes
> de los placeres mundanos...»

Salas Barbadillo *(Entremés de las Aventuras de la Corte)* sitúa así este lugar : «Yace entre la calle Mayor y la plazuela que dicen ser de San Salvador, la una habitada por mercaderes y la otra de escribanos... un sitio a que llaman la *Platería*».

Tirso, en *La celosa de sí misma*, ofrece un vivo reflejo de este lujo del Madrid *interesado*:

> «Don Melchor : ¡Brava calle !
> Ventura :   Es la Mayor,
> donde se vende el amor
> a varas, medida y peso.
> Don Melchor : Como yo nunca salí
> de León, lugar tan corto,
> quedo en este mar absorto.
> Ventura : ¿Mar dices? Llámale así,
> que ese apellido le da
> quien se atreve a navegalle,
> y advierte que es esta calle
> la canal de Bahamá.
> Cada tienda es la Bermuda ;
> cada mercader, inglés,

> *pechelingue* u holandés
> que a todo bajel desnuda.
> Cada manto es un escollo.
> Dios te libre de que encalle
> la bolsa por esta calle.

DON MELCHOR : ¡Anda, necio!

VENTURA :   Vienes pollo ;
> y temo, aunque más presumas,
> que te pelen ocasiones ;
> que aun gallos con espolones
> salen sin cresta ni plumas.»

En una bella escena de *La verdad sospechosa* de Alarcón se percibe cómo era uso el regalar o feriar a las damas, aun sin conocerlas, ya que, como dice Tristán al contrahacer un refrán conocido :

> «A la mujer rogando,
> y con el dinero dando.»

Don García, que se finge indiano, ofrece a Lucrecia sus presentes :

> «Las joyas que gusto os dan,
> tomad deste aparador.»

Y al decir a su criado que «trae oro», Tristán le grita : «¡Cierra España, que a César llevas contigo!», y antes le ha advertido

> «que el dinero es el polo
> de todas estas estrellas»,

entre las que se hallan las casadas «conversables y discretas» que «influyen en extranjeros dadivosa condición», las que tienen los maridos «en Indias o en Italia», las hijas con madres fingidas, y «las señoras del tusón» y «busconas».

LENGUAJE CULTO. — El culteranismo se convirtió en una moda de Corte. El lenguaje culto se hizo típico de los galanes y lindos del Madrid de los últimos Felipes. Lope, en *El desprecio agradecido,* nos dejó un pasaje característico :

«FLORELA : ¡Qué bueno estuvo esta tarde
el Prado !
LISARDA :   La procesión
de los coches fué notable.
FLORELA : ¡Bravo humo, brava gloria,
brava prosa de galanes !
Muy valido estuvo *riesgo,*
superior, inexcusable,
valimiento, acción, despejo,
ruidoso, activo, desaire,
lucimiento y caravanas.
LISARDA : ¡Caso extraño, que el lenguaje
tenga sus tiempos, también !
FLORELA : Vienen a ser novedades
las cosas que se olvidaron.»

En *¿Cuál es mayor perfección?* de Calderón, las figuras
de galán y dama de la Corte — Doña Beatriz y Don Félix — hablan según la moda en lenguaje culto, no sólo en el
vocabulario — rosicler, declinación —, sino en el concepto y
enlace de las frases, sutilmente pulidas, a lo que se contra-
pone la incomprensión del criado :

«ROQUE : ¿Has oído aquello ?
DON ANTONIO :   Sí.
ROQUE : Y dime, por vida mía,
¿hablan el algarabía ?
Porque yo nada entendí.»

En *La celosa de sí misma* de Tirso, hay este contraste,
también, e ironía por parte del gracioso, entre el hablar retorcido y selecto de los cortesanos y la llaneza del pueblo :

«DON MELCHOR : Aquella blancura tierna,
aquel cristal animado,
aquel...
VENTURA :   Di *candor,* si intentas,
jeringonzar critiquicios;
di que brillaba en estrellas,
que emulaba resplandores,
que circulaba en esferas,
que atesoraba diamantes,
que bostezaba azucenas...»

Calderón, en su doña Beatriz de *No hay burlas con el*
amor, ridiculiza la dama que da en la moda de hablar culto,

y dice «soliloquiar», «mendacio», «epiciclo», llegando a los mayores efectos cómicos, como al decir enfadada a su hermana:

> «Tente,
> no te apropincues a mí.»

COMIDA EN LA CORTE. — En el entremés *del Mayordomo,* reúne así Luis Quiñones de Benavente el tipo de comida de una casa corriente (aun cuando en la obra, sin duda para un cierto efecto paródico, se trata de la vivienda de un marqués):

> «Tendrán sus cuatro platos los señores,
> porque no quiero ser corto ni franco.
> Los jueves y domingos manjar blanco,
> torreznos, j'gotico, alguna polla,
> plato de yerbas, reverenda olla,
> postres y bendición. En el *tinelo* (1),
> para que no me llamen *mayorduelo,*
> mucho nabo gallego y poca vaca,
> y ¡ojo a la olla!, que uno destos saca
> un nabo ardiendo y se lo traga vivo.
> Los viernes, lentejitas con truchuela.
> Los sábados, que es día de cazuela,
> habrá brava bazofa y mojatoria,
> y asadura de vaca en pepitoria,
> y tal vez una panza con sus sesos,
> y un diluvio de palos y de huesos.»

En el *Baile del Aceitunero* se distingue entre las *aceitunas cordobesas* excelentes, por su abundante sustancia, y las de *Barajas,*

> «que es su engaño manifiesto,
> guarda-infante en hembra flaca,
> mucha pompa y todo hueso».

Y se cita el uso general de las aceitunas lo mismo «en carnal» que «en día de ayuno». El *manjar blanco,* en la misma obra, se menciona como hecho a base de «pechugas, arroz y leche», censurando los que en las *pellas* echaban demasiada agua, y «por la gallina, dos partes de harina».

(1) Cocina y comedor de los criados.

Cuando faltaba *pechuga de pollo* al *manjar,* se podía hacer
un chiste como en aquel entremés anterior:

«Angustioso es sin duda
su manjar blanco,
que anda toda su vida
despechugado.»

EL BUEN RETIRO. — Fué obra especial de Felipe IV,
en el lugar cerca del Monasterio de San Jerónimo, en donde
ya se habían hospedado los Reyes Católicos, Carlos V —
mientras se rehacía el Palacio Real o Alcázar — y Felipe II,
que amplió algunos aposentos del convento y adornó un extremo con jardín y estanque. Se le llamaba ya *Cuarto Real
de San Jerónimo* y *Retiro,* por vivir en él las personas reales
en Cuaresma y días de luto. Pero el gran *Buen Retiro* de
Felipe IV comenzó a ordenarse en 1630. Juan Gómez de
Mara y Giovanni Battista Crescenci trazaron los planos, y
fué maestro de obras Alonso Carbonell. Ampliándose a los
campos vecinos, el lugar se extendió por huertas y ermitas
de la proximidad. En una carta de un embajador inglés en
Madrid, en 1632, se dice que, para el nuevo Palacio del Retiro, «un millar de hombres trabaja para que todo esté con-
cluído en el término señalado. Se labora día y noche sin de-
tenerse siquiera los domingos ni días festivos». En las obras
puso gran empeño el conde-duque de Olivares, que buscó los
mejores artistas e ingenieros para hacer una obra realmente
grande. No faltaron las envidias, incomprensiones y super-
crítica negativa. Matías de Novoa decía, por esos años: «Ha-
bíase dado ahora el Valido a labrar un edificio junto al Convento Real de San Jerónimo, ridículo y sin provecho, y de
todas maneras inútil... Andaban más hombres en esta obra
y más instrumentos que en lo de la torre de Babilonia —
pero todo eran tapias. Murmurábase este exceso en la Corte».
Sin embargo, el *Buen Retiro* es uno de los ambientes más
bellos que pudo idear Corte alguna. Asociada a Velázquez
y a Mazo, a Calderón y Moreto, fué la *Corte del Buen Retiro* lo que dice actualmente Deleito al estudiarla: «un pequeño mundo aparte, en el que nada faltaba para hacer de

él una mansión de delicias». «Formaba el Palacio Real —
dice el mismo — un gran rectángulo, que remataba cada uno
de sus ángulos por una sencilla torre, asemejándose un poco
así al monasterio del Escorial. Tres puertas se abrían en la
fachada preferente del edificio, adornadas por columnas a sus
lados.»

Madame d'Aulnoy, en su *Viaje,* reconocía en las habitaciones del Palacio lo ancho, magnífico y el ornato de sus bellas pinturas : «en todas partes lucen el oro y los colores vivos». El *salón de Reinos,* donde se celebraban las cortes,
estaba adornado con lienzos de Velázquez, varios de ellos
hoy en el Museo del Prado : *Las Lanzas,* retratos de Felipe
III y la reina Margarita ; de Felipe IV, la reina Isabel de
Borbón y el príncipe Baltasar Carlos a caballo.

Lope de Vega llamó al Palacio :

> «Un edificio hermoso,
> que nació, como Adán, joven perfeto.»

En 1634, al inaugurarse el Palacio, Calderón dedicó a
este asunto el simbolismo de uno de sus primeros autos sacramentales, cronológicamente : *El nuevo Palacio del Retiro:*

> «—¿Quién son aquellas cuadrillas
> que a tropas le van siguiendo?
> —Son los grandes de su Corte,
> los títulos de su Imperio.
> La Villa, que significa
> de la república el cuerpo,
> la primera es que le sigue,
> porque ésta es la voz del pueblo...

Hay en el auto, fondo de nichos y barandillas, y juegos
de cintas y lanzas, certámenes y música, y aparece «la torrecilla del estanque». La alegoría es a base de que el «buen
retiro» del rey de la tierra es como algo semejante al «retiro»
de Cristo en la Eucaristía :

> «Oíd, mortales, oíd,
> ya el nuevo palacio es
> Palacio del Buen Retiro,
> adonde se abrevia el Rey ;

> el Rey en quien convinieron,
> o por su Esposa o por Él,
> los dos misteriosos nombres
> de Felipe e Isabel.»

Felipe de Austria simboliza a Cristo, que en la frase de la Escritura «del Austro viene, e Isabel, su esposa (Elisabeth, que significa juramento de Dios), representa a la Iglesia. No se escondía al Calderón casi mozo lo difícil de dar una fusión perfecta entre los dos planos: el alegórico y el real, y se excusa así al final de la obra, debida sobre todo a las circunstancias de la inauguración del palacio:

> «HOMBRE : Os suplico
> que le perdonéis los yerros
> a quien en la alegoría,
> que no ha alcanzado su ingenio,
> os quiso representar
> llevado de sus afectos.»

Muy bellamente se dan las descripciones — entre lo alegórico y lo documental — de los nuevos jardines y palacios:

> «Monte fué de austeridades,
> ya jardín bello, que vino
> Agricultor, que al camino
> venció las dificultades.
> Y así aquestas soledades,
> que desiertas y penosas
> fueron, ya cultas, ya hermosas
> están, porque labró en ellas
> quien le hizo campo de estrellas,
> quien le hizo cielo de rosas.
> Ayer breve e inculta esfera
> de unos olivares fué;
> hoy jardín de flores, que
> excede a la primavera.
> Tabernáculo ayer era
> y templo es hoy inmortal;
> ayer fué mesa legal,
> hoy ara de tus altares,
> ayer campo de olivares,
> y hoy es palacio real.»

En el auto «se mira el estanque grande diversas fuentes correr», y el antiguo cuarto de fieras y aves (lo que antes se llamó el *gallinero*) en el mismo lugar de los nuevos jardines, «porque aquí tienen su estancia la fiera, el ave y el pez»; y sobre todo el gran Palacio, «ya que la fábrica altiva toca con el capitel al Cielo».

LOS MIRONES EN LA CORTE. — Así se llama un diálogo en prosa de Salas Barbadillo, es típico del caso usual del *mirón cortesano* o contemplativo y observador, estético o satírico, del mundo frívolo y pintoresco, curioso y monumental del *Madrid creciente* y en constante mejora y decorado del reinado de Felipe IV. Usa del sentido de la vista, no para *pudrirse,* sino para *deleitarse.* «Miro, pues, las mañanas de mayo, salir al campo tanta hermosa dama a desafiar a las flores que en él nacen, porque por mayor gloria suya las quieren vencer cuando están con tantas ventajas, pues les dan la batalla dentro de su misma casa. Contemplo unas doncellonas opiladas, no del barro que comen, sino del marido que les dilatan, y que, si les diesen en vez del acero un novio al lado, traerían ocupado el vientre de huésped, más provechoso a su salud y al aumento del género humano. Miro las madres que las acompañan, muy puestas en llevar de memoria el orden que dió el médico, sin consentir que se exceda: acusan en sus hijas con rigor las propias mocedades que hicieron cuando eran de su edad; sobre la contienda se disgustan, de donde se sigue volverse la enferma a casa descontenta y haber sido la medicina más dañosa que útil.» Lope de Vega traza un cuadro ágil y lleno de malicia e ironía, sobre estas costumbres, en una de sus más lozanas y graciosas comedias, *El acero de Madrid.* Sobre los monumentos, calles y lujo, observa el *mirón:* «Suelo yo pasar por esa puerta de Guadalajara, y quedarme suspenso por largo espacio viendo trabajar a muchos oficiales con vestidos de seda, llenos de tanta guarnición, que no los sacan mejores en sus bodas muchos caballeros de ciudad; rózase allí la seda con la seda en servicio de sí propia, y parece que, como tanto la tratan, la desestiman, de modo que los que della son ministros, son también señores, y más se sirven della que la sirven». Otro interlocutor observa: «Suspéndeme infinito, y justamente me suspende, el ver en Madrid tanto edificio nuevo, y luego ocupado ; nácenle cada año nuevas calles ; y las que ayer fueron arrabales, hoy son principales, y tan ilustres, que aquí está la elección ociosa, porque todo es igual. En cualquier rincón veréis mujeres que sus caras agradan y su compostura admira, de modo que en Madrid aun no se consiente el desatino en los rincones».

Un tipo rufianesco de *El sagaz Estacio,* del mismo Salas, que ha escapado de la horca en Cádiz, y que desea, si ha de morir a manos de la justicia, que sea en un lugar famoso, y ante la admiración de los *mirones,* oye este deseo, que revela la modalidad del público que en la Corte asistía a las ejecuciones : «Es voacé tal persona, que sería lástima que no estrenase la plaza de Madrid después de dorados todos los balcones, porque divertido en mirar cosa tan hermosa no sentirá un hombre la muerte, y aun pensarán que cobra barato el vella». A la vez respira la cita la admiración por las reformas decorativas de la Corte, como la indicada y espectacular de la plaza Mayor. *El sagaz Estacio* tiene aprobaciones de 1613.

EL VERANO DE MADRID. — En el entremés de Quiñones de Benavente, *Las habladoras,* se alude así al calor exagerado de la Corte en el mes de julio :

«PEROTE : ¡ Jesús ! ¿ Aquesto son caniculares ?
O miente el repertorio
o mudad a Madrid el purgatorio.
¡ Jesús, qué desconsuelo !
Escopetas de fuego tira el cielo,
y parece que el Prado
en lugar de regar lo han esterado.»

Los *refrescos* o *bebidas* para el calor eran famosos en el XVII, y en otra piececilla del mismo Quiñones, *Entremés y baile del Invierno y el Verano,* canta MARINIEVES :

«Quien quisiere gozar del verano
fresco, apacible y humano,
en vida más regalada
busque a Madrid, con su limonada ;
y si se aliña,
con limonada y con garapiña.»

La Calderona (escena de peinado de la época). *(Anónimo)*

Convento de las Descalzas. Madrid

Escena donjuanesca en el siglo XVII (según *Murillo*, episodio de *El hijo pródigo*)

Col. Otto Beit, Londres

Si el Invierno amenaza con lluvia y lodos a la Corte, el Verano contesta:

> «¡Qué importa
> que lodos y barros haya,
> si en entrando yo los limpio,
> dejando desocupadas
> desa inmunda ocupación
> calles, plazuelas y plazas!»

A lo que el Invierno opone que, en cambio, tendrán polvo. Pero, con las *defensas* de la Corte, terminan todos por cantar:

> «Pues el invierno y verano
> en Madrid sólo son buenos,
> desde la cuna a Madrid,
> y desde Madrid al Cielo.»

ENGAÑOS Y PELIGROS DE LA CORTE. — Era un tema *vivido* y de gran resonancia literaria. «Paseóme por Madrid — dice *Floro* en el entremés de Salas Barbadillo, *El remendón de la naturaleza* —, pueblo para mí mientras más largo y extendido, menos cansado, porque deleita la vista y el entendimiento con tanta variedad de personas y sucesos.» Corte «tragona de mayorazgos» y «arrastradora de príncipes», dice otro del mismo nombre, en *Las aventuras de la Corte* del mismo autor. «En Madrid comemos, vestimos y pagamos casa, porque aquí tiene gran lucimiento y aparato la industria del ingenio.» Las estafas, como en *Las harpías de Madrid,* a base de un coche y unas hijas guapas y jóvenes, estaban a la orden del día. En el aludido entremés de Salas, se habla de una doña Leonor, bajando «desde la Plaza, por la calle que llaman de la Ropería a la calle Mayor, haciendo con el manto la puntería que llaman de *medio ojo,* ostentativa de puños y airosa de talle», que encuentra a un forastero, de la Alcarria, «monstruo de barba, pelón en la cabeza y en el vestido peloso, porque ella era calva y el de terciopelo de dos pelos...» Le estafa, consiguiendo le compre «algunas niñerías de guantes y tocas», fingiendo ser ella persona de influencia, condesa de Carrión, que puede convenir al forastero en sus pretensiones en la Corte. Así ella ha adquirido prendas de vestir «con la blanca credulidad de un hidalgo alcarreño, que como la miel de allá es tan buena, todos deben de estar en conserva y se dejan comer... fácilmente». Por eso Floro se quiere volver a Valladolid en la misma mula con que vino a la Corte, «porque está muy a peligro mi vida en este lugar, digo mi bolsa». Otra picarilla, Beatriz, cuenta su aventura «entre la calle Mayor y la plazuela que dicen ser de San Salvador, la una habitada de mercaderes y la otra de escribanos», en «un sitio a que llaman la *Platería*». Encontró allí a un mozuelo «gran tahur de amor», que le confundió con una casada a la que él seguía hacía días; y Beatriz consiguió de él una «sortija en quien estos siete diamantes forman una estrella que la sirve de corona». El joven que feria las joyas y el platero que las vendía pecaban — dice ella — «en la lujuria de la elegancia» y «eran jardineros del *pulido lenguaje,* porque el suyo era todo *flores de concetos*». El padre de Leonor y Beatriz, «un padre muy a lo moderno», con el gusto «bastantemente sazonado», sólo trata de engordar, y permite que sus hijas, «sin ser mujeres de mal vivir», pongan «cerco a una bolsa» y asalten «las murallas de una faltriquera», como en los ardides mencionados.

La obra de Antonio Liñán y Verdugo, *Guía y avisos de forasteros que vienen a la corte,* está llena de narraciones que contienen anécdotas sobre este particular. Singularmente chistosa, y con todo el cariz de cosa cierta, es la *Novela y escarmiento sexto,* en que se nos cuenta cómo a un labrador de Zamora que entraba en la Corte se le hizo creer que existía una premática de registro ante el *Mequetrefe,* y los inventores de esta broma le sacaron sus dineros, no sin antes amenazas y graciosos engaños.

LAS REPRESENTACIONES TEATRALES. — En la *Vida* de Don Diego Duque de Estrada, se habla de una comedia «hecha, estudiada y representada en ocho días, con admiración de Barcelona; pues los mismos ocho días fueron necesarios para las apariencias del teatro, y ser en *Carnestolendas,* tan célebres en Barcelona. La casa [donde se representó] no cabía de gente». La representó un famoso cómico Francisco López, a la vez *autor* o empresario, a cuyo *pedimiento* hizo la obra, y se representó «con mucho acierto y ornato». Este López, en la misma Barcelona, había representado, según el mismo Estrada, «la famosa comedia de *Progne y Filomena*» de Rojas. Intervino en las fiestas de Carnestolendas la actriz Damiana, esposa de Francisco López, «cuya repre-

Figuras de teatro

sentación y hermosura era elevada, y más su virtud y honestidad».

Agustín de Rojas, en su *Loa de la Comedia,* describe así el teatro en tiempo de Lope de Rueda:

«Tañían una guitarra,
y ésta nunca salía fuera,
sino adentro y en los blancos,
muy mal templada y sin cuerdas.
  Bailaba a la postre el bobo,
y sacaba tanta lengua
todo el vulgacho embobado
de ver cosa como aquella.

Después, cuando «los ingenios se adelgazaron», se pusieron de moda los coloquios pastoriles, y después las comedias de damas y galanes de la época, o las de moros y cristianos. Para las églogas de pastores, bastaba a los cómicos llevar un hato a base de «un pellico, un laúd y una barba de zamarro». Después, ya hacen falta «barba y cabellera», vestidos de mujer y ropas y tunicelas para los árabes. Siguen las «figuras graves» de reyes. Pasan los tiempos de Cervantes, Juan de la Cueva, Los Argensolas, Virués:

«Hacían versos hinchados,
ya usaban sayos de tela,
de raso, de terciopelo,
y algunas medias de seda.
 Ya se hacían tres jornadas
y echaban retos en ellas:
cantaban a dos y a tres
y representaban hembras.»

Siguen las tramoyas y apariencias, las comedias de santos y de guerras. Es ya la época de Lope de Vega. Empiezan mujeres bellas a vestirse en hábito de hombre: si van en su traje femenino deslumbran «con cadenas de oro y perlas». Salen caballos al tablado; y se unen

«Trazas, conceptos, sentencias,
inventivas, novedades,
música, entremeses, letras,
graciosidad, bailes, máscaras,
vestidos, galas, riquezas,
torneos, justas, sortijas.»

«La comedia está subida» ya a su mayor «alteza». El sol que relumbra es Lope de Vega:

«La fénix de nuestros tiempos
y Apolo de los poetas.»

La escenografía se va haciendo rica en el período que lleva de Lope a Calderón. Si Lope es acción, sobre todo, no faltan en él elementos externos, que significan el avance de la técnica. Por ejemplo, la insistencia sobre que las llamadas «comedias de santos» se adapten a la plástica coetánea. Cuando aparece un santo al que corresponde una aceptada iconografía, es corriente que Lope indique que su actitud e indu-

mentaria coincidan con la que «ordinariamente se pinta».
Así en una de ellas, respecto a San Agustín, nos advierte el
poeta que, al aparecer, sea «vestido de obispo, con su cayado
y la iglesia en la mano, como le pintan». Lo mismo respecto

Escena de desafío en una comedia de Calderón
(de fines del siglo XVII)

a cualquier santo o santa penitentes. Muchas veces pensamos
en las figuras recias y vigorosas coetáneas de los cuadros de
Ribera. Cuando había un anacronismo usual, la comedia lo
repetía; como al hablarnos del ángel de la guarda, «armado
al traje español». En determinadas comedias de Lope se percibe el desarrollo escénico, como, por ejemplo, en las refe-

263

rentes a *San Isidro,* en las que hay ya «apariencias» como
éstas: «Abriéndose una nube, por lo alto del carro, pasen
dos ángeles arando con dos bueyes, y se vea San Isidro con
vestido sembrado de estrellas, una corona de resplandor en
la cabeza y la aijada plateada». «Dé vueltas el carro... y
todos los labradores... por una escala bajen al teatro como
que se apean.» En tiempo de Lope, la corte hizo venir al
pintor y escenógrafo florentino Cosme Lotti, que inventaba
trazas, decorado movible y figuras autómatas. Con su concurso se compuso la primera ópera española escrita por Lope:
La selva sin amor. Lotti inventó un artificio tal para simular
las olas del mar, que se cuenta que en el público algunas
señoras lo tomaron tan a lo vivo que se marearon. Calderón
desarrolló cada vez más el aparato escenográfico. No es extraño encontrarnos con acotaciones como ésta: «Llegaron
Leonido y Polidoro a desencajar el robusto quicio de las peñas
de la gruta, y, consiguiéndolo, a su impulso se descubrió
una maravilla, que no sólo pudo ser afrenta de cuantas ficciones hasta hoy ha imitado la habilidad del arte, sino envidia de los más verdaderos y suntuosos edificios que ha
fabricado la arquitectura. Era un gabinete real compuesto
todo de arcos de oro y blanco; todos sus frisos, pilastras y
artesones estaban sembrados de variedad de piedras de diferentes colores, que así por la materia de que se componían
como por la cantidad de luces que tenían a sus respaldos,
imitaban con tanta propiedad esmeraldas, rubíes, amatistas
y turquesas, que pareció habían las dos Indias enviado... sus
tesoros»; «dilataba lo interior del gabinete una perspectiva
en que estaban todos los adornos competentes a tan majes-
tuoso sitio, y aunque imitadas las alhajas con todo el primor
del arte nada brillaba más que la luciente arquitectura de los
arcos». En esta comedia, que es la última de Calderón (*Hado
y divisa de Leonido y Marfisa*) y data de 1680, intervino el
pintor Josef Caudí, y se percibe la última forma, cada vez
más rica y frondosa, que se percibía a través de todas las
obras llamadas «fiestas reales», en la corte de Felipe IV y
Carlos II. Cuando, muerto Calderón, se representa su co-

media, en Valencia *(La fiera, el rayo y la piedra)*, los decoradores son discípulos de Caudí, y la forma de las apariencias y mutaciones la misma, que se había adaptado con gran sentido de adecuación a la parte literaria del teatro, a

Escena mitológica de una comedia de Calderón

través del género, poético y escenográfico, de sus comedias mitológicas.

El *auto sacramental* o pieza dramática en honor del misterio de la Eucaristía, se representaba, al aire libre, la tarde de la fiesta del Corpus Christi, con notable aparato. Así, por ejemplo, se indica en la «Memoria de apariencias» para el auto de Calderón *No hay instante sin mila-*

gro (1672): «El primer carro ha de ser una devanadera de todo su segundo cuerpo, dividida en dos mitades; la una se ha de abrir en bastidores, y verse en ella un retrete adornado de espejos, escritorios y países y demás adornos, que puedan significarle rico y vistoso. Ha de tener en medio su estrado y atril con un espejo en que ha de aparecer tocándose una dama. La otra mitad, que ha de ser respaldo de ésta, ha de ser un peñasco bruto que, abierto también en bastidores, descubra una gruta a manera de cueva, entre cuyos riscos habrá a un lado una cruz pequeña de troncos bastos, con capacidad para que la misma dama aparezca delante de ella, hincada de rodillas. Esto ha de dar a su tiempo una y más vueltas. — El segundo carro ha de corresponder en todo a este primero, así en la devanadera como en los movimientos della, mas con la diferencia de que la una mitad ha de ser un peñasco que, abierto también en bastidores, descubra a un hombre atado a una cruz y su respaldo en la otra mitad un jardín adornado de flores, tiestos y barandillas lo más hermoso que se pueda. Estos dos carros que en sus devanaderas no ocupan más que sus segundos cuerpos, han de tener el uno en el primero un carro triunfal embebido en goznes y cautelas dobladas, de suerte que como vaya saliendo el tablado vaya creciendo en buena proporción hasta hacerle capaz de traer en su popa una mujer sentada, la cual atravesando el tablado ha de esconderse en el otro carro compañero suyo. — El tercer carro ha de ser fábrica de palacio enriquecido en sus perspectivas de jaspes y bronces; ha de tener también en su segundo cuerpo los mismos movimientos que las devanaderas. En la una mitad se ha de ver a su tiempo un trono con sus gradas y dosel y una silla en que ha de aparecer sentado un hombre, y en la otra mitad una mesa de altar y en ella cáliz y hostia. La pintura deste medio carro ha de ser de nubes con estrellas y serafines, y tenga capacidad para verse a la mesa una persona. — El cuarto ha de ser de boscaje y ha de tener a sus espaldas encubierto un caballo en que a su tiempo ha de dar entera vuelta un hombre lo más en el aire que se pueda, escondiéndose, hasta que saliendo segunda vez y parando en la fachada de la representación (donde ha de haber un despeñadero) caiga en el tablado y el caballo pase hasta esconderse.» Lo mismo ocurre en el rico decorativismo y bella plasticidad de la escenificación de los cuatro Elementos en el auto de *La vida es sueño* o de los siete días de la Creación en *El divino Orfeo* (1663).

BIBLIOGRAFIA

R. RODRÍGUEZ VILLA, *La Corte y Monarquía de España en los años de 1636 y 1637,* Madrid, 1886. — G. MARAÑÓN, *El Conde-Duque de Olivares* (la pasión de Mandar), Madrid, 1936. — B. SÁNCHEZ ALONSO, *La villa de Madrid, ante el traslado de Corte* (1600-1601), en *Revista de la Biblioteca Archivo y Museo* (Ayuntamiento de Madrid), tomo I, 1924. — F. RODRÍGUEZ MARÍN, *Cervantes y el Mentidero de San Felipe,* en *Revista de la Biblioteca, Archivo y Museo* (Ayuntamiento de Madrid), tomo I, 1924. — M. HERRERO-GARCÍA, *El Madrid de Calderón* (*Rev. B. A. y M. Ayunt. de Madrid,* 1925-26). — JOSÉ DELEITO Y PIÑUELA, *La vida madrileña en tiempo de Felipe IV* (Mer. B. A. y M., Ayunt. de Madrid, 1925-26-27-28-30-31-32 y 33). — Ídem *El Madrid de Felipe «El Grande»* (ídem 1924). — R. DE MESONERO ROMANOS, *El Antiguo Madrid.* — M. HERRERO GARCÍA, *Las Fuentes de Madrid* (*Rev. B. A. y M. Ayunt.,* Madrid, 1929). — *Baile de la Fuente del desengaño* (edit. por HERRERO, en íd., págs. 200-204). — B. SÁNCHEZ ALONSO, *Los avisos de forasteros en la Corte* (Rev. B. C. y M. Ayuntamiento de Madrid, 1925). — JERÓNIMO DE QUINTANA, *Historia de Madrid,* 1629. — FEDERICO CARLOS SÁINZ DE ROBLES, *Historia y estampas de la villa de Madrid,* 1933. — Íd. *Por qué es Madrid capital de España,* 1940. — MARTÍN HUME, *The Court of Philip IV. Spain in decadence,* Londres (s. a.), etc.

Vista del Palacio del Pardo (siglo XVII)

M.º Municipal. Madrid

El Prado de San Fermín en tiempos del Rey Carlos II

M.º Municipal. Madrid

EPÍLOGO

Si observa el lector tanto lo referente al ideario como a las costumbres de los dos siglos (XVI y XVII), percibirá la diferencia entre las dos épocas. Al esplendor vital e imperial del XVI sigue la decadencia del XVII. Frente a lo heroico predomina después lo más externa y decorativamente corte- sano ; tras los ideales religiosos (santos, fundadores y re- formadores de órdenes), queda sólo lo espectacular, artístico o literario. Deja de haber santos en la vida, y quedan en la plástica y el teatro. Tras el aliento guerrero conquistador, imperial, acecha el enredo, el vicio, la holganza de la pica- resca. Al corromperse las virtudes heroicas, se llega en cam- bio al orden más rico y apoteósico : lo decorativo, lo exterior, la corte de Madrid de los últimos Austrias. Igualmente a las formas severas de la indumentaria (recuérdese, por ejemplo, el sobrio traje del caballero de la corte de Felipe II) susti- tuye lo más frondoso y exagerado del atuendo varonil y fe- menino (colores chillones, cintas y lazos en el hombre ; guar- dainfante, oros y plata en la mujer). Baste comparar las figuras de la corte del Emperador y de su hijo con las de los últimos Austrias (Felipe IV y Carlos II especialmente). Pero si lo vital se pierde, llegan estos motivos de lo externo y decorativo a extremos de belleza. Lo que en la historia es decadencia, en arte es renovación. A Fray Luis de León sigue Góngora ; al Greco, Velázquez ; a Herrera, el arqui- tecto, Churriguera. Los motivos literarios dejan ver este cos- tumbrismo de ricas frondas. Salas Barbadillo y Castillo Solórzano hacen vivir ricos fondos cortesanos. Zabaleta y Francisco Santos describen con minuciosa delectación los ricos motivos del Madrid de pleno XVII. El mundo abstracto va sustituyendo al pintoresquismo realista, hasta llegar a la novela de alegorías de Baltasar Gracián, y en el teatro a las personificaciones de virtudes y vicios de los *autos sacramentales* de Calderón. A su vez, en las costumbres, van introduciéndose poco a poco la moda y estilo franceses, que señalarán un perfil diverso al siglo XVIII, junto a la nueva dinastía de los Borbones. Muchos pasajes marcan el cambio de actitud de un siglo frente a otro. Pasada la intensa religiosidad del XVI, no es extraño, en el siglo siguiente, encontrar actitudes frívolas ante la devoción, como esta que describe Francisco Santos: «Estos lindos todos juntos aguardan una misa breve, y ya hartos de murmurar por entonces, vuelven la vista a un altar, y ven una, empezado el primer Evangelio. Arrodíllanse sobre diez vueltas de capa, si acaso no traen bayeta que poner en el suelo. Sacan el pañuelo, y empiezan a limpiarse la cara; luego se componen el pelo y tientan la golilla; sacúdense luego la ropilla, golpeando las faldillas a capirotes que arroja el dedo del corazón despedido del pulgar. Luego se componen las ligas, luego componen lo ajado de la toquilla del sombrero, luego miran a todas partes, en particular donde hay damas.» Recuérdese cómo Fray Luis de los Angeles denunciaba el comienzo del mundo de la hipocresía.

Igualmente, el lujo, la riqueza, el ansia de lucirse, tientan no sólo a damas y caballeros, sino a todas las clases sociales. Del mismo novelista es este otro pasaje curioso, inserto, como el anterior, en su gran cuadro narrativo-satírico que titula *Día y noche de Madrid* (1663): «Trae la picarona camisa muy delgada, con el cabezón y puños bien labrados; enaguas de beatilla, con puntas algo grandes, porque se vean bien, que es anzuelo para la pesca de estos tiempos; medias de pelo, de un color tan salido como ellos; calcetas de hilo muy delgado, mas de un par, porque hagan piernas; zapato muy replicado, él y el zapatero porque le hiciese pequeño;

ÍNDICE DE LOS PRINCIPALES NOMBRES Y MATERIAS

275

277

ÍNDICE DE GRABADOS INTERCALADOS EN EL TEXTO

ÍNDICE DE CAPÍTULOS

ÍNDICE DE CAPITULOS

FE DE ERRATAS

Página	Línea	Dice	Debe decir
106	14	1938	1937
127	27	*germania*	*germania*
166	penúltima : antes de ésta, póngase : «Colección selecta de Antiguas Novelas».		

Date Due

MAY 2 7 '60			
MAY 8 '64			
⌷	PRINTED	IN U. S. A.	